KB100496

백작가의 망나니가 되었다

백작가의 망나니가 되었다 5

초판 1쇄 인쇄 2022년 08월 19일
초판 1쇄 발행 2022년 08월 25일

지은이 유려한
펴낸이 서경석
총괄 서기원 **책임편집** 황창선 서지혜
편집 박현성 김범석 이준영 김우진 이신영 양준 김수아
편집디자인 이문영 **표지디자인** 코마

펴낸곳 도서출판청어람
출판등록 1999년 05월 31일(제38-7-1999-000006호)

본사 경기도 부천시 부일로483번길 40, 3층
지사 서울특별시 구로구 디지털로272, 404호
전화 02-6956-0531
팩스 02-6956-0532
메일 chungeoram_book@naver.com

ISBN 979-11-04-92447-7 04810
979-11-04-92442-2 (세트)

5
THE BIRTH OF A HERO
LOUT OF COUNT'S FAMILY
LOUT OF COUNT'S FAMILY
유려한 장편소설
백작가의
망나니가
되었다
제 1 부
영웅의 탄생

CONTENTS

36장

또 어쩌다 보니

36장
또 어쩌다 보니

케일에게 저 멀리 사람들의 목소리가 들려왔다. 비명인지 명령인지 알 수 없는 높은 목소리들이 뒤섞여 있었다.

케일은 저를 보는 고양이와 눈을 마주하며 입을 열었다.

"힐스만."

고양이가 멈칫했다.

"네!"

그 순간, 힐스만이 고양이에게 다가가 두 손을 뻗었다. 고양이는 황급히 방향을 틀어 도망가려 했다. 하지만 옆구리의 상처로 내디딘 앞발이 잠시 비틀거렸고, 힐스만은 그때를 놓치지 않았다.

"잡았습니다!"

부단장은 차마 다친 고양이라 세게 잡지도 못하고, 최대한 살살 발버둥 치는 고양이를 안고서 다가왔다.

크르르.

고양이는 송곳니를 드러내며 날을 세웠다. 드러낸 발톱이 당장에라도 힐스만의 가죽 갑옷을 뚫을 듯했다.

"어휴."

그때 한숨 소리가 고양이의 귓가에 울려 퍼졌다. 동시에 차가운 액체가 고양이의 몸에 뿌려졌다.

포션이었다. 케일은 임시방편으로 포션을 고양이 몸에 뿌리며 입을 열었다.

"내 길 안내를 해주던 기사인데, 다친 걸 외면할 수도 없고."

고양이가 멈칫했다. 부단장 힐스만도 멈칫했다. 케일은 지금껏 몰랐다는 듯 눈을 크게 뜬 부단장의 모습에 한숨을 삼키며 고양이 기사를 관찰했다.

빈민가 출신 기사라고 들었다. 황실이나 왕실에서는 기본적으로 일정 비율 평민 출신 기사를 뽑는다. 평민 출신 기사라는 것도 대단하건만 그 평민이 빈민가 출신이라면 상당한 재능과 운을 지녔다고 말할 수 있었다.

케일은 힐스만이 했던 말을 떠올렸다.

'저 기사의 형제 몇 명은 15년 전에 연금술 탑에 들어갔다고 합니다. 그리고 부모는 확실한 인간인 것 같습니다.'

15년 전, 저자와 함께했던 형제 몇 명은 어디로 갔을까. 연금술 종탑에 갔을까. 그렇다면 부탑주를 죽이려 한 것도 말이 된다.

케일과 고양이의 시선은 여전히 서로를 탐색하듯 상대에게 머물러 있었다. 고양이는 빈 포션 병과 아무는 상처를 보며 입을 열었다.

"……날 어쩔 셈이지?"

"가만히 잡혔으면서 이제 와 그런 말인가?"

케일의 대답에 묘족 기사는 입을 닫았다.

연금술을 무너뜨리려는 건가. 그 물음에 멈칫한 순간 묘족 기사는 부상 입은 곳에서 물밀 듯이 아픔이 밀려왔다. 그 바람에 잡히게 되었고, 포션으로 상처가 치료되며 아픔이 한결 가셨다.

묘족 기사는 빈민가에서 자랐고 황궁에서 줄타기를 하듯이 살며 눈치를 길렀다. 그 눈치가 이 사람에게 가야 한다고 말했다. 묘족 기사에게 케일 헤니투스, 로운 왕국에서 온 귀족의 목소리가 들려왔다.

"로운 왕국은 15년 전 연금술 종탑과 제국이 저질렀던 일을 파헤치러 여기에 왔다."

15년. 그 단어에 묘족 기사의 얼굴에 파문이 일었다. 귀족 케일 헤니투스의 차분한 모습이 그의 눈에 담겼다.

"우리는 15년 전 제국과 연금술 종탑이 빈민가 사람들을 대상으로 저질렀던 그 추악한 죄를 세상에 밝히고자 한다."

"……마법 폭탄 테러 때문에 왔다고 들었는데."

"그럼 내가 왜 널 살리고 구하려고 하지?"

고양이는 멈칫했다가 입을 열었다.

"……구해?"

"그래."

케일은 조명이 비치지 않아 어두운 정원 사각지대에서 조명 아래로 천천히 걸음을 옮겼다. 그리고 힐스만에게 지시했다.

"힐스만, 나머지는 내가 알아서 할 테니, 너는 지금부터 조심히 궁으로 돌아가라."

최상급 익스퍼트. 힐스만의 실력도 이제는 수준급이었다.

"네. 알겠습니다."

비장하게 답하는 힐스만의 모습은 믿음직했다. 케일은 몸을 돌렸다. 그의 시선이 아직도 기사와 병사들이 오가고 하나둘 귀족들이 나오고 있는 태양궁 입구로 향했다.

하지만 그가 발걸음을 옮기기도 전, 묘족 기사의 목소리가 들려왔다.

“난 살아선 안 된다.”

뭐?

케일은 고양이 쪽으로 뒤돌아서려 했다. 그때 태양궁 입구에서 끌려 나오는 하녀가 보였다.

“하하하!”

여인은 황실 하녀 소속임을 나타내는 복장을 입은 채로 웃으면서 끌려 나오고 있었다. 그녀를 끌고 나오는 이들은 기사였고, 그중 한 명이 심각한 얼굴로 황태자에게 뛰어갔다.

케일은 그 모습에 이상함을 감지했다.

‘하녀가 저기에 왜 있지?’

뒤이어 하인도 한 명 끌려 나왔다.

하녀와 하인. 귀족이나 황족을 담당하거나 겉으로 보이는 일을 하는 시종, 시녀와 달리, 하인과 하녀들은 궁에서 보이지 않는 온갖 궂은일을 담당한다. 그렇기에 어디에나 있는 이들이지만, 귀족들이 모이는 연회장엔 가까이 갈 수 없는 처지의 사람들이었다.

‘그런데 저들이 왜 저기에 있지?’

케일은 곧바로 묘족에게로 시선을 돌렸다.

감이 안 좋다. 아직 끝이 아닌 것 같다.

“공자님?”

힐스만은 다시 이쪽으로 빠르게 다가오는 케일을 의아한 듯 불렀지만, 케일은 힐스만의 품 안에서 고개 숙인 고양이의 턱을 들어 올렸다.

"무슨 짓을 하려는 거지?"

묘족 기사는 케일의 눈동자를 차마 쳐다보지 못한 채 입을 열었다.

"로운 왕국 사신단이 그런 목적으로 온 줄 몰랐다."

"……제대로 말하도록."

묘족은 서늘한 목소리에 천천히 눈동자를 돌려 케일과 눈을 마주했다.

하하하하!

묘족에게 저 멀리 동료의 웃음소리가 들려왔다. 어차피 이제 늦었다. 그는 입을 열었다.

"나는 어릴 적 버려진 묘족이었다. 우연히 부모님이 나를 거둬주셔서 형제들과 함께 자랐지. 그리고 우리 중 셋은 15년 전 연금술 종탑의 선택을 받아 종탑에 들어갔다."

묘족은 어머니의 말씀을 떠올렸다.

'거기 가면 맛있는 것들을 마음껏 먹을 수 있어. 그리고 성공할 수도 있단다. 그러니 절대 고양이 모습을 드러내지 마렴. 힘들면 누나와 형에게 기대.'

누나와 형, 막내였던 묘족은 그렇게 연금술 종탑에 함께 들어갔다. 그리고 일이 벌어졌을 때 그만이 묘족이라서, 아주 작은 고양이여서 도망칠 수 있었다. 오물이 가득한 하수구를 지나 겨우 종탑을 빠져나왔다.

누나와 형이 그걸 도와주었다.

'막내야, 너는 고양이로 변해서 빠져나가.'

'그래. 누나 말대로 너라도 나가. 넌 살 수 있어.'

고작 자신보다 두 살, 한 살 많던 누나와 형이 했던 말은 그가 어른이 될 때까지도 잊히지 않았다.

그렇게 살아나온 그를 부모는 토굴에 꽁꽁 숨겼다. 5형제 중 막내였던 그는 이 년 후 7살이 되었을 때, 다시 다섯 살이 되어 6형제 중 막내로 살아가게 됐다.

모두 행정 관리가 허술했던 빈민가라서, 천운이 닿아서 가능한 일이었다.

"나는, 그리고 우리는 형제와 친구들을 잊지 않았다."

아무리 종탑에서 몇 명을 내세워 빈민가 출신들이 잘 자랐다고 선전해도 형제를, 자매를 보냈던 아이들 몇몇은 어른이 된 지금까지 계속 의구심을 품었다. 그들에게 진실을 가르쳐 주고 이끈 이가 묘족 기사였다.

"제국 가장 더러운 곳에서부터 나는 복수를 하기 위해 움직였다."

묘족 기사는 그간의 일들을 짧게 말했다.

"성장한 우리들은 5년 전 조직을 만들었다. 그리고 제국의 수많은 도시 뒷세계로 흩어져 가짜 연금술사든, 진짜 연금술사든 그들에게서 폭탄을 샀다."

순간 케일은 연금술사 레이 스테커와의 대화에서 자신이 했던 말을 떠올렸다.

'술주정뱅이 가짜 연금술사는 뒷세계 조직들이 자잘하게 저들끼리 싸울 때 사용할 수 있는 독약이나 소규모 폭탄을 만들어준다.'

케일은 연금술사 레이 스테커가 조제한 독약과 소규모 폭탄들 중

몇 개가 어디로 흘러갔는지 지금 알 수 있었다.

'이 짓을 제국 전체에서 했다니.'

미치겠네.

케일은 비로소 하나씩 퍼즐이 맞춰져 갔다. 그래, 이 묘족이 혼자서 부탑주 암살이라는 위험한 일을 하기는 힘들다.

묘족의 말이 이어졌다.

"3년 전 나는 기사가 되었다. 재능이 있었고 가장 강했으니까."

조직원 중 가장 강하고 우두머리인 묘족은 암살을 맡았다.

"그리고 다른 이들은 하인과 하녀로 궁에 들어왔다."

빈민가 출신이라 올라갈 수 있는 최대치가 하인과 하녀였다. 묘족 기사는 그간 힘들게 살아온 조직원들을 떠올렸다.

"우리가 가난하다고 해도 복수를 하지 않을 이유는 없었다. 우리는 드디어 오늘 움직였다."

케일은 묘족에게서 손을 떼고 뒤돌아섰다. 묘족은 뒤돌아선 케일의 목소리를 들을 수 있었다.

"제국 곳곳에서 모은 소규모 폭탄이 오늘 여기로 모였겠군. 지금 잡힌 이들 말고도 조직원이 더 있겠지."

지금 잡혀서 웃고 있는 이들은 바람잡이일 확률이 높았다. 주위 시선을 그들에게로 돌려 다른 이들이 움직이기 편하게 만드는 역할.

케일은 묘족에게 물었다.

"연금술로 만든 소규모 폭탄은 화력이 약하다. 결코 태양궁을 무너뜨릴 수 없어."

마나를 이용한 마법 폭탄에 비해, 연금술로 만든 폭탄은 마나를 흉내 낸 자연의 힘이 미미하여 강도가 약했고 성공률도 낮았다. 그나마 저번에 발견했던, 마나구를 이용한 타이머 마법 폭탄이 성공률 백 퍼센트의 연금술 폭탄이라 할 수 있었다.

당연히 묘족 기사도 태양궁을 완전히 폭삭 무너뜨리기에는 연금술 폭탄의 화력이 부족함을 알고 있었다. 그래도 궁의 일부분을 무너뜨리는 것은 가능하다 판단했다.

또한 위퍼 왕국과의 전쟁 뒤 열린 연회로, 요 몇 년 중 가장 제국민들의 시선이 집중될 상황이었기에 일을 벌일 수밖에 없었다. 그래야 세상에 우리의 복수를, 그리고 진실을 알릴 수 있다 판단했다.

그러나 로운 왕국 귀족인 이 남자에게 묘족은 할 말이 없었다.

"……미안하다. 5년간 전국에서 모은 폭탄이다. 한 달 전부터 기둥 하나 근처에 모두 집중시켰다."

태양궁 기둥을 하나 무너뜨리는 것.

케일은 연금술 폭탄의 폭발 확률이 어떻든 간에 5년의 노력으로 그 정도는 가능하다는 뜻을 제대로 알아들었다.

"정말 로운 왕국에는 미안하다. 하지만 이제 곧 폭탄들은 터진다. 막기 힘들 것이다."

묘족 기사는 부탑주를 상처 입혔지만, 죽이지는 못했다. 그러니 부패한 제국에 대한 복수라도 해야 했다. 로운 왕국 사신단에게는 원래도 미안했지만, 미안함이 더 커졌다.

묘족은 천천히 뒤돌아서는 케일이 보였다. 그의 시선이 다시 묘족에게로 향했다. 묘족 기사는 순간 섬뜩함이 들었다. 케일의 입이 열렸다.

"미친놈, 로운 왕국 사람들은 무슨 죄지?"

"……대의다."

“대의는 무슨.”

묘족 기사는 입꼬리를 올리는 케일을 보자, 고개를 숙일 수밖에 없었다.

“……그래서 나는 살 생각이 없다.”

“개소리하네.”

기사는 멈칫했다.

케일 헤니투스. 정의롭고 예의 바른 귀족은 요 근래 황궁 안에서 꽤 심심찮게 언급되는 사신단 인물이었다. 기사는 그의 거친 말에 다시 케일을 쳐다봤지만, 케일은 그를 바라보지 않고 있었다. 케일의 발끝에는 바람이 맴돌고 있었다.

“힐스만.”

“네.”

“못 죽게 붙잡아 놔.”

“네.”

케일의 몸이 앞으로 움직였다. 그의 등 뒤로 묘족 기사의 목소리가 들렸다.

“……이미 늦었다. 폭탄에 불이 붙었을 거다.”

뒤이어 케일의 머릿속으로 라온의 목소리가 들려왔다.

–인간, 우리가 구한다!

케일은 빠르게 이동했다. 그는 아직 묘족 기사에게 물어야 할 것도, 궁금한 것도 많았다. 어떻게 그들이 황궁의 경비를 피해 폭탄을 한 기둥에 집중시킬 수 있었는지, 그리고 뒤처리를 어떻게 할 것인지.

하지만 그런 것들을 묻는 것보다 먼저 할 일이 있었다. 케일의 눈에 태양궁 입구가 보였다.

"케일 공자!"

빠르게 다가오는 그를 보며 사신단 최고 책임자, 외교관 달타로가 놀람과 반가움을 담아 손을 흔들었다. 그 옆에 왕세자도 있었다.

"……너!"

왕세자 알베르는 빠르게 다가오다가 서서히 멈추는 케일을 보고 놀라며 입을 열었지만, 케일이 내뱉는 말에 도로 입이 닫혔다.

"……빌어먹을!"

케일이 거친 말을 내뱉는 것과 동시에 다시 움직였다. 왕세자는 그 모습을 따라 시선을 옮겼다가 눈을 크게 떴다.

정신없는 태양궁 입구. 그곳에 사신단 일행도 많이 있었다. 제국 측 관리와 대화를 나누며 일을 하거나, 혹은 신분과 복장 검사를 받으며 입구에서 나오는 이들이었다. 대부분이 하급 관리들이었다. 높은 이들은 제일 먼저 대피했다.

왕세자의 시선이 태양궁 기둥 하나로 향했다.

"무슨-!"

조사를 위해 모여 있어야 할 시종 한 명이 기둥에 붙어 서 있었다.

화아아악.

그 시종의 몸에 불이 일고 있었다.

"으아악!"

"허억, 저게 뭐야?"

다시금 비명이 여기저기서 터져 나왔다.

몸에 불을 붙인 시종이, 아니, 시종 옷을 훔쳐 입은 하인이 기둥에 붙었다. 하인의 손에서 불이 붙은 작은 폭탄이 아래로 떨어졌다.

케일은 묘족의 말이 떠올랐다.

'……이미 늦었다. 폭탄에 불이 붙었을 것이다.'

맞다. 이미 폭탄에 불이 붙었다.

-인간, 안 늦었다.

라온의 말도 맞다.

케일은 손을 뻗었다. 그의 손에서 바람이 화살처럼 쏘아졌다. 그 바람에 투명화해 따라오던 라온의 마법이 얽혔다. 제국의 소드 마스터와 부탑주에게 라온의 마법을 숨기려면 이 수밖에 없었다.

"크윽!"

기둥에 붙어 있던 하인이 바람에 의해 떨어져 나가 바닥을 뒹굴었다.

쿵.

그때, 케일은 바닥이 울리는 소리가 들렸다.

태양궁을 받치는 거대한 기둥 중 하나. 하인이 붙어 있던 그 기둥 아래에서 땅이 들썩였다.

이미 폭발은 시작되었다.

-인간, 나 지금 혼자 마법 써도 되나? 쓰면 인간 네 옆에 누가 있는 줄 알 텐데! 위대한 내 마법을 저 제국 소드 마스터가 알아볼 거다!

케일의 시선에 황태자가 보였다. 소드 마스터 후텐도 보였다. 이쪽으로 뛰어오는 알베르 왕세자와 뒤따라오는 달타로도 보였다.

케일은 왕세자 알베르와 달타로, 그리고 사신단을 잠시 동안 쳐다봤다. 동시에 한 목소리가 케일의 머릿속에 울려 퍼졌다.

-희생하려는 건가?

희생은 무슨. 헛소리하네.

콰앙, 콰아앙!

폭탄이 수십 개 터지며 기둥의 뿌리를 뒤흔들었다. 태양궁 입구에서 허겁지겁 빠져나오는 이들의 모습은 아비규환이 따로 없었다.

케일의 입이 열렸다.

"나를 도와."

케일은 두 손을 펼쳤다. 그의 몸에서 파동이 일었다. 그리고 오랜만에 심장을 감싸던 방패가 움직였다.

콰지직.

흔들리던 기둥의 중간이 부러졌다. 부러진 부분부터 차츰 기둥과 닿아 있는 지붕까지 아래로 무너지려 했다.

케일은 말했다.

"받친다."

–알았다.

케일에게 다가오던 왕세자는 걸음을 멈췄다. 그의 입에서 케일의 이름이 흘러나왔다.

"……케일 헤니투스."

밤의 어둠 속에서 거대한 은빛이 지상에 나타났다.

그 은빛은 케일에게서 시작되었다.

입구 맨 앞에서 뛰쳐나오던 이들은 저도 모르게 걸음을 멈췄다. 뒤에서 나오던 이들이 밀자, 그제야 다시 걸음을 옮겼다. 하지만 그들의 시선은 한곳에 닿아 떨어질 줄을 몰랐다. 로운 왕국 사신 한 명의 입이 열렸다.

"케일 공자–"

사신의 시선이 케일에게서 멈춰 있었다. 케일의 두 손에서 시작된 은빛 선을 따라 관리의 시선이 천천히 움직였다. 심장이 점점 뛰어왔다. 저 은빛을 본 적이 있었다.

수도 테러 사건 때. 그때 보았다.

사신은 중소 귀족 출신이었지만 왕궁에서 일하는 관리라 그 자리에 있었다.

왕국민들 위에 드리웠던 방패와 거대한 날개.

관리의 시선이 위로 올라갔다.

"……아."

자신의 머리 위에 희미한 은빛이 보였다. 거대한 날개의 끝자락이 자신이 있는 곳 근처까지 뻗어 있었다.

성인 몇 사람이 둘러서야 겨우 둘레를 가늠할 수 있을 것 같은 기둥. 부러진 그 기둥을 방패 하나가 받치고 있었다.

기둥만 받친 것이 아니었다. 기둥 위의 지붕을 받치고 있었으며, 그리고 그 지붕 아래, 입구에 있는 사람들을 보호하고 있었다.

살았다.

로운 왕국 사신의 머릿속에 그 세 글자가 떠올랐다. 그 순간 한 사람의 입이 열렸다.

"……오래…… 못 버팁니다."

케일 헤니투스의 목소리였다. 왕세자 알베르는 그 말에 정신이 퍼뜩 들었다.

커다란 방패가 기둥을 받치고 있는 광경. 방패에서 뻗어 나온 날개가 기둥부터 시작된 갈라진 틈을 가리고, 빠져나가려는 사람들 위로 활짝 펼쳐진 광경. 그 모든 것들에 신경이 팔려 그것이 한 사람이 한 일임을 잊고 있었다. 알베르의 고개가 움직였다.

황태자 아딘. 그가 보였다.

황태자는 케일을 뚫어질 듯이 보고 있었다. 그러다가 왕세자와 눈이 마주치자 표정이 달라졌다. 왕세자는 그 찰나에 달라지는 표정을 보았다.

재밌다는 표정이었다.

황실의 궁이 무너지고 제국의 귀족과 타국의 사신단이 죽을지도 모를 상황에, 황태자는 일그러진 얼굴과 달리 눈동자에 흥미가 감돌고 있었다.

다른 이들은 일그러진 얼굴 때문에 이를 못 보았을지 몰라도, 왕세자 알베르는 제대로 보았다. 왕세자의 눈빛이 깊게 가라앉았다. 하지만 왕세자와 황태자는 지금 서로를 바라보고 있었다. 왕세자 알베르는 다급한 표정을 그대로 유지한 채 입을 열었다.

"시간이 없습니다."

"알겠습니다. 후텐 공작!"

"네!"

후텐 공작이 궁 입구로 달려갔고 동시에 황태자는 명령했다.

"마법사와 연금술사들을 최대한 빨리 보내도록 하게! 어서!"

"네, 명을 받듭니다!"

기사들이 이전보다 더 빠르게 움직였다. 왕세자 알베르 역시도 주위 사람들에게 지시를 내렸다.

"가서 남은 사신단이 빨리 나올 수 있도록 지원하게. 다른 귀, 아니, 제국민들 피신도 돕고."

사실 궁 안에는 귀족보다 못 나온 시종과 시녀, 악사, 요리사들이 더 많았다. 알베르는 황태자의 눈빛을 떠올리며 귀족이 아닌 제국민을 언급했다. 그리고 기사들 몇에게 지시했다.

“가서 케일 공자 곁에 호위를 서도록!”

“네, 알겠습니다!”

알베르의 명에 기사들 몇 명이 빠르게 케일에게로 다가갔다. 왕세자는 비서로 위장한 다크엘프들 중 벤과 코라에게 은밀히 지시했다.

“벤, 기둥으로 뛰어든 시종이 어떻게 되는지, 황태자 쪽에 집중하게.”

“네, 알겠습니다.”

“코라, 케일 공자의 궁으로 가서 지금 이 일을 전하게.”

케일의 호위 기사 힐스만이 보이지 않았다. 분명 케일이 무언가를 시켰을 터. 왕세자는 소드 마스터 최한을 떠올렸다. 아무래도 황태자 아딘의 시선이 신경 쓰였다. 그렇기에 그는 코라에게 케일의 궁으로 가라 지시를 내렸다.

“……최한 님을 데려올까요?”

“아니. 그저 알려만 주도록.”

“네.”

비서 중 두 명이 움직였다. 왕세자는 케일의 곁으로 다가갔다. 사신단 책임 관리 달타로가 그 모습에 조심히 입을 열었다.

“저하, 피하심이-”

“됐네.”

“알겠습니다.”

달타로도 수하들에게 지시를 내리고 왕세자의 뒤에 섰다. 왕세자 알베르는 케일에게 시선을 두었다. 창백하게 질린 얼굴이 보였다.

‘미련한 놈.’

알베르는 얍삽한 것 같으면서도 미련한 놈에게 말했다.

"조금만 더 버텨라. 곧 황궁 마법사들이 올 거다. 다들 빠르게 대피 중이다."

후우.

케일의 입이 열리고 그 안에서 깊은숨이 흘러나왔다. 케일을 호위하던 왕국 기사들은 깊이를 알 수 없는 숨 하나에 멈칫했다.

점점 하얗게 질리는 케일의 얼굴과 창백하게 변해가는 손끝, 더불어 점점 안 좋아져 가는 표정. 이를 보며 그들은 지난번 케일이 수도 마법 폭탄을 막았을 때 보였던 모습을 떠올렸다. 기사 중 한 명은 검을 세게 쥐었다.

'피를 토하셨지. 쓰러졌고.'

케일은 그때 비틀거리며 쓰러졌고, 피를 토했었다. 그리고 그 후 꽤 오랫동안 요양을 했다. 케일 곁에 있는 이들의 표정이 점점 굳어져 갔다.

그 순간 케일의 머릿속은 시끄러웠다.

–인간, 괜찮나? 아프나? 피는 안 토하는데.

–인간, 그런데 나 마음이 뜨거워진다! 우리가 또 구하고 있다! 인간, 넌 약하지만 정말 위대하다!

거참 시끄럽네.

케일은 또 누군가를 구한다는 생각에 벅찼는지 시끄러워진 라온의 행태에 미간을 찌푸렸다.

–인간, 힘들면 그만 힘을 써라! 무리하지 마라! 내가 다 한다!

'네가 다 하면 다른 인간들이 뭐라고 생각하겠어?'

방패와 날개도 없는데 지붕과 기둥을 지탱하는 힘이 있다면 대번에 소드 마스터와 황태자는 그 상황을 의심할 것이다.

'지금도 소드 마스터라면 내 고대의 힘이 아주 거대하다고 느꼈을 텐데.'

마법이 아닌 무형의 마나, 그리고 케일이 지닌 고대의 힘. 둘 다 자연에서 파생된 힘이기에 소드 마스터 후텐 공작은 이게 뭔지 긴가민가할 것이다.

'내 고대의 힘이 엄청 강하다고 착각하면 곤란한데.'

케일은 후텐 공작이 자신의 고대의 힘을 과대평가할까 봐 그게 고민되었다. 그래서 케일은 이왕 쓰는 김에 '부서지지 않는 방패'의 힘을 더 열심히 썼다. 그 덕에 어느 때보다도 은빛이 선명하게 빛나고 있었다.

그래서 힘들었다. 이전과 달리 케일은 처음으로 '버티는 힘'을 쓰는 중이었다. 짧은 시간 폭발을 막고, 불벼락을 한 번 내리고, 그럴 때와는 힘을 쓰는 방법이 달랐다.

"……공자."

외교관 달타로는 케일의 이마에 맺힌 땀을 보았다. 몇 분째 홀로 버티는 젊은 귀족의 인내가 그대로 전해져 왔다.

그때 웅성거리는 소리가 들려왔다. 달타로는 대번에 상황을 파악했다.

"마, 마법사와 연금술사가 왔습니다!"

그가 왕세자에게 보고했고, 곧이어 왕세자는 궁 입구를 보고 있다가 사신단 기사와 후텐 공작이 보내는 신호를 볼 수 있었다. 황궁 마법사들 절반이 기둥 근처 땅에서 마법을 사용했다.

우우웅–

연금술사들이 땅에 알 수 없는 액체를 부었다. 그 순간 하늘에 있는 황궁 마법사들이 실드를 시전했다.

채애앵-

케일의 방패 위에 이십 명의 마법사들이 만든 실드가 형성되었다. 동시에 기둥 근처 땅이 치솟아 올랐다. 연금술사와 마법사들이 함께 만든 흙기둥이었다. 쿵쿵거리는 굉음과 함께 땅이 치솟아 올랐다. 케일의 방패를 흙기둥이 받쳤다.

총괄 연금술사가 외쳤다.

"추가 보조에 들어간다!"

연금술사들이 기이한 검은색 선들을 흙기둥에 둘렀다. 연약하던 흙기둥이 검은색 선들로 뒤덮이며 조금씩 단단해져 갔다. 그 광경을 보던 케일의 귓가로 마법사의 외침과 후텐 공작의 외침이 연이어 들려왔다.

"버티기 들어갑니다!"

"케일 공자, 이제 괜찮네!"

공작의 외침이 꽤 컸기에 한 사람의 이름이 모두의 귓가에 박혔다. 그들의 시선이 한쪽으로 향했다.

파스스스-

태양궁보다 빛나던 은빛이 사라졌다.

쿵!

거대한 소리와 함께 기둥과 지붕 곳곳이 실드와 실드 아래의 흙기둥에 부딪쳤다.

"크윽."

"으윽."

마법을 시전했던 제국 마법사들이 저마다 신음을 토해냈다. 상급 마법사 정도만이 조금 옅은 신음을 흘렸을 뿐이었다. 그 모습에 다들 케일의 모습이 떠올랐다. 신음 없이 꼿꼿하게 서 있던 한 사람. 그들의 시선이 절로 케일에게 향했다.

"쿨럭!"

케일은 두 손바닥을 맞잡으며 기침을 했다. 어찌나 큰 기침인지 그의 몸이 앞으로 푹 숙여졌다.

"공자!"

외교관 달타로가 놀라며 그를 불렀다. 피가 섞인 기침이었다. 하지만 케일의 몸은 바닥에 닿지 않았다.

"케일, 괜찮나?"

왕세자 알베르, 그가 앞으로 쓰러지려는 케일을 부축했다. 그의 시선이 고개 숙인 케일에게 고정되어 있었다. 케일은 고개를 숙인 채 생각했다.

'시원하네.'

저번보다 힘을 많이, 오래 써서 그런지 손바닥이 전보다 따끔거렸지만, 기침 한 방에 몸이 말짱해졌다.

'역시 심장의 활력.'

케일은 자신이 얻은 힘 중 심장의 활력이 최고란 생각이 들었다. 그때 머릿속으로 목소리가 하나 들려왔다.

–왜 희생하지 않는 것인가.

짱돌 목소리에 움찔했다. 뒤이어 케일은 한 번 더 멈칫했다.

–……그냥 제국을 부수고 싶다.

검은 용 라온이었다.

–하지만 저번 불벼락 때보다는 나아 보여서 일단 참는다.

……궁에 가자마자 라온에게 말짱하다는 걸 어필해야겠는데.

케일은 이쯤 되면 라온이 그가 피를 토해도 멀쩡하다는 걸 알아챌 것이라 생각했다. 그런데 다칠 때마다 이리 날카롭게 받아들이니, 신기할 따름이었다.

'알면서도 피를 보이면 이러는 건지.'

다섯 살 용의 생각을 케일은 가늠할 수 없었다. 왕세자의 목소리가 들려왔다.

"어디 안 좋나?"

왕세자는 자꾸 어깨를 들썩이는 케일을 보며 걱정을 감추지 못했다. 그 겁 없는 케일 헤니투스가 떠는 모습을 그는 받아들이기 힘들었다.

물론 케일은 짱돌과 라온의 목소리에 자꾸 흠칫했던 것뿐이었지만 남들 눈에는 힘을 쓴 여파로 떠는 것처럼 보였다.

왕세자 알베르는 따박따박 제 말에 말대답하던 놈이 아무 말이 없자, 미간을 찌푸렸다. 그때 거칠게 가라앉은 케일의 목소리가 들려왔다.

"사신, 크흠."

그는 거한 기침 뒤에 말하는 것이라 목이 조금 걸렸다. 하지만 곧 멀쩡히 말을 이었다.

"사신단은 괜찮습니까?"

케일은 천천히 고개를 들었다. 살짝 배가 고픈 것 빼고는 아주 건강한 케일은 일그러진 왕세자의 얼굴을 볼 수 있었다. 그 표정에 케일의 표정이 굳었다.

"……다친 겁니까?"

케일의 물음에 왕세자의 입이 열렸다.

"이 미, 하."

뭐지?

케일은 왠지 왕세자가 '이 미친놈'이라는 말이 튀어나올 뻔했다가 주변 시선에 간신히 멈춘 것이 느껴졌다. 왕세자는 케일을 조심히 바닥에 앉히고는 손수건을 케일의 손에 쥐여 주었다.

"네 입가의 피부터 닦도록."

"아."

케일은 하나도 아프지 않아 잊고 있다가 얼른 입가에 묻은 피를 닦았다. 그 모습에 왕세자는 얼굴을 더 일그러뜨리며 입을 열었다.

"사신단은 살짝 긁히거나 타박상을 입은 이들은 있지만 모두 무사하다."

"다행이군요."

담담하게 입가에 묻은 피를 닦아내며 답하는 케일의 모습에 왕세자는 한 손으로 눈가를 쓸어내렸다. 그러거나 말거나 케일은 주위를 둘러보았다. 주위에는 왕세자 쪽 사람들인 왕세자 직속 기사들과 비서, 달타로만이 있었다. 케일은 넌지시 왕세자에게 말했다.

"저하, 지금 중립 귀족이나 중소 귀족들에게 가보시는 건 어떻겠습니까?"

지금 왕세자가 다른 왕자파 소속의 중소 귀족들과 중립 귀족들을 다독이고 보호하는 모습을 보이면 그들의 마음이 왕세자 쪽으로 기울 것이다. 특히 다른 왕자파 소속 중소 귀족들은 더 커다란 우산으로 왕세자를 떠올릴 확률이 높았다.

왕세자는 케일의 말에 순간 할 말을 잃었다. 그는 저도 모르게 입을 열었다.

"넌 지금 네 상태를 알고 그런 소릴! 이 멍- 하!"

이번엔 멍청이라고 하려던 것 같은데.

케일은 흙바닥에 주저앉아 괜히 입가의 피를 벅벅 닦아내며 왕세자를 올려다봤다. 그런 두 사람 사이로 외교관 달타로가 끼어들었다. 그는 진중하다 못해 비장했다.

"저하, 우리 케일 공자의 말이 맞습니다. 케일 공자는 저에게 맡기십시오. 지금 왕세자 저하는 모두를 다독이셔야 합니다. 케일 공자는 제가 최선을 다해 안전하게 궁에 보내겠습니다."

케일은 뭔가 달타로의 말에서 거슬리는 부분이 많았지만, 깊은 한숨과 함께 고개를 끄덕이는 왕세자의 모습에 그냥 가만히 있기로 했다.

"……그래. 그렇게 하도록 하지."

왕세자 알베르는 수긍하며 사신단 쪽으로 향하려 했다. 하지만 그는 가지 않고 케일에게 손을 내밀었다.

"일어설 수 있겠나?"

케일은 대답 대신 일어섰다. 기사들은 그 굳건한 모습에 검을 꾹 쥐었다. 케일은 일어선 뒤에야 왕세자의 손을 잡았다. 동시에 케일은 왕세자 쪽으로 다가갔다. 왕세자는 그 행동에 자연스레 포옹을 했다.

예전 로운 왕국 수도 테러 때 케일과 왕세자가 포옹을 하던 순간을 떠올리게 하는 장면이었다. 기사들과 달타로는 한 발짝 물러서서 그 광경에 울컥이는 마음을 애써 눌렀다. 그들은 타국인 제국에서 그때 그 감정을 다시 느낄 줄은 몰랐다. 무사히 살아남은 안도감이 비로소 그들에게 전해졌다.

그 순간, 케일은 오직 왕세자에게만 들리도록 나직이 말했다.

"저하, 제국에 보상금 떼어낼 거죠? 당길 거 다 당깁시다. 그리고 무사해서 다행입니다."

"하, 하하-"

왕세자는 웃음을 흘렸다.

'변함이 없네.'

무사해서 다행이다.

그 말을 할 때, 케일의 감정은 진실이었다. 이래서 왕세자는 케일을 믿을 수밖에 없었다. 그 또한 나직이 케일에게만 들리게 답하며 포옹을 풀었다.

"당연한 거 묻지 마라."

케일은 살짝 웃음을 흘렸다. 당연히 챙길 건 다 챙길 거라는 왕세자의 목소리에 담긴 감정 때문이었다. 그의 목소리에는 사신단의 무사함에 대한 안도와 이런 일을 겪게 만든 것에 대한 분노가 담겨져 있었다. 이러니, 케일이 왕세자를 다음 로운의 왕으로 밀 수밖에 없었다.

로운 왕국 왕세자와 귀족 자제가 큰 사고를 버텨내고 서로 포옹하며 안도하듯 웃는 장면은 많은 이들의 시선을 사로잡는 뭉클한 장면이었다.

"케일 공자, 괜찮은가?"

하지만 다가오는 황태자 아딘을 바라보는 케일과 알베르의 눈빛은 날카로웠다. 케일은 정의롭게 아픈 척할 준비를 모두 끝냈다.

케일은 황태자 아딘과 마주 보며 입을 열었다.

"괜찮습니다."

꼿꼿하게 선 케일의 자세는 아픈 이 같아 보이지 않았다. 하지만 모두의 눈에 케일의 손에 들린 피 묻은 손수건과, 그 손수건을 쥔 채로 살짝 떨리는 손이 보였다.

더불어 힘없이 짓는 미소. 전혀 괜찮아 보이지 않았다.

케일의 입이 열렸다.

"다른 분들은 괜찮습니까?"

"아."

황태자를 따라왔던 제국 측 관리 한 명의 입에서 탄성이 흘러나왔다. 황태자 아딘은 그런 케일을 짧은 순간 동안 훑어보았다. 걱정도 따뜻함도 전혀 담기지 않은 차가운 눈빛이었다.

하지만 짧은 시간 뒤 케일을 마주한 그의 얼굴에는 고마움과 걱정이 한데 엉켜 있었다.

"그래, 자네 덕에 모두 괜찮네. 경상을 입은 이들은 있지만 크게 걱정하지 않아도 될 걸세."

"그렇군요."

경상이라는 단어에 케일의 미간이 살짝 찌푸려졌다. 케일의 시선이 황태자 너머 마법사들과 연금술사들에게로 향했다. 부러진 기둥을 수습하고 있는 이들을 바라보며 케일은 입을 열었다.

"괜찮겠지요?"

이제 저 기둥은 괜찮겠죠?

끝까지 걱정을 드러내는 케일에게 황태자 아딘은 힘주어 답했다.

"괜찮네."

그 말에 케일은 예의 바르게 살짝 고개를 숙였다가 들었다. 그는 살짝 흐트러진 머리칼을 쓸어 넘겼다. 손끝이 떨리고 있었다. 황태자는 그 떨림을 유심히 관찰했다. 왕세자가 그들 사이로 끼어들었다.

"손이 이리 떨리다니. 저번보다 심하군."

"아닙니다, 저하. 괜찮습니다."

케일은 희미한 미소와 함께 고개를 가로저었다. 왕세자 알베르의 미간이 찌푸려졌다.

"괜찮긴! 저번에도 이렇게 하고 몇 달간 요양을 하지 않았던가. 피를 토한 것도 내부가 다 망가져서 그런 것 아닌가!"

……내부가 망가졌다니. 그건 좀 심하지 않나?

케일은 왕세자의 표현에 제동을 걸까 하다가 황급히 자신을 붙잡는 이를 볼 수 있었다. 사신단 책임자 달타로였다. 그는 황태자 앞이라 크게 말하지 못하고 작게 말했다. 그래도 남들에게 들릴 만큼은 되었다.

"힘들게 버티고 서 있지 않아도 되네. 케일 공자, 이제 쉬어도 돼."

걱정과 자랑스러움이 한가득 담긴 달타로의 반짝이는 눈동자. 케일은 그 눈빛에 이상하게 찝찝함이 밀려왔다. 그래도 일단 장단에 맞췄다.

"하지만……."

말끝을 흐리는 그에게 가만히 지켜보던 황태자 아딘이 말했다.

"괜찮네. 나머지는 우리가 처리할 테니, 자네는 가서 쉬어도 돼."

그 목소리는 꽤 단호했다. 제국에서, 그것도 황궁에서 벌어진 일. 이제부터는 제국에서 알아서 할 테니 더 이상 신경 쓰지 말라는 의미가 그 단호함에서 느껴졌다.

케일은 입술을 달싹였지만 입을 다물었고 왕세자 알베르가 입을 열었다.
"그 '우리'에는 저도 들어가는 것이겠지요?"
왕세자는 이 일에 사신단이 관여되어 있음을 주지시켰다. 황태자는 잠시 왕세자를 바라보다가 특유의 사람 좋은 미소를 지었다.
"당연합니다."
하지만 그 행동에도 왕세자 알베르의 마음은 비웃음으로 가득했다. 황태자 아딘은 케일과 왕세자에게 걱정 가득한 표정으로 안부를 물어댔지만 한 번도 이 사태에 대해 '미안하다'고 말하지 않았다.
'나중에 이 상황에 대한 공식 발표 시에도 '유감이다' 정도로 말하겠지.'
황태자는 로운 왕국 측에게 고개를 숙이지 않았다. 그게 서대륙 유일 제국이라 불리는 모고르 제국이 별 볼 일 없다 알려진 로운 왕국을 대하는 태도였다.
왕세자 알베르는 그 태도를 일단은 받아들였다. 그는 손을 뻗어 오늘 이 자리 영웅의 어깨를 살짝 두드렸다.
"가보게. 내 직속 의원을 붙여주겠네."
"감사합니다."
케일은 황궁 치료사가 붙기 전에 선수 치는 왕세자에게 감사 인사를 한 후, 왕세자의 기사에게 부축을 받으며 태양궁에서 멀어졌다. 꽤 많은 이들이 기사의 부축을 받아 느릿느릿하게 걸어가는 케일의 뒷모습을 지켜봤지만 이내 모두 각자의 일에 매달렸다.
정신없는 밤이었다.

케일도 마찬가지였다. 그는 왕세자 직속 치료사로 있는 다크엘프를 끝으로 타인들이 모두 자신의 침실에서 나가자마자, 몇 명의 존재들에게 빙 둘러싸였다.

"……뭡니까?"

케일은 떨떠름한 얼굴로 골드 드래곤 에르하벤을 쳐다봤다. 에르하벤은 케일의 몸을 이리저리 살피더니 혀를 찼다.

"쯧쯧, 박복한 인간 같으니라고."

케일은 말문이 막혀 고개를 돌렸다. 그러자 라온과 눈이 마주쳤다. 감시자도 타인도 사라진 상태라, 검은 용 라온은 케일의 침대에 걸터앉아 케일을 빤히 쳐다봤다. 그 시선에 케일은 기분이 이상해져 고개를 돌렸다. 그러자 최한이 보였다.

'쟤 얼굴은 왜 또 저래?'

최한은 허리에 찬 검의 손잡이를 매만지며 고민에 가득 차 보였다.

달칵달칵.

검 손잡이를 따라 검집 속 검이 드러났다가 다시 들어갔다를 반복했다. 케일은 괜히 서늘해져 와 얼른 입을 열었다.

"어디 있나?"

힐스만과 묘족 기사. 케일은 그들의 위치를 물었다.

최한은 케일 침실과 붙어 있는 욕실로 다가갔다. 그리고 욕실 문을 열었다.

끼이이익-

문이 열렸고, 힐스만이 슬그머니 모습을 드러냈다.

"뭘 어찌 왔길래."

케일은 나뭇잎과 흙먼지를 덕지덕지 묻힌 힐스만을 보며 미간을 찌푸렸다. 힐스만의 품에는 고양이와 함께 빈 포션 병이 두 개 들려 있었다.

"데리고 와."

케일의 손가락이 까딱였고, 힐스만은 고양이를 데려왔다. 고양이는, 묘족 기사는 케일을 뚫어질 듯 응시하고 있었다. 케일은 고양이를 보자마자 입을 열었다.

"렉스 경."

고양이의 몸이 움찔했다. 힐스만은 고양이 렉스를 케일 침대 곁 의자 위에 올려놓았다. 렉스는 의자 위에 놓이며 케일의 말을 들어야 했다.

"황궁은 무너지지 않았어."

고양이의 송곳니가 순간 드러났다가 사라졌다.

"네 동료는 불에 탔지만 살았다. 그리고 잡혔어."

렉스의 얼굴이 일그러졌다. 케일은 그러거나 말거나 침대 맡에 등을 기댄 채 할 말을 이었다.

시간이 없다.

"술주정뱅이 연금술사를 아나?"

고양이가 멈칫했다. 그 연금술사라면 렉스는 당연히 안다. 꽤 착한 이로 통했고 폭탄도 샀으니까. 그자가 이 케일 헤니투스 밑의 사람인가?

케일은 의문이 가득한 렉스의 눈동자를 보며 말을 이었다.

"렉스 경, 그 연금술사는 네 동네, 빈민가의 아이들에게 먹을 걸 나눠주는 인간이지. 여기 최한이 너를 그에게 데려다줄 거다. 네 가족과 조직원들은 현재 숨어 있겠지?"

보나 마나 이번 일 전에 모두 어딘가 숨었을 것이다.

"하지만 네 녀석들 수준으로 숨어봤자 황궁에서 찾으면 하루 안에 찾아. 최한과 함께 네 가족과 조직원들을 모두 제대로 숨겨."

렉스는 케일의 말에 바로 답하지 못하고 망설였다. 그때, 케일의 목소리가 들려왔다.

"왜? 동료들은 붙잡혀서 모진 고문을 겪고 죽을지도 모르는데 너만 살아서 도망가려니 안 되겠다 싶은가?"

"……그건-"

"똑바로 해."

렉스는 제 말을 끊는 케일을 보며 입을 다물었다. 케일에게서 알 수 없는 위압감이 느껴졌다.

"나는 연금술 종탑을 무너뜨릴 거다. 또한 제국 다음 황제의 이름을 아딘으로 두지 않을 거야."

성녀의 이야기를 듣고 떠오른 생각들. 케일은 그 키워드 중 한 명인 렉스를 응시했다.

연금술사의 중심은 레이 스테커.

제국민들의 중심은 이놈.

역전의 영웅을 위한 이야기가 머릿속에 그려졌다.

"그게 무슨, 가능할 리가."

묘족 렉스는 불가능하다는 듯 고개를 가로저었다. 그런 그에게 케일은 웃으며 물었다.

"이 드래곤이 보이지 않나?"

렉스는 순간 말문이 막혔다. 그는 아까부터 차마 검은 용을 쳐다도 보지 못하고 있었다. 그런 그에게 케일은 이어 말했다.

"너를 데려갈 최한은 소드 마스터다."

렉스의 시선이 최한에게로 향했다. 최한은 슬쩍 오러를 피워 올렸다.

"또한 제국에서 나타날 새로운 영웅이 널 도울 거다."

"……새로운 영웅?"

렉스는 케일을 바라봤다.

케일은 손가락을 들었다.

"나."

그는 자신을 가리켰다. 순간 렉스는 말문이 막혔다. 하지만 케일은 틀린 말을 하지 않았다.

제국은 황궁의 기둥이 무너진 일을 숨길 수 없다. 본 눈이 몇 개인가. 그리고 연금술 부탑주 암살 시도를 가리기 위해서라도, 제국은 다른 눈속임 거리를 찾아야 했다.

누가 보아도 그 자리에 적합한 이는 오늘 궁의 붕괴를 막은 케일이었다. 케일은 기꺼이 그 눈속임수에 끼어들 작정이었다.

"나는 오늘 밤이 지나면 아마 영웅이 되어 있을 거다. 제국민들은 나를 좋아할걸?"

에르하벤이 떨떠름한 얼굴로 케일을 쳐다봤지만 그 말은 부정하지 않았다. 라온은 케일의 말에 동의하는 듯 맹렬하게 고개를 끄덕였다.

렉스는 이를 모두 지켜보다가 이어지는 케일의 말에 황급히 그를 바라봤다.

"왜냐면 내가 모두를 구했으니까."

케일은 이번만큼은 자신이 한 일을 숨길 생각이 없었다. 그는 고양이에게 말했다.

"렉스 경, 아무도 죽지 않았어."

아.

렉스의 입에서 탄성이 흘러나왔다. 안도인지 아쉬움인지 알 수 없는 감정으로 얼굴이 일그러졌다.

"렉스 경, 시간이 없다."

그러나 케일은 렉스에게서 시선을 돌려 최한을 쳐다봤다. 최한이 고개를 끄덕이며 아직 상처가 덜 아문 고양이를 품에 안았다.

렉스는 여전히 케일만을 응시했다.

"렉스, 기회가 왔을 때 잡도록."

기회. 그 단어에 렉스는 입을 열었다. 하지만 이어진 케일의 말에 입을 다물었다.

"그리고 오늘 일은, 입 조심해."

케일은 '지배하는 아우라'를 집중시키며 렉스에게 말했다. 그는 렉스가 아무 말도 못 하는 것을 보고는 최한에게로 시선을 돌렸다.

"빌로스에게."

케일은 대충 휘갈긴 메모를 건넸고 최한은 이 또한 품에 넣었다.

"다녀오겠습니다."

"그래. 아침 전엔 와."

최한은 말 대신 창문 밖으로 나갔다. 케일은 이를 가만히 지켜보았다.

툭툭. 그런 그의 팔을 두드리는 앞발이 있었다.

"왜?"

케일은 별다른 생각 없이 라온을 쳐다봤다. 검은 용은 입을 열었다.

"누워라."

케일은 누웠다. 라온은 그의 목 끝까지 이불을 덮어주었다. 에르하벤이 기가 찬 표정으로 한숨을 계속 내쉬었다. 라온은 케일이 꼼꼼히 이불을 덮도록 해주고는 말했다.

"금 용 할배가 간호해 줄 거다. 난 최한 따라 갔다 온다. 내가 가면 더 잘해낼 거다."

자신만 믿으라는 듯 라온이 어깨를 쫙 펼치며 말했다. 케일은 입을 열었다.

"그냥 옆에 있어."

왠지 라온이 가면 더 일이 커질 것 같다. 최한과 빌로스, 이 정도의 조합이 적당하다. 특히 은밀한 일은 빌로스가 최적이다.

라온은 순간 미간을 찌푸렸다가 이내 눈을 크게 뜨더니 물었다.

"……내가 옆에 있었으면 좋겠나?"

"어."

케일은 귀찮아서 짧게 답했고 라온은 입꼬리를 씰룩이더니 케일 옆에 몸을 둥그렇게 말며 자리했다.

케일은 느긋하게 잠에 빠져들었다. 궁 밖은 시끄러웠지만, 케일 자신이 알 바가 아니었다.

다음 날, 케일은 눈을 뜨자마자 흠칫했다.

검은 용 라온은 보이지 않았다. 에르하벤과 힐스만, 최한은 말끔한 모습으로 서 있었다.

"뭘 그리 놀라나? 우리 케일 공자."

그리고 왕세자 알베르가 침대 바로 옆 의자에 떡하니 앉아 있었다.

"……눈 뜨자마자 봐도 역시 왕국의 별이신 저하는–"

"됐어."

왕세자는 손사래를 쳤고 케일은 입을 다물며 몸을 일으켰다. 그런 그에게 왕세자의 목소리가 들려왔다.

"너, 훈장 좀 받아야겠다."

왕세자 알베르는 자신의 말에 멈칫하는 케일을 볼 수 있었다. 알베르는 저번 로운 왕국 수도 테러 때 훈장이나 작위를 거절하며 남의 눈에 띄는 것을 싫어하던 케일을 떠올렸다. 그래서 빠르게 말을 이었다.

"물론 훈장 외에 보상금도, 그에 따른 부가 이익도 충분하다. 현재 양국은 시선을 돌릴 요소가 필요하다 보니–"

알베르는 말을 멈추고 케일을 쳐다봤다.

"너, 기분 좋아 보인다?"

케일은 아침을 상큼한 기분으로 맞이하며 입을 열었다.

"저하, 성대하게 훈장 수여식을 열죠."

"뭐?"

"정의롭고."

케일은 자신의 말에 따라 천천히 손가락을 하나씩 꼽았다.

"희생적이고, 연약하지만 강인한 정신을 지녔고, 약자를 지키고자 하는 귀족이고, 신분, 국가 어떤 것도 따지지 않으며, 아름다우면서도 강인한 고대의 힘을 지녔고."

왕세자는 자신을 보는 케일의 눈동자에 담긴 상쾌함을 알아챘다. 케일은 천천히 입을 열었다.

"저하, 제국민들의 영웅이 되고 싶습니다."

왕세자가 눈가를 찡그렸다.

"왜?"

일단 이유를 물었다. 그러자 왕세자는 침대에 기대어 가까이 오라는 듯 손짓하는 케일 헤니투스를 볼 수 있었다. 그 꼴이 기가 막혔으나, 어찌 되었든 환자였기에 슬쩍 다가갔다.

케일도 왕세자 쪽으로 몸을 숙이며 속삭였다.

"렉스 경이 함께하기로 했습니다."

렉스?

왕세자는 순간 그 사람이 누구인지 떠오르지 않았다. 그러다가 문득 케일의 붉은 머리칼이 보였고, 곧 렉스라는 이름이 떠올랐다.

왕세자 알베르는 케일을 쳐다봤다.

"이 미친놈."

결국 왕세자의 입에서 욕이 흘러나왔다. 옆에 있던 다크엘프 코라는 멈칫했지만 태연한 케일 측 호위 기사들을 보며 안색을 바로 했다.

"왜?"

왕세자가 한 번 더 물음을 던지자 케일은 입을 열었다.

"렉스 경에 대한 간단한 신상은 지금 수도 안, 적어도 귀족들에게는 다 퍼졌을 겁니다."

알베르는 고개를 끄덕였다. 사신단인 자신에게도 렉스라는 기사의 신상이 전해졌다. 왕세자 알베르는 그 내용에 대해 떠올렸다.

빈민가 출신의 기사.

"……설마?"

왕세자의 눈길에 케일은 답했다.

"연금술 종탑에서 도망친, 진실을 아는 자죠."

"……살려야겠군."

케일은 자신을 향한 알베르의 시선에 답했다.

"살렸습니다."

케일은 생각에 잠기는 알베르를 느긋하게 바라봤다.

알베르는 신물에 대해서는 모른다. 그러나 그 외의 일에 대해서는 대략적인 흐름을 알고 있다. 성자와 성녀. 그리고 종탑에 들어가지 않은 비주류 연금술사. 그들을 통해 케일이 연금술 종탑과 제국 황실에 하고자 하는 바를 얼추 들었다. 그렇기에 그는 이번 일에 렉스 경이 가지는 가치를 대번에 알아들었다.

왕세자의 입이 열렸다.

"그 사람의 존재와 네가 앞으로 나서는 것이 무슨 상관이 있지? 넌 나서는 것을 싫어하잖아?"

알베르가 아는 케일은 대놓고 앞으로 나서서 환호를 받는 것을 좋아하지 않았다. 케일은 순순히 인정했다.

"나서는 건 싫죠."

나섰다가 주목을 받으면 행동에 제약이 많이 생기고 남의 눈치를 많이 봐야 한다. 아무리 케일이 남 눈치를 안 보는 성격이라고 해도, 그저 조용한 백수로 살길 원하기에 주목받는 일은 최대한 적을수록 좋았다.

하지만 이번엔 괜찮았다. 케일은 저를 바라보는 알베르에게 답해주었다.

"하지만 괜찮습니다. 곧 그 자리에 저라는 이름은 생각도 나지 않을 영웅들을 앉힐 생각이니까요."

"하."

알베르는 눈가를 쓸어내렸다.

"넌 렉스도 영웅으로 만들 건가 보군."

케일은 미소를 그렸다.

"신뢰를 잃은 황실과 귀족. 그들 자리를 채워줄 존재가 있어야 하지 않겠습니까?"

왕세자는 부정하지 않았다. 오히려 그 물음에 긍정했다.

"빈민가 출신의 기사라. 거기다가 어둠 속에서 진실을 밝히기 위해 노력도 하고 말이야."

왕세자의 눈빛이 케일과 비슷해졌다.

"좋네. 아주 좋아."

그는 지금의 상황에 대해 만족했다. 렉스만 황실에 붙잡히지 않는다면 꽤나 큰 이득이 굴러오는 것이었으니까.

'저 녀석이 잡히게 두었을 리도 없고.'

케일이 렉스에 대한 처리도 완벽히 했을 터. 왕세자는 입을 열었다.

"네가 훈장을 받고 인기가 많아질수록 나야 득이지."

지금도 로운 사신단에 대한 제국의 대우가 한층 높아졌다.

궁의 기둥이 무너진 일. 그리고 고위 귀족들만 챙길 뿐 중하위 귀족과 사신단 하급 관리를 제대로 챙기지 못한 제국의 모습. 더불어 연금술 부탑주 암살 시도 소식까지.

제국은 케일에 대한 이야기를 막지 않았다. 어차피 입단속을 해도 퍼질 일이라면 제국에게 덜 영향을 미치는 일이 가장 크게 알려지는 게 나았다.

그 덕에 케일의 미담은 날개 돋친 듯이 퍼져 나갔다. 타국 귀족이지만 로운 왕국 마법 폭탄 테러를 막은 인물이라는 점과, 위퍼 왕국과의 전쟁 후 이렇다 할 좋은 소식이 없는 제국에서 이번 일은 비극을 막은 기쁜 소식이었다.

왕세자 알베르는 자리에서 일어섰다. 할 일이 많았다.

"푹 쉬고 있어."

"네."

케일은 고개를 끄덕이며 바로 침대에 드러누웠다. 왕세자는 그 모습에 혀를 찼지만, 침실 문을 열고 나서는 그의 얼굴에는 케일에 대한 걱정과 미안함이 한가득 담겨 있었다.

"어떻습니까?"

밖에서 대기하고 있던 외교관 달타로의 물음에 왕세자는 달타로 곁의 제국 관리를 힐끗 보다가 고개를 가로저었다. 하지만 그의 입에서 흘러나오는 말은 행동과 달랐다.

"케일 공자는 괜찮네."

하지만 행동, 표정과 전혀 다른 그 말이 달타로에게는 더 아프게 들려왔다. 달타로는 케일의 침실로 들어가 안부라도 물어볼까 싶었다. 그러나 그의 그런 마음을 돌려세우는 이가 있었다.

"어제 그렇게 큰 힘을 썼으니 푹 쉬게 두자고."

"네, 저하."

"그리고 우리도 정신없는 상태 아닌가?"

"……맞습니다."

달타로는 진중한 기색으로 답했다.

왕세자는 이번 일의 책임을 맡은 황태자를 만나러 가는 길에 잠깐 케일에게 들른 것이었다. 그랬기에 사신단 책임자인 달타로가 함께 온 것이었다.

"이만 가지."

왕세자의 말에 달타로를 비롯한 이들이 케일의 침실 앞에서 발걸음을 돌렸다.

그 시각, 케일은 침대 위에 드러누워 라온이 가져온 쿠키를 씹어 먹었다. 그의 곁으로 기나긴 밤을 보냈던 최한이 다가와 속삭였다.

"빌로스 씨가 케일 님을 뵐 수 있냐고 물으셨습니다."

"데려와."

케일의 지시에 최한은 다시 움직였다.

몇 시간 뒤, 케일의 안정을 위해 귀한 차를 들고 왔다는 명목으로 플린 상단 서자 빌로스가 황궁으로 들어올 수 있었다. 그는 케일 침대 옆 의자에 앉아 연신 손수건으로 이마의 땀을 닦아냈다.

한겨울임에도 빌로스는 그 달덩이 같은 얼굴에 땀이 맺혀 있었다. 그런 그에게로 케일의 목소리가 들렸다.

"고맙다."

"공자님!"

빌로스는 결국 목소리를 높여 케일을 불렀다.

"왜?"

케일의 태연한 반응에 빌로스는 입을 꾹 다물었다. 빌로스는 렉스에게 자신의 은신처를 내주었다. 아니, 렉스를 자신의 은신처에 가둬 버렸다.

지난 새벽 그 정신없던 순간을 떠올린 빌로스의 시선이 최한에게로 향했다. 최한은 눈이 마주치자 선한 미소를 그려 보였다. 그러나 최한이 은밀하게 모두를 피신시킨 뒤 은신처에 렉스를 가두면서 했던 말이 빌로스의 머릿속에서 사라지지 않았다.

렉스는 가족, 조직원과 함께 있길 원했다.

그러나 빌로스는 이를 불가하다 판단했다. 황실에서 빈민가 조직원들의 신원을 명확하게 파악하기는 어려울 테니, 제국이 잘 알지 못하는 빈민가 곳곳의 토굴과 미로 같은 비밀 통로에 잠시 둘 수 있겠지만. 황실에서 신원을 명확히 파악한 렉스는 마법으로부터 안전할 수 있는 공간에 숨어 있는 편이 나았다.

빌로스의 은신처는 모든 마법으로부터 안전한 방어막이 작동하는 곳으로, 빌로스의 큰아버지이자 로운 왕국 서북부 뒷세계의 상인 오데우스가 제국에 올 때 위급 상황을 대비해서 만들어둔 곳이었다.

빌로스는 최한이 렉스를 그 안에 가두며 했던 말을 떠올렸다.

'너는 위험한 폭탄이지. 터지면 너만 죽는 게 아니라 이 일과 연관된 모든 이가 죽을 거다. 그러니 가만히, 쥐 죽은 듯이 있어.'

선하고 말이 없는 편이라 생각했던 최한이 이런 말을 할 줄은 몰랐다.

'넌 대의를 위해 주위 사람이 다쳐도 상관없는지 몰라도, 나는 겨우 얻은 내 가족들이 먼저다.'

더불어 이런 생각을 지닌 줄도 몰랐다. 빌로스가 알기로 최한은 가족이 없었다. 아니, 혈연이 없었다.

'그런 최한에게 가족이라면…….'

케일은 최한을 쳐다보다가 이제는 자신을 뚫어질 듯이 보는 빌로스에게 퉁명스레 물었다.

"뭘 그리 봐?"

"……아닙니다."

빌로스는 머릿속 잡생각을 한편으로 밀어버리며 품 안의 마법 주머니를 꺼냈다.

"여기, 말씀하셨던 물건들입니다."

케일은 탁자를 가리켰고, 빌로스는 탁자 위에 마법 주머니를 올려놓았다. 그에게 케일이 물었다.

"카로 왕국 잘 아나?"

"네?"

갑자기 웬 카로 왕국?

빌로스는 오늘 케일과 만나 다른 이야기들을 할 줄 알았다. 그는 그래도 명색이 상인이다. 어젯밤에 있었던 일이 가지는 의미쯤은, 그리고 지금 케일이 한 일들이 무엇인지는 알고 있었다. 그랬기에, 그 위험한 일에 자신이 했던 바를 보고하고자 했다.

"저, 공자님. 그런데 그보다 새벽의 일에 대해서 보고를 드려야 할 것 같습니다."

"됐어."

"네?"

"알아서 잘했겠지."

빌로스의 입이 닫혔다. 황궁으로 오는 길, 그는 마차 안에서 지난밤 최한을 통해 들은 정보 외에 수도에 퍼진 정보들을 박박 긁어모아 확인했다.

태양궁. 그도 실물로 본 적은 없지만 아주 화려하고 거대한 홀을 지닌 궁이라 들었다. 그 궁의 기둥이 부러지며 지붕이 무너져 내릴 뻔했다.

그걸 홀로 막은 이가 빌로스 눈앞의 케일이었다. 그리고 그 사람은 피를 토하며 부축을 받아 겨우 숙소로 옮겨졌다 들었다.

빌로스는 오늘따라 케일의 흰 피부가 유난히 창백해 보였다. 그에게 케일이 물음을 던졌다.

"빌로스, 왜 자네에게 이번 일을 맡겼겠나?"

평온한 물음에 건넬 답은 정해졌다.

"제가 믿을 만하시군요."

"당연한 소릴."

빌로스는 나오려는 한숨을 삼켰다. 더 이상 그는 식은땀을 흘리지 않았다. 마음이 편안해졌다.

"공자님, 카로 왕국이면 경매장을 말씀하시는 겁니까?"

케일은 바로 제 마음을 알아차린 대답에 고개를 끄덕였다. 이미 왕세자와도 이야기를 끝낸 부분이었다.

비밀의 방에서 구한 물건 중 2개. 그 2개의 처분은 왕국에서 자체적으로 하기엔 힘들었다.

"비밀 경매장 VIP 경매에 참가하고 싶어."

"……가장 가까운 게 2월에 열리는 신년 기념 경매인데, 그 경매 맞습니까?"

"그래."

카로 왕국. 그곳은 다크엘프가 사는 그 사막보다 경매장으로 유명한 왕국이었다.

카로 왕국에는 조금 특이하고 기이한 형태로 발달한 합법적인 경매가 있었다. 그중, 가장 비밀스러운 듯하면서도 공개적인 경매인 VIP 경매. '영웅의 탄생'에서도 카로 왕국을 설명하며 이 경매에 대해서 언급했다.

"빌로스, 가능하나?"

VIP 경매.

케일이 굳이 왕세자나 자신의 이름으로 그 경매에 나서지 않는 이유가 있었다.

교황청의 숨겨진 동굴 속에서 꺼낸 물건 중 2개는 원래 주인이 있었다. 이게 왜 교황의 관 속에 있었는지 케일도 알 수 없다. 하지만 '대외적으로' 아직 이 물건 두 개는 원래 주인이 소유하고 있다고 알려져 있었다.

"네, 가능합니다. 경매에 참가하시려고요?"

"아니."

빌로스의 미간이 찌푸려졌다.

'경매에 참가 안 하면 왜 굳이?'

케일은 빌로스의 의문 어린 시선에 답하지 않고 그에게 한 가지를 더 지시했다.

"초대장을 두 명에게 보내줄 수 있나?"

"초대장이요?"

"어. 2월 신년 기념 경매에 참가하라는 초대장."

"……알겠습니다. 몰래 처리하면 됩니까?"

"어. 우리가 누군지 드러나지 않게."

"좋습니다."

케일은 빌로스에게 한마디를 더 건넸다.

"거래 수수료는 자네가 받도록 해주지."

"……큰 거래군요."

"그렇지."

빌로스는 고개를 끄덕이며 자리에서 일어났다.

"내년에 뵙겠습니다. 2월에 영지로 가면 되겠죠?"

"아니."

케일은 떠나는 빌로스에게 다음에 만날 장소를 말해주었다.

"기예르 영지."

"……알겠습니다. 신년부터 계속 거기 계십니까?"

뜬금없는 기예르 영지 언급에도 빌로스는 차분하게 물었다. 케일은 고개를 가로저었다.

"확신할 수 없어. 아마 북쪽에서 기예르 영지로 갈 것 같다만."

"북쪽이요?"

"그래."

빌로스는 더 묻지 않았다. 로운 왕국 서북부나 동북부 중 한 곳에서 시간을 보내다가 2월에 기예르 영지로 간다는 말로 알아들었다. 하지만 케일이 말한 북쪽은 거기가 아니었다.

이후 부단장 힐스만이 빌로스를 배웅하러 나갔고, 침실에 있던 최한은 케일에게 물었다.

"케일 님, 그러면 안토니오 공자 일은 2월로 미룹니까?"

"그래야지. 제국에 머무는 시간이 늘어나 버렸어."

제국에서 생각보다 더 오래 머무르게 되었다.

애당초 기예르 영지에서 안토니오 공자의 약점을 쥐려던 계획을 뒤로 미뤄야 했다. 케일은 계획이 틀어져 걱정하는 듯한 최한에게 어깨를 으쓱여 보였다.

"어쩔 수 없잖아? 그래도 곧 새해인데. 새해는 집에서 가족들끼리 보내면 좋지 않겠어?"

아.

최한은 작게 감탄을 흘렸다. 케일은 어느새 나타난 라온의 동그란 머리를 쓰다듬으며 말을 이었다.

"1월에 영지에 간다고 말해놨으니 가야지."

아버지 데르트 백작에게 신년은 영지에서 보낸다고 했고, 온과 홍에게도 그리 말해놓았다. 약속한 건 지켜야 하니 별수 있나.

"안 그래?"

"맞습니다. 케일 님의 말씀이 맞습니다."

최한이 선하게 웃으며 고개를 끄덕였다. 케일은 용 둘과 사람 한 명에게 앞으로의 일정을 언급해 주었다.

"새해는 잠시 영지에서 보내고, 이대로 북쪽에 갈 생각이야."

"인간, 고래 보러 가나?"

"어."

위티라는 해상로 관련 계약에 대해 꾸준히 얘기해 왔다. 케일은 새해에 호족의 보금자리를 확인한 뒤 북쪽 고래족을 만나러 갈 생각이다.

'물론 그게 끝은 아니지.'

그는 빌로스가 가져다 놓은 마법 주머니를 집어 들어 에르하벤과 라온에게 건넸다. 안쓰럽게 케일을 쳐다보던 에르하벤이 주머니를 받아 들며 물었다.

"연금술 재료인가?"

"네."

케일의 대답에 검은 용이 눈을 동그랗게 뜨고 들뜬 얼굴로 외쳤다.

"이제 불기둥 만들 수 있겠다!"

제국이 만들었던 불기둥의 재료들이 주머니 안에 가득했다. 에르하벤이 피식 웃으며 답했다.

"당연하지. 꼬맹이, 이 위대한 몸은 재료만 있으면 만든다고."

케일은 조금 피곤해 보이는 고룡의 모습에 북쪽에 가서 해야 할 일을 하나 더 늘렸다. 라온은 에르하벤을 반짝이는 눈으로 보며 물었다.

"이거 만들면 언제 써보나?"

골드 드래곤은 멈칫했다.

제국이 만든 것을 개량한 불기둥. 효과에 대한 실질적인 실험도 필요했지만 함부로 쓰기에는 그 무지막지한 힘이 예상되지 않았다. 그래서 차마 대답을 하지 못했다.

검은 용과 에르하벤은 서로를 바라보았다. 그때, 두 용 사이에 한 사람의 무심한 목소리가 흘러들었다.

"아마 내년 초?"

"응?"

"음?"

두 용이 케일을 쳐다봤고 케일은 태연하게 말을 이었다.

"추운 데 불 피우면 따뜻하겠네."

골드 드래곤 에르하벤의 얼굴이 희한하게 일그러졌다.

'따뜻? 이 불기둥은 그런 수준이 아닌 걸 제일 잘 알 텐데?'

그때, 라온의 목소리가 들려왔다.

"고래한테도 구경시켜 주자!"

"그래."

허.

케일은 에르하벤의 한숨을 모른 척하며 침대에 누웠다.

겨울은 따뜻한 게 최고였고, 그중에서도 이불 안이 최고인 법이다.

하지만 그는 며칠 뒤 찬바람이 쌩쌩 부는 단상 위로 향해야 했다. 한 관리의 목소리가 마법 확성기를 통해 울려 퍼지고 있었다.

"제국에서 숭고한 희생정신을 펼친 케일 헤니투스 공자에게 훈장을 수여하도록 하겠습니다!"

멘트 좋네.

케일은 짧은 감상과 함께 앞을 바라봤다. 그의 앞에서 제국의 정점인 황제가 인자한 미소로 그를 반기고 있었다.

케일의 등 뒤로 황궁 앞 광장을 가득 채운 사람들이 그를 바라보고 있었다. 수많은 시선들이 케일에게로 향했지만 그는 하나도 신경 쓰지 않았다.

–인간.

다만 라온의 말이 신경 쓰였다.

–장하다. 뿌듯하다. 우리는 해냈다.

케일은 감격에 겨워하는 검은 용을 애써 무시했다. 대신 자신보다 한 단 위에 선 황제를 바라봤다. 마주하는 것조차도 이렇게 허락된 경우에만 가능한 위치가 황제였다. 하지만 황제를 바라보는 케일의 감정은 시큰둥했다.

'몸이 약하다고 했던가.'

황제는 현재까지 살아 있는 게 기적이라고 할 만큼 몸이 약하다고 했다. 전대 황제도 그러했다.

'황태자를 아낄 만하네.'

'영웅의 탄생'에서 황태자 아딘에 대해 설명하는 문장들 중 하나가 떠올랐다.

황제는 자신의 욕망을 아딘에게 투영했고 아딘은 이를 이용했다.

황태자는 건강한 신체를 타고났으며 검술도 뛰어났다. 황제가 바라던 것을 가진 아딘은 이를 이용해 황제가 자신을 지지하도록 만들었다. 또한 아딘은 2대에 걸친 연약한 황제들이 기피하여 상대적으로 세가 약해졌던 무가의 힘을 흡수했다.

"케일 헤니투스."

서대륙 유일 제국 황제가 케일의 이름을 불렀다. 케일은 정중히 예를 표했고 황제는 이를 보며 말을 이었다.

"이번 태양궁 폭발 사건에서 그대가 보인 행동은 용감했으며 아름다웠다."

마법 확성기를 통해 황제의 목소리가 광장에 울려 퍼졌다.

"제국 사람이 하기도 힘든 일을 타국의 그대가 몸소 실천했고, 그 덕에 많은 사람들이 살았으며, 태양궁은 무너지지 않았다."

케일의 행동을 칭찬하는 말이 흘러나오는 동안 케일은 황제의 안색을 살폈다. 상당히 건강이 좋지 않아 보였다.

'그래 봤자 도긴개긴이지.'

황제와 황태자는 신체 건강은 달랐으나 생각은 판박이였다.

케일은 이내 감동을 애써 억누르는 젊은 귀족이 되어 황제를 바라봤다. 황제는 목소리를 높였다.

"그런 그대에게 모고르 훈장 3등급을 수여하며, 그에 따른 보물을 내리고자 한다!"

케일의 옷깃에 은색의 훈장이 달렸다.

"와아아아-"

케일은 등 뒤로 함성이 들려왔다. 황제가 케일의 어깨를 두드렸다.

"고생했네."

그의 호의가 보였다. 그러니 3등급을 내렸으리라. 수많은 훈장 중 제국의 이름을 딴 모고르 훈장 3등급이면 상당히 높은 등급이었다.

1등급은 왕조의 공신들에게.

2등급은 전쟁의 영웅들에게.

그리고 3등급은 국가를 위해 중요한 일을 한 이들 중에 뽑혔다. 타국 출신이 받을 수 있는 최고가 3등급이었고, 케일은 그들 중에서도 가장 최연소였다.

케일은 그 연유를 대강 짐작했다.

'아마도 요즘 제국에서 잘한 일이 없어서겠지.'

요 근래 남들이 보기엔 실패만 겪는 제국이었다. 마이플성을 빼앗기고, 궁 기둥도 부러지고, 부탑주가 황궁에서 암살 시도를 겪고. 그 상황에 케일이라는 좋은 건수가 나타났다.

–인간, 나는 네가 아주 자랑스럽다! 약하지만 넌 심성이 곱다!

케일은 라온의 말은 가볍게 무시했다.

“짧게 소감이라도 말하게.”

황제는 케일에게 그의 등 뒤 광장 쪽을 가리켰다. 보물이 주어지기 전, 이 또한 예정된 순서였다. 케일은 황제에게 깊이 고개를 숙이고는 천천히 광장 쪽으로 몸을 돌렸다. 수많은 사람들이 보였다.

–인간! 3시 방향 분수대 근처에 빌로스 있다!

케일의 시선이 자연스레 라온이 전해준 쪽으로 향했다. 일부러 빌로스에게 그곳으로 오라고 지시한 케일이었다.

‘다 왔군.’

빌로스, 그 옆의 연금술사, 더불어 최한과 그의 품 안 고양이까지. 멀어서 표정까지는 보이지 않았지만 그들의 형상은 알 수 있었다.

케일은 광장을 쭉 훑어보았다.

환호하고 기대하는 사람들.

케일의 입이 열렸다.

“기쁩니다.”

젊은 귀족은 정말로 기뻐 보였다. 제국민들은 제국의 훈장을 받고 기뻐하는 젊은 귀족의 모습에 환호를 보냈다. 그들은 젊은 귀족이 이 상황을 영광으로 여기는 듯해 보여 괜히 기분이 좋았다.

제국민들은 지금 단상 위의 저 귀족이 한 일을 전해 들었다.

태양궁 기둥이 테러를 당했다니, 태양신 교단이 떠오르는 일에 간담이 서늘했다. 하지만 아무도 다치지 않고 궁도 무너지지 않아 다행이었다. 물론 제국민 개개인과 직접적으로 관련이 없는 일이었다.

구해진 이가 대부분 귀족이었으니까. 그렇기에 환호를 했지만, 그게 끝이었다. 이걸 케일도 알고 있었다.

"사람들을 구할 수 있어서. 그리고 제 책임을 다할 수 있어 기쁩니다."

이어진 케일의 말에 제국민들 표정이 조금 달라졌다. 그는 훈장을 받아 기쁜 게 아니었다. 젊은 귀족은 기뻤던 이유에 대해 말하고 더 이상 말을 잇지 않았다. 조금 전의 그 말이 끝이었다.

너무나도 짧은 말에 묘한 아쉬움이 남았을 때, 케일은 황제를 바라봤다.

"……이제 보물 차례군."

황제가 손짓하자 시종장이 기다란 상자를 들고서 다가왔다. 황제는 벨벳으로 감싼 상자를 바라보는 케일의 눈빛에서 이상함을 느꼈다.

망설임이 느껴졌다.

기쁘다고 말하던 표정이 조금 굳어 있었다. 그리고 황제 자신의 눈치를 보았다. 딱 젊은 귀족이 할 말이 있는데 황제가 어려워 말하지 않고 망설이는, 그가 흔히 겪었던 광경이었다.

"할 말이라도 있는가?"

황제는 찬바람에 살짝 나오려는 기침을 참으며 물었다.

"……아닙니다."

"두 번 묻겠네. 편히 말하게."

두 번 묻는다.

그 말에 케일 헤니투스의 망설이던 얼굴이 결단을 내린 표정으로 바뀌며, 입을 열었다.

"저는 보물이 무엇인지 모릅니다."

"그렇지."

황제는 몇몇 젊은 귀족들이 자주 보이는 용기 가득한 얼굴을 바라보았다.

"폐하, 이 보물을 다른 것으로 바꿔도 되겠습니까?"

"음."

황제는 이 상황이 무엇인지 바로 감이 잡혔다. 그의 시선이 단상 바로 아래에 서 있는 황태자 아딘에게로 향했다.

'아바마마, 정의로운 젊은 귀족이라고 여겨지는 자입니다.'

'여겨진다?'

'타인의 판단으로는 말입니다.'

정의로움과 젊음, 그 두 가지가 합쳐지면 무엇이 나타나는지 황제는 잘 알고 있었다.

"무엇으로 바꾸고 싶은가?"

황제는 자신의 부드러운 물음에 대번에 밝아지는 케일의 표정을 볼 수 있었다. 케일은 화사한 미소를 그렸다.

–인간, 그 미소가 찜찜하다!

라온의 말을 무시하며 케일은 말했다. 그와 황제. 두 사람의 대화는 광장에 전해지고 있었다.

"제 친우가 그랬습니다."

친우?

갑작스러운 단어에 사람들의 눈동자에 물음표가 나타났다. 황제도 마찬가지였다.

"빛은 어두운 곳을 비춘다."

케일이 입을 연 순간, 사람들의 표정이 바뀌었다. 대부분의 사람들 머릿속에 한 문장이 떠올랐다.

태양은 어둠조차 찾아내어 비춘다.

태양신 교단의 기초가 되는 유명한 태양신 교리. 분명 다른 말인데, 그 말이 떠올랐다.

"또한 제 친우는 이런 말도 했습니다."

케일이 말하는 그만 아는 친우. 당연히 성자 잭이다.

"빛은 나눠도 줄어들지 않는다."

태양은 모든 생명에 빛을 비출 만큼 거대하다.

묘하게 그의 말에서 교리가 떠올랐다. 같은 말이 아닌데, 늘 교리를 되새기던 태양신 신도들에게는 그 말이 자연히 떠올랐다. 아무리 태양신 교단이 폐단을 저질렀어도, 그래도 태양신을 믿는 이들이 제국에는 아주 많았다.

교단 수뇌부들은 교리와 반대되는 짓을 저질렀다. 그리고 지금, 태양신 교단과 상관없는 자가 교리를 떠올리게 만든다.

케일의 목소리가 광장에 울려 퍼졌다.

"그래서 나누고 싶습니다."

기쁨이 담긴 들뜬 음성이었다.

"그래도 빛은 변함이 없으니까요."

이 말이 태양신 교도들에게는 다르게 들렸다.

그래도 태양은 변함이 없다.

단상 위를 쳐다보던 한 제국민이 탄성처럼 중얼거렸다.

"오랜만이네."

오랜만에 교리가 머릿속이 아닌, 마음속에 떠올랐다.

그러나 이 교리를 머릿속으로 생각한 이들도 있었다.

황제. 그의 눈이 일순간 날카로워졌다가 원래대로 돌아왔다. 지금 그의 눈앞에서 용기 있게 말하고 자신의 반응을 기다리는 젊은 귀족은 세상을 이롭게 할 수 있다는 흔한 착각에 빠진 덜 여문 귀족 같아 보였다.

'의도한 건 아닌 것 같은데.'

태양신 교리를 의도한 것 같아 보이지는 않았다.

'의도했든 아니든 그게 중요한 것은 아니지.'

황제는 자신의 가치를 높일 순간을 놓치지 않았다. 그의 입이 열렸다.

"이 보물을 쓰지 않고 다른 이들을 위해 나누고 싶은가?"

"가능하다면 그러고 싶습니다."

황제는 기분 좋다는 듯 웃으며 크게 들리도록 제국민들에게 목소리를 높였다.

"케일 헤니투스의 청을 받아들인다! 식량 창고를 열어 이 보물의 값어치보다 더한 식량을 어려운 제국민들에게 나누도록 하겠다!"

제국민들의 표정이 밝아졌다. 그들이 함성을 지르기 전에 황제는 케일에게 말했다.

"그리고 기특한 생각을 한 케일 헤니투스에게, 보물도 그대로 하사한다!"

황제는 통 큰 황제를 연기했고 제국민들은 이에 환호했다.

"와아아아-"

전보다 더 열정적인 함성이 광장 안을 진동시켰다. 제국민들은 황제와 타국의 젊은 귀족에게 아낌없이 박수를 보냈다. 교단이 무너지고 패전 이후 조용하던 광장에 밝은 기운이 넘쳤다.

제국민은 박수를 치며 입을 열었다.

"저 귀족이 우리 제국 사람이면 좋았을 텐데 말이야."

"그러게. 하지만 우리 황제 폐하도 저렇게 통 크게 쓰시잖아!"

"그렇긴 하지. 아무튼 저 귀족 참 괜찮네!"

여기저기 케일을 칭찬하는 목소리들이 들려왔다.

"저 귀족 이름이 케, 뭐라고?"

"케일 헤니투스래."

"호오, 그렇군. 태양신 교단인가?"

"……그건 모르겠지만. 좋은 사람 같은데. 용기 있고. 저런 귀족이 잘 없잖아?"

"그렇지!"

주정뱅이 연금술사 레이 스테커는 들뜬 광장을 둘러보았다. 그리고 혼란스러운 눈빛으로 케일을 바라봤다. 레이는 케일이 그 백발 신관임을 전해 들었다. 렉스 경에 대한 이야기도 들었다.

묘족 렉스 역시 단상 위의 케일을 쳐다봤다. 그의 눈빛에는 복잡한 감정들이 흘러넘치고 있었다.

레이와 렉스 두 사람에게 빌로스의 목소리가 들려왔다.

"공자님은 로운 왕국에서도 지금처럼 저러하셨죠. 변함이 없으시네요."

"로운 왕국이요?"

연금술사 레이의 물음에 빌로스는 고개를 끄덕이며 일부러 목소리를 높였다.

"로운 왕국 마법 폭탄 테러 때. 홀로 모든 것을 막으신 그때도, 구할 수 있음에 기뻐하고 다른 명예를 원하지 않으셨죠. 그저 다른 힘든 이들만을 걱정하셨어요."

그 목소리를 들은 주위 제국민들이 멈칫했다. 케일을 바라보는 그들의 표정이 달라졌다.

그 시각, 빌로스가 데리고 나온 수하들이 광장 곳곳에서 케일에 대한 이야기를 하고 있었다.

마법 폭탄 테러 때도 몸을 던져 사람들을 구했던 귀족. 더불어 이번 진상 조사에 참가하기 위해서 온 사람. 그 이야기들이 광장에 점점 퍼졌다.

빌로스의 이야기를 모두 들은 연금술사 레이는 감탄처럼 내뱉었다.

"……대단하신 분이군요."

가만히 서 있던 최한의 입이 열렸다.

"케일 님은 원래 저런 분입니다."

원래 그렇다고 말하는 최한의 얼굴에는 숨길 수 없는 뿌듯함이 흘러나오고 있었다. 또한 깊은 신뢰도 보여, 레이와 렉스는 단상 위의 케일을 묘한 눈빛으로 바라볼 수밖에 없었다.

케일은 단상 아래로 내려갔다.

황제의 짧은 연설이 시작되고 있었다. 단상 아래에는 황태자 아딘이 서 있었다. 웃는 얼굴이었지만 썩 좋은 표정은 아니었다. 얘기되지 않은 케일의 행동 때문이었다. 황태자가 케일에게 그 일에 대해 말하려는 듯 다가오다가 걸음을 멈췄다.

왕세자 알베르 때문이었다.

"미리 말을 해주지 그랬나?"

"갑자기 울컥하면서 그런 생각이 들더군요. 죄송합니다."

왕세자의 질책 섞인 음성에 케일이 알베르와 황태자에게 고개를 숙였다. 그 행동에 황태자는 미소를 띠며 케일의 어깨를 두드렸다.

“죄송할 것까지야. 제국민들을 생각해 주는 마음이 고맙군.”

“그리 생각해 주셔서 감사합니다.”

다행이라는 듯 웃는 케일을 관찰하던 황태자는 왕세자 알베르의 목소리를 들을 수 있었다.

“저번 수도 테러 때도 그러더니, 자네는 늘 이렇게 백성들을 먼저 생각해서 탈이야.”

저번에도 이랬다는 말에 황태자의 눈빛이 조금 무뎌졌다.

케일은 자신을 향해 씩 웃어 보이는 왕세자 알베르에게 마주 웃어 보이며 조용히 자신의 자리로 돌아갔다. 오늘 일을 황제와 황태자에게는 말하지 않았지만, 왕세자 알베르에게는 미리 말했던 케일이었다.

사신단 위치로 돌아온 케일의 어깨를 외교관 달타로가 두드렸다.

“수고했네. 정말 멋졌어.”

달타로는 흐뭇함과 애정을 담아 케일을 바라봤다.

“내일 떠날 때까지 푹 쉬게.”

달타로의 말대로 내일 사신단은 떠난다. 예상 밖의 일정으로 급히 돌아가야 했기에 안토니오의 기예르 영지도 그저 잠시 텔레포트를 위해 들렀다만 갈 예정이었다.

케일은 심할 정도로 흐뭇해하는 달타로의 눈빛을 무시하며 보물 상자를 매만졌다. 라온의 목소리가 머릿속에 들려왔다.

–……상자에서 사특한 기운이 느껴진다! 금 용 할배한테 물어보자! 아니다, 메리한테 물어보자!

무서운 짱돌이 말했다.

-희생하려는 건가?

역시. 황제가 준 것이지만, 실질적으로 행사를 준비한 황태자 아딘이 골랐을 것이 뻔한 보물은, 좋은 게 아니었다.

살짝 열어본 보물은 보석이 박힌 가벼운 호신용 중검이었다.

'……마음에 안 드는데.'

케일은 보물을 준다고 해놓고 쓸데없는 걸 준 황태자 아딘 때문에 결심했다. 그는 이 결심을 떠나기 전날 밤 몰래 찾아간 빌로스의 은신처에서 내뱉었다.

"난 기필코 연금술 종탑을 박살 낼 거다."

빌로스가 흠칫했다.

"……박살이요?"

"그래. 박살 내고 새로 지을 때, 빌로스 자네가 주 거래처가 되면 돈을 많이 벌겠지?"

"박살 찬성입니다."

빌로스는 빠르게 케일의 말에 찬성을 보냈다. 함께 온 연금술사 레이와 묘족 렉스가 케일을 긴장 어린 기색으로 바라봤다. 더불어 케일 옆의 최한도 힐끗거리며 쳐다봤다. 연금술사 레이의 입이 열렸다.

"……귀족이실 줄이야."

"그게 문젠가?"

케일의 물음에 레이는 얼른 고개를 가로저었다.

그는 그저 귀족이면 이런 일은 무시하고 편하게 살 수도 있을 텐데, 거대한 세력인 연금술, 황궁과 맞서서 빈민과 제국민에게 진실을 알려주려는 케일이 신기했다.

"나는 내일 떠난다. 떠나기 전에 몇 가지 전하려고 왔다."

케일의 말에 레이는 다시 그에게 집중했다. 묘족 렉스는 고양이 모습으로 가만히 케일을 응시했다. 케일은 두 시선에 곧바로 본론에 들어갔다.

어차피 황실과 수도 전반에 대한 경계가 삼엄해진 지금 렉스와 조직원들을 움직이는 건 힘들었다. 그리고 연금술사 레이에게 시킨 밑 작업에 은둔한 연금술사를 모으는 일까지. 제국과 관련된 일은 시간이 꽤 걸린다.

그래서 케일은 쥐 죽은 듯이 있다가 북 3국이 쳐들어온 후, 제국이 제일 안심할 때 움직이고자 결심했다.

그래야 거하게 뒤통수를 치지 않겠는가?

그러기 위해선 이들에게 구심점을 만들어줘야 했다.

"성자와 성녀가 살아 있다."

아.

연금술사 레이의 입에서 탄성이 흘러나왔다.

케일이 한 말의 의미를, 둘은 알아들었다.

'살아 있다.'

이 말에는 속뜻이 있었다.

'어디 있는지 안다.'

그게 속뜻이었다.

두 사람은 이미 최한을 통해 교단이 연금술 종탑의 비밀을 밝히려다가 폭탄 테러를 겪었음을, 제국이 성자와 성녀를 범인으로 누명을 씌워 죽이려 했음을 모두 자세히 들었다.

케일은 저를 쳐다보는 눈빛들에게 말했다.
"올해 안으로 나는 다시 돌아온다."
그는 두 사람에게 지시했다.
"그때까지 버텨."
그리고 대가를 말해주었다.
"버티기만 하면 너희들이 원하는 것은 내가 가져다주겠다."
원하는 것. 레이와 렉스의 표정이 대번에 달라졌다.
빈민가의 술주정뱅이 연금술사와 쫓기게 된 암살미수범 기사. 이 둘이 원하지만 가지기 힘들다고 생각한 것을, 눈앞의 이 남자는 가져다주리라. 어차피 이제 이들에게는 죽음 아니면 은둔뿐이었다.
"버티겠습니다."
연금술사 레이는 결연하게 답했다. 그는 자신을 쳐다보는 케일의 입가에 맺힌 미소를 보았다.
"술 냄새 안 나니 좋네."
레이도 미소를 그렸다. 허름하지만 깔끔한 옷을 입은 채, 수염을 밀고 머리도 정리한 레이는 이전과 달리 학자 특유의 명석한 눈빛이 보였다.
"저도 버팁니다."
렉스가 뒤이어 답했다. 어차피 그는 이제 평생 도주 혹은 죽음뿐이다. 그럴 바엔 버텨서 한 번이라도 더 시도해 볼 수 있는 쪽이 나았다.
케일은 자리에서 일어났다. 렉스는 자신이 있는 쪽으로 다가오는 케일의 모습에 멈칫했지만, 곧 똑바로 마주했다.
"렉스 경."

렉스는 나지막한 목소리에 긴장했다. 케일은 마법 주머니에 든 것을 꺼내 들었다.

쿵. 쿵. 쿵.

꽤 무게 있는 물건들이 렉스의 눈앞에 쌓였다.

"모두 읽도록."

책이었다. 상당히 두꺼운 책들이 렉스 앞에 쌓였다. 책의 제목이 렉스의 눈에 들어왔다.

'제왕학? 정치학? 군사학?'

렉스의 눈이 커졌다.

"……이걸 제가 왜?"

당황한 고양이 렉스가 케일을 올려다봤다. 하지만 케일은 그 물음에 답해주지 않았다.

"읽으라면 읽어. 공부하면 더 좋고."

렉스는 케일의 눈빛에 일단 천천히 고개를 끄덕였다. 그제야 케일은 만족한다는 듯 입꼬리를 올렸다.

황태자의 빈자리를 누가 채워야 할까?

혼자만의 생각이었지만 케일은 흐뭇한 눈빛으로 고양이의 붉은 털을 쓰다듬었다. 렉스는 멈칫했지만 가만히 있었다. 라온의 목소리가 케일의 머릿속에 울려 퍼졌다.

-인간, 왜 또 그렇게 웃나? 다 끝난 거 아닌가?

다 끝나긴. 이제 출발선이 정해졌다.

케일이 성자, 성녀, 신물과 함께 돌아오는 날.

그날이 시작이었다.

“인간, 나 이제 여섯 살이다! 키도 컸다!”

“그래, 그래.”

라온이 짧은 앞발로 케일을 가리켰다.

“인간, 너도 스무 살이다!”

“그래, 그래.”

케일은 고개를 대충 끄덕이며 마부석을 향해 말했다.

“최한, 다 와가나?”

“네, 곧 해리스 마을입니다.”

새해가 되었다.

케일은 제국에서 돌아온 후 영주성에서 뒹굴다가 오랜만에 외출을 나왔다. 호랑이 마을을 지나, 고래 마을을 지나 북 파에른 왕국까지 둘러볼 꽤 긴 외출이었다.

37장
설마

37장
설마

달칵.

멈춰 선 마차의 문을 열자, 차가운 공기보다 더 큰 자극이 케일을 반겼다.

"고, 공자님!"

두 팔을 펼친 채로 아주 반가워하며 달려오는 이가 있었다. 드워프 쥐족 혼혈 뮐러. 그가 외투도 제대로 입지 않은 채 울 것 같은 얼굴로 케일을 향해 달려왔다.

"……왜 저래?"

케일은 최한을 쳐다봤다. 하지만 최한도 영문을 모르겠다는 듯 어깨를 으쓱여 보였다. 그사이 뮐러는 케일의 앞에 당도해 숨을 몰아쉬고 있었다.

"고, 공자님."

"왜?"

평소라면 케일의 앞에서 움츠러들어야 할 뮐러였다. 케일은 평소와 달리 저돌적인 뮐러의 행동에 멈칫했다. 그리고 멈칫한 순간, 케일의 바짓가랑이는 뮐러의 손에 잡혔다.

"공자님, 제발 저도 데려가 주세요!"

……왜 이래?

절박해 보이는 뮐러의 모습에 케일은 일단 다리를 털어 뮐러를 떼어냈다.

'이상한데.'

성벽 개조에 황금 거북을 형상화한 배까지. 뮐러의 가치는 수직 상승 중이었다. 그래서 어느 때보다도 빳빳하게 굴어야 할 놈이 겁에 질려 있었다.

"차라리 공자님 따라가는 게 낫지, 이건, 이건!"

케일은 혼잣말을 중얼거리는 뮐러를 최한에게 일단 챙기라고 눈짓하고는 해리스 마을로 들어섰다.

해리스 마을에는 현재 영지군이 없었다. 이전에 경비를 서던 병사와 남아 있던 기사들도 모두 영주성으로 돌아갔다.

케일이 해리스 마을에 호족을 이주시키는 건 비밀이었기에 그런 것도 있었고, 무엇보다도 호족에게 마을을 지킬 병사들은 필요치 않았다. 그래서 그 기사와 병사들은 현재 영주성에서 기사단장의 지휘 아래 동계 훈련 중이었다.

케일은 뮐러가 참여한 듯한 마을 목책을 살펴보며 해리스 마을 입구를 지났다. 그러자 하얀 눈밭 사이로 해리스 마을의 풍경이 눈에 들어왔다.

-재밌겠다!

라온의 목소리가 들렸다. 더불어 케일의 표정이 미묘해졌다.

"으음."

눈밭을 뒹구는 어린 호랑이들과 늑대들, 그리고 고양이 두 마리.

-나도 논다!

"그러든가."

허공에 라온이 나타났고, 검은 용은 눈밭을 뒹구는 애들에게로 날아갔다.

"허억!"

케일은 뒤에서 숨넘어가는 목소리가 들렸다. 뮐러였다. 라온을 보고 놀란 듯한 하프 드워프는 케일에게로 다가와 다시 바짓가랑이를 잡았다. 케일은 이번에는 쳐내지 않았다. 그는 저를 올려다보는, 소년 같은 외모지만 서른 살의 어른에게 안쓰럽다는 듯 말했다.

"호랑이도 고양잇과였지."

뮐러는 턱이 떨어져 나갈 정도로 고개를 끄덕였다. 비로소 정황을 이해한 케일은 뮐러가 제 뒤에 숨어도 그러려니 했다. 달려오는 고양이와 호랑이들이 보였으니까.

"우아! 오랜만인데!"

"드디어 왔는데!"

온과 홍이 케일에게로 제일 먼저 달려왔다. 최한은 케일의 옆에 섰다가 피식 웃음을 흘렸다. 케일의 씰룩이는 입꼬리가 보였기 때문이다.

"보고 싶었는데!"

따뜻한 옷을 입은 붉은 고양이 홍이 케일의 다리에 몸을 비볐다. 뮐러는 슬그머니 최한의 뒤로 피신했다.

"다쳤다고 들었는데."

은빛 고양이 온은 이제 12살이 되어 조금 커진 체격으로 케일 주위를 빙글빙글 돌았다. 하지만 12살이라 봤자 아직 어린이였기에, 케일은 제 걱정을 하는 어린이에게 대충 답해주었다.

"어, 피 토했지."

온과 홍, 주변에 있던 어린 호랑이와, 마찬가지로 어린 늑대들의 표정이 심각해졌다. 덩달아 라온의 표정도. 그러거나 말거나 케일은 저 멀리 다가오는 이를 보며 침음을 삼켰다.

"오셨습니까, 공자님."

"어. 오랜만이야."

한겨울, 꽁꽁 싸맨 케일과 달리 한 겹 도포 자락을 휘날리며 다가온 주술사 가샨은 여전했다. 가샨은 눈을 감은 채로 미소를 띠었다.

"한스 부집사에게 공자님께서 제국에서 한 일을 전해 들었습니다."

제국에서 케일이 한 일. 그것 때문에 온갖 곳에서 연락을 받았던 케일이었다.

갑자기 동북부 모든 귀족가뿐만 아니라 왕국 곳곳에서 케일에게로 연회 초대장이 날아들었다. 물론 동북부 귀족 중 에릭은 근심 가득한 장문의 편지를 보냈지만.

케일은 여러 번 들었던 화제였기에 대충 답했다.

"그래? 자연은 다른 말씀이 없으시고?"

"흐."

케일은 가샨의 입에서 흘러나온 소리에 멈칫했다. 괜히 자연에 대해서 언급했다. 케일은 후회했다. 그는 지팡이를 움켜쥐는 가샨을 떨떠름하게 바라봤다.

하지만 가샨은 고개를 조금 갸웃거리며 말했다.

"자연께서…… 이번 겨울, 북쪽에 따뜻한 공기가 맴돈다고 하시더군요."

이야.

케일은 속으로 탄성을 흘렸다. 하지만 겉으로 보이는 무표정에 가샨은 별 신경 쓰지 않고 말을 이어나갔다.

"북 3국은 우리와 적 아닙니까? 그런데 그 차가운 곳에 따뜻한 공기가 맴돈다니. 그들에게 좋은 일이 생길까 걱정입니다."

"신경 쓸 것 없어."

단호한 음성에 가샨과 함께 온 전사들은 케일을 바라봤다. 케일은 부드러운 미소를 지어 보였다.

"우린 우리 할 일을 하면 돼. 우리 뜻대로 될 거니까."

"……그렇군요. 닥치지 않은 일을 걱정할 필요는 없겠지요."

주술사 가샨은 고개를 끄덕였고 케일은 생각했다.

'신통방통하네.'

톡톡. 케일이 어깨를 두드리는 손길에 고개를 돌리니 놀란 얼굴의 검은 용이 보였다. 여섯 살은 신기해하는 눈빛으로 가샨을 보고 있었다.

-인간! 우리가 가진 '용의 분노'를 저 호랑이 주술사가 모를 텐데, 신기하다!

용의 분노. 에르하벤이 만든 불기둥 개량형이었다. 케일은 그저 라온에게 미소를 지어 보였다.

"또 저 미소다!"

라온은 고개를 절레절레 가로저으며 온과 홍의 곁으로 날아갔다.

이제 평균 9세가 된 애들끼리 뭔가를 쑥덕쑥덕거렸지만 케일은 신경 끄고 걸음을 내디뎠다.

"집으로 가지."

"네."

집. 케일이 내뱉은 말에 최한이 뒤따랐다. 그리고 가샨도 은근슬쩍 따랐다. 물론 뮐러는 가샨과 최대한 떨어져 최한의 바짓가랑이를 잡고서 따라왔다.

집은 당연히 짱돌 저택이었다.

케일은 짱돌 저택으로 향하는 동굴 입구 앞에서부터 마중 나온 이들을 볼 수 있었다. 그들을 본 순간 케일의 입꼬리가 올라갔다.

"음흉한데!"

"뭔가 사건이 일어날 것 같은데."

"맞다. 또 저 미소다!"

홍, 온, 라온. 셋이 연달아 내뱉는 말을 케일은 가볍게 무시하며 동굴 입구에 나온 이들을 빤히 응시했다.

평소라면 케일은 늑대 소년 라크와 한스, 로잘린이 마중을 나올 거라 생각했을 것이다. 그리고 지금도 마중을 나온다면 그들일 것이라 생각했다.

하지만 지금 동굴 입구 앞에 있는 이들은 전혀 예상 밖의 인물들이었다.

"왔어?"

소드 마스터 하나였다. 그녀는 팔짱을 낀 채 동굴 입구에 기대어 있었다. 그녀의 뚱한 인사를 케일은 대충 흘려보내고, 소드 마스터 하나를 움직이게 한 두 사람을 쳐다봤다.

달달달. 미친 신관 케이지. 그녀는 짝다리를 짚은 채로 한쪽 다리를 달달 떨며 손톱을 물어뜯고 있었다. 그녀는 혼자 생각에 빠져 케일이 온 줄도 모르고 있었다.

"미친 신 같으니라고. 왜 맨날 꿈에 나와서 쳐 우냐고! 케일 공자 바짓가랑이라도 잡으라니, 도통 뭔 소린 줄 알아들을 수가 있어야지!"

케이지는 몇 주간 제대로 잠을 자지 못했다. 몇 주 내내 꿈에 맨날 죽음의 신 목소리가 들렸다. 질질 짜는 소리를 하며 코를 훌쩍여댔다.

'세상에, 신이 그런 찌질한 행동을 한다니!'

거기다 신은 맨날 중얼거렸다.

'드디어, 드디어! 케일, 그 인간은 역시나였어! 이제 세상에 아름다운 죽음을 전파할 수 있어!'

거기까진 그저 그랬다. 하지만 이어진 말에 케이지는 기가 찼다.

'성녀 해볼래?'

케이지는 그때마다 잠에서 깨어나며 외쳤다.

'개소리하네! 내가 미쳤다고!'

그런데 오늘도 깨어나며 그렇게 외쳤을 때, 깨질 듯한 두통과 함께 죽음의 신 목소리가 들렸다.

'네 마음대로 하렴. 그게 길이니.'

마음대로 하라고 했다. 그게 더 찝찝했다.

"케, 케이지 님."

그녀에게 성자 잭의 떨리는 목소리가 들렸다.

성자 잭은 요 근래 이상하게 잠이 안 오고 심장이 떨리고 머리가 아프다고 했다. 신의 목소리를 들은 것도 아니건만, 그냥 기분이 이상하다고 했다.

케이지는 잭의 부름에 그를 바라보려다가 흠칫 몸을 떨었다. 오싹한 기분이 온몸을 사로잡았다.

"미친!"

그녀는 욕지거리를 내뱉으며 오싹한 기운이 느껴지는 곳으로 고개를 돌렸다.

이 오싹한 기분. 그녀가 처음 다른 이들과 함께 신관이 되겠다며 죽음의 신 앞에서 단체 맹세를 했을 때, 자신을 스쳐 지나간 기운과 흡사했다. 그리고 이 기운은 그때, 수많은 초짜 신관들 사이에서 자신만이 느꼈던 비밀이었다.

'아니다. 그때와 달라.'

더 깊었다.

지금 느껴지는 것은 그때보다 더 깊은 기운이었다.

"보자마자 욕입니까? 반가운 인사네요."

고개를 돌린 곳에는 케일이 서 있었다.

순간 케이지는 숨을 들이마셨다. 그녀는 케일이 제국에서 했던 대단한 일에 대해서 들었다. 그에 대한 말로 인사를 시작할까 했지만 입에서 흘러나온 말은 그녀도 모르게 흘러나온 말이었다.

“공자님, 뭘 들고 온 거예요?”

말하고 나자 케이지는 머릿속이 명확해졌다.

“도대체 무슨 기운을 들고 온 거죠?”

이 오싹한 기운.

죽음의 신 교단에서는 죽음을 따뜻하게 포장하려 하지만 케이지는 안다. 죽음만큼 공평하면서도 불공평해서 잔인한 존재는 없다고. 돈이 적으나 많으나, 권력이 있으나 없으나 죽음은 생명에게 반드시 찾아온다. 그래서 공평하다.

그러나 착하기만 한 어린아이의 숨을 거둬가고 추악한 권력가가 노인이 될 때까지 살게 만드는 불공평도 죽음이다.

케이지는 케일이 무언가를 들고 왔음을 직감했다. 그때, 그녀의 귓가로 잭의 목소리가 들렸다.

“……어?”

성자 잭, 그가 어벙한 얼굴로 케일을 응시하고 있었다. 뭐가 뭔지 알 수 없다는 얼굴로 제 가슴 위를 두드려 댔다.

케일은 그 모습에 더 짙은 미소를 그렸다.

‘역시.’

역시나 미친 신관 케이지는 대단한 사람이었다. 성자 잭보다 케이지가 진짜배기였다.

제국에서부터 이곳까지. 케일은 지나가는 길에 죽음의 신과 태양신 두 교단의 어느 신관에게도 발걸음을 붙잡히지 않았다.

그러나 지금 성자 잭은 희한한 표정으로 케일에게 다가오지 못하고 주춤거리고 있었고, 케이지는 성큼성큼 케일에게로 다가왔다. 그리고 그에게 말했다.

"공자, 위험한 기운을 왜 품고 옵니까? 몸에 안 좋아요!"

그녀는 케일 걱정을 하면서도 얼른 연유를 말하라는 듯 그를 응시했다.

"케이지 씨, 그리고 잭 님."

케일은 여유로운 손짓으로 두 사람에게 동굴 안을 가리켰다.

"일단 들어가서 이야기하죠."

케일은 앞장서서 동굴 안 지하 저택으로 향했다.

잠시 뒤, 케일의 앞에 찻잔이 놓였다. 부집사 한스는 다과까지 올려두고는 조용히 케일의 방을 빠져나갔다.

케일은 저택 5층, 오랜만에 제 방의 소파에 몸을 느긋하게 기대며 입을 열었다.

"일단 속이 차가우니 마시세요."

케이지와 잭은 케일을 응시하다가 천천히 찻잔을 집어 들어 차를 마셨다. 케이지는 속을 데우자 조금 마음이 편안해져 왔다.

그때, 탁자 위에 물건이 두 개 놓였다.

낡은 콤팩트형 거울 하나.

그리고.

"푸핫!"

케이지 입안에 있던 차가 뱉어졌다.

책 한 권.

지은이, 마음이 여린 죽음.

뚜욱. 뚝. 그녀의 입에서 흘러나온 찻물이 턱을 타고 바닥에 떨어졌다. 하지만 케이지도 케일도 그런 것에 신경 쓰지 않았다. 케일은 긴장을 삼키며 입을 열었다.

신의 물건. 그것에 대해 케일은 아는 것이 적었다.

"어떻습니까?"

하지만 미친 신관 케이지는 답 대신 책을 향해 손을 뻗었다. 케일은 망설이는 그녀에게 말했다.

"보세요."

그 말에 그녀는 바로 망설임 없이 책을 집었다.

그 순간이었다.

스스스-

스산한 소리와 함께 하얗던 책이 까맣게 물들어갔다.

탕탕.

케일은 5층 창문을 두드리는 소리에 고개를 돌렸다.

"인간! 뭐 하냐? 아주 무서운 기운이다!"

라온이 유리창에 들러붙어 호빵처럼 눌린 얼굴로 외쳤다. 밖에서 온, 홍과 논다더니 어느새 날아왔다. 그 빠른 속도에 놀란 케일에게로 미친 신관 케이지의 음성이 들렸다.

"이거……."

케일은 고개를 돌려 그녀를 바라봤다. 케일은 마음이 두근두근 설렜다. 얼마나 대단한 물건일까?

그는 케이지가 침을 삼키는 것을 보았다. 곧 그녀의 입이 열렸다.

"……이거, 일회용인데요."

음?

케일은 잠시 당황했다.

"네? 케이지 씨, 뭐라고요?"

내가 잘못 들었나?

케일은 다시 케이지를 응시했다. 그녀는 죽음의 신이 질질 짜면서 했던 말을 떠올리며 입을 열었다. 케일은 열리는 입을 보며 다시 기대하기 시작했다. 그녀의 말이 이어졌다.

"저도 모르겠어요."

"……네?"

정말이다. 케이지도 알 수가 없었다.

다만 그녀는 솔직하게 말했다.

"저에게는 이 책이 한 문장으로 도배되어 보입니다."

그녀의 말에 케일은 자신이 봤던 책 내용을 떠올렸다.

세상의 모든 존재는 다 죽어야 아름답다.

죽고 싶나?

나를 따라라!

가장 손쉽게 죽는 방법에 관하여!

해괴했던 내용들이 떠올랐다. 그런데 케이지에게는 모두 한 문장이라고?

케일이 이전과는 다른 표정으로 그녀를 응시했다. 그녀도 케일을 바라보며 몇 주간 죽음의 신이 울면서 한 말들 중 어젯밤 흘러가듯이 했던 한마디를 떠올렸다.

'신도 알 수 없는 존재가 영웅이야. 이제 영웅이 탄생할 때가 되었어.'

영웅의 탄생. 미친 신관 케이지는 그 기억을 묻어두며 자신이 책에서 본 한 문장을 말했다.

"죽음을 죽이는 방법이 궁금한가?"

수백 페이지의 책은 이 한 줄로 도배되어 있었다.

'살벌한데.'

케일이 그 문장을 듣자마자 한 생각이었다.

사라라락. 미친 신관이 책 페이지를 빠르게 넘겼다. 그녀는 책 속 내용을 보며 말을 이었다.

"모두. 모든 페이지에 그 글자만 적혀 있어요."

"……저나 다른 이들에게는 평범한 에세이 같았습니다만."

물론 원래 내용도 '평범한' 에세이는 아니었지만, 그래도 이렇게 오싹한 느낌을 주지는 않았다.

탕. 탕.

고민에 빠지려던 케일은 창문을 두드리는 용의 앞발에 한숨을 내쉬며 창문을 열었다. 라온은 냉큼 안으로 들어오더니 근엄하게 외쳤다.

"불길하도다!"

그러고는 케일의 옆에 바짝 붙어 케이지 손에 들린 책을 노려봤다. 이 일련의 행동을 멍하니 쳐다보던 케이지는 이내 케일의 시선에 다시 입을 열었다.

"사실 제게도 글자로 보이는 건 아니에요. 알 수 없는 글자의 조합이 눈에 들어오면 그 문장이 머릿속에 떠오르는 거죠."

그녀가 잠시 말을 멈추자 케일은 질문을 던졌다.

"죽음을 죽인다는 게 무엇을 의미합니까?"

신관은 고개를 가로저었다.

"모르겠어요. 뭐 이런 복잡한 걸 만들었는지. 마음이 여린 죽음은 무슨, 개뿔이 마음이 여리다고."

점점 케이지의 말이 거칠어져 갔다. 그녀는 욕을 하다가 잠시 멈칫하고는 헛기침과 함께 말을 이었다.

"죽음의 신 말씀이 담긴 책이 교단에 있습니다. 그 책 속의 말을 나름대로 해석해서 교리로 해두고 있죠."

"그 책에 이 문장과 비슷한 말이 있습니까?"

케이지는 척하면 척 알아듣는 케일에게 미소를 띠며 입을 열었다.

"그건 아니지만. 죽음의 신은 이런 말을 했다고 합니다."

그녀는 어릴 적 잠들기 위해 외워야 했던 책 내용을 읊었다. 이걸 모두 외워야 신관들은 잠들 수 있게 해줬다.

"죽음은 끝이 아니다."

죽음의 신은 생명을 거두며 이 말을 남겼다.

"한 번의 죽음에서 우리는 두 가지를 선택할 수 있다. 옳은 길과 비틀린 길."

스스스-

책에서 다시 한번 검은빛이 감돌았다. 케일도 신관도 멈칫했지만 이내 그녀는 차분하게 말을 이었다.

"비틀린 길로 들어선 순간, 그 길의 끝에서 또다시 선택의 순간이 오리라."

사라락-

책장이 넘어갔고, 한 페이지에서 멈췄다. 케일은 뭐라 적혔는지 물어보려 입을 열었다. 하지만 그 페이지를 보던 미친 신관 케이지의 거친 목소리에 입을 다물었다.

"미친 신 같으니라고."

케일은 움찔했고, 케이지가 그에게 말했다.

"죽음을 죽이는 방법이 궁금한가? 한 번 더 이렇게 묻네요. 궁금하신가요?"

미친 신관의 물음에 케일은 입을 열었다.

"전혀요."

진심으로, 하나도 궁금하지 않았다. 죽음의 신 신물이라길래 뭐 돈이 될 만한 보물일 줄 알았더니 아주 제대로 찜찜한 물건이었다.

"그래, 인간. 저런 위험한 물건은 가질 필요 없다."

라온이 앞발로 케일의 팔을 두드리며 잘했다는 듯이 히죽 웃어 보였다. 케일은 그 모습에 한숨을 삼켰다.

제국에서 돌아오는 길, 고룡 에르하벤에게도 신물에 대해서 물어보았다. 그때 에르하벤은 고개를 가로저어 보였다.

'신의 언어는 해석이 없어. 그저 허락된 자만이 들을 수 있고 읽을 수 있을 뿐.'

케일은 미친 신관에게 물었다.

"케이지 씨는 궁금하십니까?"

"저도 전혀 궁금하지 않은데요."

역시.

케일은 이럴 때 생각이 일치하는 그녀에게 책을 가리켰다.

"보관해 주실 수 있습니까?"

"그러죠. 죽음의 신 신물은 거의 다 없어졌다고 들었는데. 보관하고 있다가 공자님이 필요하실 때 넘길게요."

그녀는 책의 표지를 두드렸다. 귀중한 물건을 대하는 게 아니라 그저 골칫덩어리를 대하는 태도였다.

"무서운 기운이 가득해서 일반인들은 들고 다니면 가위 눌리거나 악몽을 꿀 것 같거든요."

"그래서 내가 악몽을 꿨구나!"

라온이 탄성을 흘리며 책을 더 노려보았다. 케일은 살짝 고개를 한쪽으로 기울였다.

'악몽? 가위?'

케일은 잠만 푹 잘 잤다. 아주 꿀 같은 잠을 잤다.

'이상한데?'

케일은 조금 이상하다는 생각을 했지만 이내 들려오는 소리에 고개를 돌렸다.

찰랑찰랑. 찻잔 속의 찻물이 출렁이며 잔 밖으로 벗어날 듯했다.

"……성자님?"

케일이 불렀지만 성자 잭은 제대로 대답도 하지 못하고 덜덜 떨고 있었다. 잭의 손에 들린 찻잔은 금방이라도 곧 떨어질 것 같았다.

'이 자식은 또 왜 이래?'

케일은 이건 또 뭔가 싶어 미간에 주름이 파였다. 잭의 목소리가 들려왔다.

"그, 그냥 갑자기 추워서 차를 마시려고. 그러려고 해, 했는데."

추워?

케일이 의문을 느꼈을 때, 잭의 손에 들린 찻잔을 뺏어 든 이가 있었다.

"신입니다."

뺏은 찻잔을 거칠게 탁자 위에 올려둔 케이지는 잭에게 단호하게 말했다.

'신?'

케일의 의문이 더 깊어져 갔다.

"잭 님, 그건 신의 기운입니다."

미친 신관 케이지는 잭이 느끼는 게 무엇인지 깨달았다. 따뜻한 차 따위로는 가라앉힐 수 없는 서늘하고 두려운 감각.

'……신의 말을 듣지 못해도 느낄 순 있구나.'

그녀는 잭이 성자가 된 것도 운명이란 생각이 들었다. 비록 신의 말을 들을 수는 없어도, 그는 적어도 신의 눈길은 느꼈다. 그녀가 입을 열었다.

"신의 기운은 무섭고 서늘하며 또한 차갑습니다."

죽음의 신이 운다면서 욕할지언정, 그녀는 본질을 놓치지 않았다. 파문을 당해도 케이지는 본인만의 신념대로 살면 되는 것처럼, 본질을 느낄 줄 알기에 그녀는 신을 피하지 않았다.

"……케이지 씨."

잭은 떨리는 손을 맞잡으며 케이지를 바라봤다. 그는 죽음의 신 신관의 손길이 몸에 닿자 조금 진정이 되었다.

"잭, 무엇이 하고 싶나요?"

그녀가 묻자 잭은 손을 뻗었다. 그의 손끝이 손거울로 향했다. 그러자, 곧 펼쳐진 그의 손바닥 위로 손거울이 놓였다. 케일이 그의 손바닥 위에 손거울을 올려놓았다.

"편하신 대로 하십시오."

케일의 말에 잭은 천천히 콤팩트형 손거울을 열었다.

달칵. 작은 소리와 함께 금이 가고 오래되어 뿌예진 거울이 모습을 드러냈다.

"아."

잭의 눈이 커졌다. 그는 놀란 얼굴로 케일을 바라봤다.

"거, 거울에 글자가……!"

여기도 글자야?

케일은 한결 침착해진 상태로 물었다.

"뭐라 적혀 있습니까?"

잭은 케일에게서 시선을 떼고 덜덜 떨며 거울을 쳐다봤다.

"단죄. 단죄라고 적혀 있습니다."

그는 거울에 적힌 글자가 머릿속에 박히는 기분이었다. 동시에 이 손거울이 '태양의 단죄'임을 명확히 알 수 있었다.

태양신은 자비롭지 못하다.

옳고 그름이 명확한 신으로, 자비 또한 합리적인 판단에 의한 행동일 뿐이었다. 그러나 합리적이기에 자비롭기도 했다. 권력, 애정, 동정. 그 어떠한 것에도 기울지 않고 내리는 평가는 자비로울 때도 많았다.

잭은 글자를 본 순간, 안도했다. 저 단죄라는 글자는 자신을 향한 것이 아니었다.

그러나 무서웠다. 또한 버거웠다. 신물에서 분노가 느껴졌다.

"공자님, 저는 이걸 가지고 있을 자신이 없습니다."

케일은 성자 잭이 내미는 손거울을 받았다. 그에겐 거울에서 어떠한 글자도 보이지 않았다. 또한 아무런 오싹한 기운도 느껴지지 않았다.

"제가 보관해 두죠."

케일의 대답에 안도했다는 듯 성자는 희미한 미소를 그려 보였다. 하지만 케일의 이어진 말에 성자의 미소는 사라졌다.

"하지만 제국에 갈 때는 잭 님이 이 거울을 들고 가셔야 합니다."

케일의 입에서 연금술사 레이와 묘족 렉스 경에 대한 이야기가 흘러나왔다. 더불어 교황청의 무너진 모습과 시위를 하는 제국민들 모습까지 모두 샅샅이 설명했다.

잭은 모든 이야기를 듣고는 아무 말도 하지 못하고 멍하니 케일을 쳐다봤다. 그런 그에게 케일은 말했다.

"구해야죠."

그 말에 잭의 눈동자에 초점이 돌아왔다.

"……네. 구해야 합니다."

잭은 고개를 끄덕였고 미친 신관은 그런 그를 다독여 주었다. 잭은 그 격려에 답하듯 선량한 미소를 지어 보였다.

"공자님."

"네."

"존경합니다."

잭은 아무 말 없는 케일에게 한 번 더 말했다.

"공자님처럼 저도 사람들을 구하고 싶습니다. 닮고 싶습니다."

잭의 순수한 표정에 케일은 고개를 끄덕이는 것으로 답을 대신했다. 차마 진짜 착하고 선량한 잭에게 자신을 닮으라고 제 입으로 말할 수 없는 케일이었다.

"그럼 저는 이만 일어나죠."

케일은 찻잔을 비우고 자리에서 일어섰다. 그는 두 신관의 배웅을 받으며 5층 문을 열었다.

"공자님."

헉.

케일은 숨을 들이마셨다. 흰자위만 가득한 눈동자가 그의 코앞에 나타났다.

호랑이 주술사 가샨이었다.

"왜, 왜?"

살벌한 모습에 저도 모르게 당황한 케일은 말을 더듬었다. 하지만 가샨의 표정은 심각했다.

"갑자기 자연께서 위대한 힘이 내려왔다고 하셔서 왔습니다. 무슨 일 있습니까? 공자님, 괜찮으십니까?"

이야. 저 자연이라는 존재, 진짜 신통하네.

케일은 가샨의 걱정에 대충 고개를 끄덕이는 것으로 괜찮다는 것을 보여주었다.

"괜찮으니 신경 안 써-"

"뭘?"

헉.

케일은 한 번 더 숨을 들이마셨다. 라온이 목소리를 높였다.

"금 용 할배야! 우리 인간 놀란 것 안 보이나? 갑자기 불쑥불쑥 나타나면 우리 인간 마음이 약해서 죽는다!"

……죽는다니.

케일은 더 살벌한 소리를 하는 라온의 입을 막아버리며 에르하벤에게 어색하게 웃어 보였다.

제국에서 돌아온 후 에르하벤은 자신의 레어로 돌아갔다. 그런데 언제 텔레포트해 왔는지 5층 계단 입구에서 이쪽을 쳐다보고 있었다.

"내 참, 저런 꼬맹이가 용이라니."

에르하벤은 기가 차다 못해 해탈한 눈빛으로 라온을 쳐다보다가 케일에게로 시선을 돌렸다.

"옜다."

그는 보라색 액체가 담긴 병을 케일에게 건넸다. 라온이 눈을 반짝이며 병으로 다가갔다.

"용의 분노인가?"

호랑이 가샨이 용의 분노라는 이름에 흠칫했지만, 케일은 신경 쓰지 않고 답했다.

"아니, 제국 거. 용의 분노는 따로 있어."

지금 손에 들린 보라색 병은 그때 마이플성에서 훔쳐왔던 제국 물건이었다.

"이건 왜?"

라온의 물음에 케일은 병을 마법 주머니에 넣으며 답했다.

"제국이랑 북 3국이랑 이간질시키게."

평이하게 흘러나오는 말에 가샨이 흠칫했다. 굉장히 스케일이 큰 계획을 흘러가듯 들은 것 같았다.

"아, 그렇구나!"

역시 가벼우면서도 밝게 고개를 끄덕이는 라온이었다.

가샨은 고민했다.

'……너무 큰 사람의 밑으로 온 걸까?'

하지만 이제 와서 고민은 소용없었다. 케일은 가샨에게 물었다.

"호랑이들이 절벽을 잘 타나?"

"……네? 절벽이요?"

"그래. 좀 험한 절벽인데."

가샨은 얼떨결에 솔직히 답했다.

"뭐. 전사들이라면."

씨익. 케일의 입가에 미소가 맺혔다.

"그래?"

가샨은 왠지 지팡이를 꽉 쥐게 되었다. 자연께서 불길하다고 한마디 해줄 것 같은데, 자연은 아무 말도 없었다. 그랬기에 그는 케일의 말에 귀를 기울였다.

"날이 좀 풀리면 죽음의 협곡에 가자."

"……네, 예? 죽음의 협곡이요?"

5대 불가사의 중 하나. 죽음의 협곡.

가장 험준하다고 알려진 그 협곡은 몬스터나 사람, 동물들이 제대로 살기 힘든 환경이었다. 더불어 식물들도 제대로 뿌리를 내려 살기 힘들 만큼 험준함은 물론, 지형도 높아 날씨도 안 좋았다.

가샨은 그곳을 가자는 케일의 말에 침을 삼켰다. 케일은 덤덤하게 말했다.

"용의 분노가 협곡에 내릴 거거든."

"허."

가샨은 고룡의 헛웃음을 들었다.

"박복한 놈이 담은 크구나."

에르하벤이 케일을 보며 자랑스럽다는 듯 덧붙였다.

"그래. 박복할수록 크게 놀아야 하는 법이지."

"감사합니다."

쑥스럽다는 듯이 칭찬을 받아들이는 케일의 모습은 차분했다. 가샨은 그저 가만히 이 광경을 지켜보았다.

"가샨, 난 에르하벤 님과 할 얘기가 있으니 이만 가도 되겠나?"

"아, 네."

가샨은 멍하니 고개를 끄덕이며, 케일과 에르하벤이 로잘린의 연구실로 가는 것을 지켜보았다. 그런 그에게 라온이 다가왔다. 가샨은 검은 용이 자신에게 먼저 다가온 것은 처음이라 의아했다. 라온은 그에게 말했다.

"힘내라!"

"네?"

가샨이 되물었으나, 라온은 살이 올라 통통해진 볼살 가득 미소를 그려 보이곤 냉큼 케일의 뒤를 따랐다.

가샨은 한참 동안 한 사람과 두 용의 뒷모습을 지켜보다가 이내 방을 나선 두 신관과 함께 케일의 방에서 멀어졌다.

"네 등에 타라고?"

늦은 밤. 우바르 영지 해안가. 케일은 작은 불빛에 의지한 채 고개를 위로 들었다.

"네. 저희가 마을까지 안내하겠습니다."

엑스 자의 흉터를 지닌 거대한 혹등고래가 제 등을 내어주었다. 위티라는 망설이는 듯한 케일에게 말했다.

"라온 님과 케일 공자, 일행분들이라면 제 등에 타실 자격이 됩니다."

"맞습니다! 제 등에도 타세요!"

고래족 혼혈 파세톤도 누이의 말에 동의한다는 듯 제 등을 케일 쪽으로 내밀었다.

"음."

케일은 망설이다가 남매의 시선에 겨우 입을 열었다.

"미안."

"네?"

파세톤이 되물었을 때, 케일은 털목도리를 단단하게 여미며 답했다.

"겨울 바닷바람이 차잖아."

고래 등은 너무 추울 것 같았다.

파세톤의 입이 벌어지며 '아' 하고 납득의 탄성을 흘렸다. 케일은 로잘린과 라온을 가리키며 위티라를 쳐다봤다.

"텔레포트 좌표 좀. 라온이랑 로잘린이 텔레포트 시켜준대."

위티라의 안색이 흐려졌다.

"어, 음. 케일 공자님."

"……왜?"

케일은 조금 불안함이 밀려왔다.

1월 중순. 아주 추운 이때, 케일은 우바르 영지 앞바다에서, 헤니투스 영역으로 배정된 섬에서 몰래 고래족 남매를 만나고 있었다.

이제 해상로를 위해 고래족이 사는 마을에 가야 했다. 위티라는 살짝 어색한 미소를 지었다.

"빙하라서요."

음?

"저희 마을이 거대한 빙하 위입니다. 늘 조금씩 이동 중이라서요. 정확한 텔레포트 좌표 측정이 힘듭니다."

어, 이러면-

케일은 생각을 하다가 입을 열었다.

"라온, 비행 마법도 춥겠지?"

"아주 춥다! 인간, 감기 걸린다."

"……보온 마법 좀."

고래족 마을이 움직이는 빙하 위일 줄은 몰랐다. 북 3국에서 감시한다길래, 그래도 대륙에 붙어 있는 땅덩어리일 줄 알았다.

케일은 최한이 말없이 두 고래 사이에 작은 배를 묶는 광경과 로잘린이 온과 홍을 품에 안은 채 이리저리 배에 마법을 펼치는 모습을 지켜보다가 이내 움직였다.

그는 서글픈 얼굴로 배에 올라탔다. 차라리 배 안이 낫지, 고래 등은 너무 추울 것 같았다.

"인간, 나는 작은 고래 등에 탄다! 시원하다!"

케일은 라온의 목소리는 흘려들으며 이불로 몸을 꽁꽁 싸맸다.

그리고 며칠 뒤.

"이야."

케일은 감탄을 흘리며 배에서 내렸다. 그의 품에 라온이 안겨 있었다. 이불로 꽁꽁 싸맨 라온이었다.

"에취!"

킁킁. 라온이 코를 훌쩍였다. 케일은 다시 한번 감탄을 흘렸다.

"이야, 용이 감기도 걸리는구나."

"……위대해도 감기는 걸린다."

케일은 불퉁한 얼굴로 중얼거리는 라온을 낑낑거리며 품에 안은 채 배에서 내렸다.

"아름답네."

얼음으로 만든 집들이 햇살을 받아 반짝이고 있었다. 꼭 보석으로 만든 집 같아 보였다.

"우리 마을입니다."

케일은 위티라의 밝은 목소리와 함께 눈부신 마을 전경을 눈에 담았다. 그리고 당황했다.

콰앙!

커다란 소리와 함께 얼음으로 만든 집 하나가 부서졌다. 당황한 케일에게 품 안의 라온 목소리가 들려왔다.

"어? 사람이다!"

집에서부터 한 사람이 튕겨지듯 날아가고 있었다.

'저 사람도 고래족일 텐데?'

케일은 위티라를 쳐다봤다.

"저 집만 매번 저렇습니다. 집을 새로 지어야겠어요."

그는 그녀의 담담한 말을 들으며 생각했다.

'여기도 이상한데.'

폭발음과 함께 집이 부서지고 사람이 날아간다. 그런데 평온하다. 케일은 충분히 이상하다고 여길 만하다 생각했다.

"음."

그것보다 무거운데. 케일은 슬쩍 고개를 아래로 숙였다. 눈이 마주친 라온이 슬며시 눈길을 피했다. 이제 거의 키가 1m 15㎝가 되어 작년보다 5㎝나 커진 바람에, 한층 더 무거워진 라온이었다.

"에취!"

기침을 하며 시선을 회피하는 라온의 입꼬리가 스멀스멀 올라가고 있었다. 케일은 기가 찬 심정으로 먼 산, 아니, 먼 저택을 응시했다. 그때, 위티라의 목소리가 들려왔다.

"아까 날아간 이는 대왕고래입니다."

오.

케일의 입에서 감탄이 흘러나왔다.

대왕고래. 이름처럼 몬스터와 드래곤을 제외하면 지상 생명체 중에 가장 커다란 몸집을 지니고 있는 동물이었다. 위티라는 케일의 반응에 부드러운 미소를 띠며 설명했다.

"고래족 중 가장 크죠. 그리고 강하고."

그녀를 따라 케일의 시선도 대왕고래 수인이 날아간 쪽을 향했다.

"쿨럭, 쿨럭!"

기침과 함께 한 사람이 벌떡 일어섰다. 아주 멀쩡하게 일어서서 옷에 묻은 얼음 가루들을 털어냈다. 케일의 표정이 미묘해졌다.

"저 고래, 웃는다!"

그러게.

케일은 라온의 말대로 웃고 있는 대왕고래에게서 시선을 돌렸다. 위티라가 눈이 마주치자 살짝 웃어 보였다.

"조금 특이해요."

"……그렇군."

케일은 그냥 그러려니 하며 화제를 돌렸다.

"조용하네."

고래족 마을은 상당히 조용했다. 얼음으로 만든 집들도 햇살을 받아 아름답게 반짝이고 있었지만, 외관 자체는 소박하고 집 크기도 평범했다. 케일은 위티라의 평온한 목소리가 들려왔다.

"바다 위니까요."

케일은 주위를 둘러보았다.

드넓은 바다 위의 거대한 빙하. 그 얼음 덩어리 위에 집들이 지어져 있었다. 케일은 빙하 주위의 고래들과 펭귄들을 보았다.

"위티라, 펭귄족도 있나?"

혹시나 싶어서 물었다.

"어떻게 아셨어요? 재무 능력이 굉장히 뛰어나시죠. 최고의 집사감이에요. 모두 검은 정장을 선호하시고, 다들 팔자걸음을 걸어요. 만나고 싶으시면 소개시켜 드릴까요?"

라온과 온, 홍이 반응했다.

"펭귄 궁금하다!"

"나도 궁금한데."

"친구 되고 싶은데."

그러나 케일은 단호했다.

"아니. 전혀 만나고 싶지 않아."

더 이상 동물을 알고 싶지 않았다. 케일은 단호히 거부 의사를 표하고 바다로 시선을 돌렸다.

저 멀리 바다 건너 희미하게 파에른 왕국 땅이 보였다. 서대륙 가장 최북단의 왕국 파에른. 그 파에른보다 더 위. 바다에 존재하는 거대한 빙하들 중 일부가 고래족의 땅이었다.

케일의 입이 열렸다.

"와이번이 안 보이는데?"

작년 10월부터 파에른 왕국의 와이번 조종사들이 일주일에 한두 번씩 이쪽으로 왔다가 돌아간다고 했다. 그래서 작년 11월, '암' 전투단 1조를 처리하기 위한 고래족 이동 당시 위티라는 은밀히 왔어야 했다.

물론 고래족은 지금 이 와이번 조종사의 감시를 용인 중이었다. 봐주고 있단 소리였다.

케일은 자신의 물음에 시원한 미소를 짓는 위티라를 볼 수 있었다.

"한 며칠은 안 보일 거예요."

확신에 찬 어조였다.

"그래?"

"네. 우바르 영지로 가기 전에 와이번 조종사가 보이더라고요. 하늘 위에서 내려다보는데 눈이 마주쳤다는 느낌이 들길래."

"들길래?"

"옆에 있던 작은 빙하를 하나 부숴 버렸죠."

위티라는 기분이 좋아 보였다.

"그랬더니 도망가더라고요. 아마 놀라서 한 며칠은 안 올걸요?"

케일은 할 말을 잃었다.

빙하를 부쉈단다.

하긴 혹등고래가 꼬리로 후려치면 작은 얼음 덩어리쯤은 그냥 부서질 것이다. 다만 케일은 위티라가 말하는 '작은 빙하'의 기준을 알 수 없었다. 그는 품 안의 라온을 꽉 붙들어 매었다.

"공자가 봐주란 소리를 하지만 않았으면, 저나 아치 돌격대장이 이미 파에른 왕국에 찾아갔을 것 같아요."

위티라가 상큼하게 건네는 말에 케일은 라온을 더 꽉 안았다.

'살벌한 고래들 같으니라고.'

역시 고래는 권위적이다. 자애롭다고 알려진 혹등고래지만, 결국 그것도 자신들이 바다의 최고이기에 보일 수 있는 자애로움이었다. 그런 그들에게 갑자기 와이번과 등대, 배를 이용해 알짱거리며 감시를 하는 인간들이 얼마나 우습고 걸리적거리겠는가.

북 3국은 작년부터 동대륙에서 넘어오려는 '암' 때문에 고래족을 면밀히 감시했지만 그전에는 별달리 감시라고 할 것이 없었다. 물론 몇백여 년 전에 북쪽 왕국들은 고래족에 대해 촉각을 곤두세웠다고 한다. 하지만 시간이 흐를수록 그 경계가 흐트러졌다.

'고래족의 힘을 잊은 거지.'

고래족은 꽤 오래전부터 본인들의 힘을 대륙에서 드러내지 않고 있었다. 인어족과의 세력 다툼이란 이유도 있었고 딱히 대륙 일에 관심이 없어서이기도 했다.

그러나 그걸 알 리 없는 인간들이 그저 아주 강하다고 알려지기만 하고 본 적 없는 힘을 계속 경계할 리 없었다.

위티라도 그 사실을 꼬집었다.

"우리가 너무 조용히 있었나 봐요."

케일은 그런 그녀에게 장난스레 말을 건넸다.

"지금은 일부러 조용히 있는 거잖아?"

고래족은 암이 제국은 물론이거니와 북 3국과도 협력 관계임을 알고 있었다. 고래족은 북 3국을 눌러줄 필요성이 있었고, 암을 없애고 싶었다.

“맞아요. 그래서 조용히 있는 거죠.”

파에른 왕국의 관찰을 용인하며 고래족은 평범하게 행동했다. 물론 겉으로만. 그들의 내부는 지금 어느 때보다도 바빴다.

케일은 고래왕 시켈러의 손을 잡았다.

“오랜만이네.”

“고래왕을 다시 한번 뵙게 되어 영광입니다.”

꽤 오랜만에 만난 사이임에도 어색함이 덜했다.

“자네가 부탁한 자료일세.”

시켈러가 손짓했고, 팔자걸음을 걷는 펭귄이 다가와 서류 뭉치를 내밀었다. 케일은 서류를 받아 로잘린에게 건넸다.

“전하, 감사합니다.”

물론 감사 인사도 잊지 않았다.

“뭘. 내가 한 게 무어라고.”

케일은 그 말과 달리 기분 좋게 웃는 시켈러를 볼 수 있었다.

시켈러가 건넨 문서. 그 안에는 현재 북 3국이 얼지 않는 해안가에서 만든 배들에 대한 정보가 가득했다. 북 3국은 대륙의 감시는 경계했지만, 바다의 감시는 미처 경계하지 않았다.

왕이 산다기에는 소박한 집. 시켈러는 소파에 몸을 기대며 느긋하게 말했다.

"오랜만에 이런 싸움을 해보는군."

"이런 싸움이 어떤 싸움입니까?"

케일은 차를 마시려다가 해조류 향기에 멈칫하며 물음을 던졌다. 시켈러는 케일을 응시하며 입을 열었다.

"난장판."

찻잔을 내려놓은 케일의 입가에 미소가 그려져 있었다.

시켈러는 흥미를 숨기지 않았다. 골치 아프던 인어족을 누르고 찾아온 또 다른 일. 하지만 이번 일은 꽤 즐거웠다.

"우리 고래족은 말이야. 아니, 나는 말일세. 그냥 냅다 부딪쳐 싸우는 게 좋거든? 막 서로 속이고 자잘하게 싸우는 게 취향이 아냐."

"크흠, 큼. 전하."

범고래 아치가 고래왕의 가벼운 어휘에 헛기침을 했지만 시켈러는 무시했다. 그렇다고 사라질 왕의 위엄이 아니었으니까. 시켈러는 케일에게 짧은 감상을 전했다.

"그런데 내가 뒤통수칠 입장이 되니, 참 즐거워."

케일은 물었다.

"전하의 뒤통수를 치려던 놈들이라 더 즐거우신 것 아니겠습니까?"

"하하! 맞아! 인어족을 이용해 우릴 건드리려던 놈을 난 용서할 수가 없어."

그래서 시켈러는 요즘 재밌었다.

"북 3국은 우리 고래족이 다른 왕국들과 협력한 줄 꿈에도 모르겠지. 무엇보다도 '암'과 북 3국은 우리가 저들의 존재와 관계를 안다는 걸 모르고 있어."

"그래서 저들에게는 난장판이 펼쳐지겠죠."

케일의 담담한 어조에 시켈러는 고개를 끄덕였다.

"아주 즐거울 것 같아."

케일은 흥이 난 시켈러와 그런 그에게 동조하는 고래족 사람들을 굳이 말리지 않았다. 강한 자들이 흥이 나 앞으로 나설수록 약한 이들이 사는 법이니까. 그리고 케일은 흥이 난 이들에게서 얻을 것이 있었다.

"해상로는 어떻게 됩니까?"

케일이 이곳에 온 이유는 해상로 때문이었다.

"이미 준비를 마쳐놨어. 자네 측 사람들을 데리고 동대륙까지 함께할 고래족을 선발해 놓았네. 파세톤이 총담당자지."

조용히 서 있던 파세톤이 슬쩍 손을 들어 보였다.

"다만 배는 자네 쪽에서 준비해야 해."

케일은 고개를 끄덕이며 서류를 내밀었다.

"저희 영지에서 준비한 서류입니다."

케일은 오늘 영주 대리인 자격으로 참여했다. 비밀 유지와 고래족과의 친분으로 따지면 케일이 가장 적당했기 때문이다.

시켈러는 출항일과 인원, 선박 등등 여러 가지가 명시된 내용을 확인 후, 서류에 도장을 찍었다.

해상로는 우바르 영지에서 시작, 고래족의 안내를 따라 북쪽을 거쳐 동대륙으로 향했다.

케일은 시켈러에게 여러 가지 내용을 모두 들었고 간략한 회의를 진행했다. 그리고 회의가 모두 끝났을 때, 시켈러가 그에게 물었다.

"이제 어디를 갈 건가?"

시켈러가 오늘 도착한 케일을 붙잡고 바로 회의를 시작한 이유가 있었다. 케일의 요청 때문이었다. 그의 일정이 빡빡해 만나자마자 회의부터 진행할 수밖에 없었다. 그리고 그가 북쪽에서 할 일을 들은 고래왕은 기꺼이 케일의 일정을 수용해 그에 맞춰주었다.

케일은 내일 아침 일찍 찾아갈 곳을 언급했다.

"절망의 호수부터 가려 합니다."

"뭐?"

시켈러는 눈을 크게 떴다. 듣고 있던 비서 펭귄이 어깨를 들썩였다.

절망의 호수. 그곳은 파에른 왕국 사람들이 기피하는, 하얀 눈보라에 뒤덮인 호수였다. 그것도 독을 지닌 눈보라였다.

시켈러는 저도 모르게 물었다.

"호수에 불을 지르려고?"

뒤이어 위티라가 다급히 말했다. 북 3국 안내를 맡은 파세톤이 거들었다.

"공자! 거긴 세계수가 있는 거 모르시나요?"

"세계수에 불을 지르다니요! 그건 너무 큰일 아닙니까? 아무리 공자님의 배포가 커도, 이건 재앙입니다!"

뭔 소리야.

케일은 고래족 남매를 뚱하게 쳐다보다가 입을 열었다.

"아뇨. 불은 수도 호수에 지를 건데요."

"뭐?"

시켈러는 더 놀라서 벌떡 일어났다.

파에른 왕국 수도의 호수. 말이 호수지, 물 한 방울 없는 그곳에는 전설이 있었다.

신의 눈물로 만들어진 호수. 그 호수의 눈물이 메마르자 신은 파에른을 떠났다. 그 이후 다시 신의 눈물을 기다리고 있다는 호수였다.

케일은 멍하니 쳐다보는 혹등고래 가족들에게 말했다.

"신의 눈물 대신 신의 분노를 전해주면 놀라지 않을까요?"

"맞다, 인간! 놀랄 거다!"

라온이 코를 훌쩍이며 케일의 말에 동의했다. 시켈러는 멍하니 물었다.

"……절망의 호수는?"

"심부름요."

세계수와 세계수 옆의 정령들, 그리고 그곳의 엘프 마을까지.

"……누구?"

시켈러는 케일에게 심부름을 보낸 이를 물었다. 케일은 별것 아니라는 듯 답했다.

"에르하벤 님이라고, 골드 드래곤님이 시킨 심부름입니다."

고래왕은 검은 용 라온을 힐끗 쳐다봤다가 도로 자리에 앉았다. 그리고 한참 뒤에 입을 열었다.

"……허. 그래, 자네라면 수도 호수도 태울 수 있겠구먼."

납득의 한숨이 그의 입에서 흘러나왔다. 케일은 손수건으로 콧물을 훌쩍거리는 라온의 코끝을 문대며 말했다.

"절망의 호수 엘프들은 어떻습니까?"

고래왕은 즉답했다.

"오만하고 싸가지가 없어."

케일도 즉시 답했다.

"좋군요."

음? 좋다고?

시켈러와 펭귄이 케일을 의아하게 쳐다봤다. 반면에 케일 일행과 범고래 아치, 고래족 남매는 담담했다.

케일은 라온의 동글동글한 머리를 쓰다듬으며 생각했다.

'그래 봤자, 내 등 뒤엔 용이 둘이지.'

엘프가 오만하든 말든, 케일이 알 바가 아니었다.

며칠 뒤, 파에른 왕국 북부 해안가에 몰래 진입한 케일의 걸음은 느긋했다.

파에른 왕국 최서북단에 위치한 해안가. 그곳엔 사람이 없었다. 그럴 수밖에 없는 것이 해안가 너머에 거대한 눈보라가 소용돌이치고 있었다.

"저깁니다."

범고래 아치가 눈보라를 가리켰다. 고래왕 시켈러는 재밌겠다며 파세톤과 함께 범고래 아치를 케일에게 붙여주었다.

'싸가지 없는 엘프 놈들한테는, 싸가지는 물론 앞뒤도 없는 아치가 적격이지.'

훌륭한 판단에 케일은 기꺼이 아치와 함께하기로 했다. 물론 아치는 울상이었다.

"가자."

케일은 북부에서 가장 큰, 365일 꽁꽁 얼어 있는 호수로 향했다.

냐아아옹.

"신나는데! 강해지는데!"

오랜만에 온과 홍은 케일의 품에서 즐거워했다. 특히 홍이 눈보라와 구분이 되지 않는다고 전해지는 하얀 독을 떠올리며 꼬리를 살랑거렸다. 온은 눈보라를 보며 눈을 반짝였다.

"안개도 저렇게 하면 좋을 것 같은데!"

독을 지닌 눈보라.

독이 특기인 붉은 고양이 홍처럼 케일의 표정이 설렘으로 가득 찼다.

"미친 짓이죠."

케일은 젊은 남성이 건네는 커다란 술잔을 받아들었다. 케일 일행은 절망의 호수에서 그나마 가장 가까운 마을을 방문했다.

그 마을에 존재하는 유일한 작은 여관 겸 식당. 주인의 손자는 절망의 호수에 대해서 묻는 로잘린에게 손을 절레절레 흔들어 보였다.

"다른 계절도 아니고, 1월에 거길 가는 건 그냥 죽겠단 소리예요."

"그래요? 다른 때에는 가는 사람이 있긴 있나 봐요?"

케일은 술을 마시다가 멈칫했다. 술이 따뜻했다. 그리고 상당히 셌다.

'약한 술 달랬는데.'

가장 약한 술인데, 벌써부터 목이 타는 듯 속이 화끈거렸다.

-인간, 그런데 술은 맛있나? 왜 인상을 찡그리면서 계속 마시나?

케일은 빈 의자로 시선을 돌렸다. 빈 의자지만 당연히 그곳엔 투명화한 라온이 있었다. 케일은 주위를 슬쩍 둘러보고는 낮고 단호하게 말했다.

"안 돼."

여섯 살이 술이라니. 용이라도 안 된다. 만약 라온이 취해서 산이라도 하나 날려 버리면 어떻게 되겠나? 그게 재앙이다.

—……알았다.

케일은 침울한 라온의 목소리를 모른 척했다. 대신 로잘린과 남자의 대화에 집중했다.

현재 케일 일행은 모두 평범한 갈색 머리로 염색 마법을 해둔 상태였다. 물론 고래족 파세톤과 아치는 충격적인 외모 때문에 로브를 썼다.

"음, 봄이나 여름쯤에는 그 호수에 가려는 사람들이 있지만."

주인의 손자는 살짝 어깨를 떨었다.

5대 불가사의 중 하나. 사람들 중에 용감한 이들이 그곳을 찾아가기는 했다. 하지만 그 결과는 좋지 못했다. 남자는 난로 불빛 아래 앉아 있는 주인 할머니를 힐끗 보다가 입을 열었다.

"눈보라를 보고 도망친 사람들은 살았지만, 눈보라 속으로 들어간 이들은 반만 살아남았어요."

"그래도 눈보라에 들어간 반은 살았네요."

최한이 대화에 끼어들었다. 남자는 그의 말에 고개를 가로저었다.

"살아 돌아온 반은 모두 독에 중독되었습니다. 그리고 실명되었죠."

실명. 그 독에 당하면 전체적으로 몸이 약해지고, 실명과 더불어 방향감각을 잃는다고 했다. 케일은 알고 있던 사실을 타인을 통해 다시 들으며 생각했다.

'은근히 잔인한 세상이란 말이야.'

죽은 마나를 뿜어내던 죽음의 사막이나 독 눈보라가 휘몰아치는 절망의 호수나. 이 세상은 인간 간의 세력 다툼 외에도 무서운 존재들이 많았다. 수인족이나 어둠 속성 종족과 같은 다양한 종족은 물론이거니와 그 외에도 참 강하고 잔인한 이들이 어디에나 있었다.

'그 덕에 괴물들이 힘을 못 쓰지.'

그 덕에 몬스터들이 힘을 못 썼다. 괴물의 영역은 아주 협소했다. 물론 괴물을 만날 일이 없는 케일이 신경 쓸 바는 아니었다.

여관 주인의 손자는 오랜만에 온 손님들이 걱정되는 듯 조심스럽게 말했다.

"아무튼 거기 가실 생각이면 한번 고려해 보세요. 정말 무서운 곳입니다."

"솔리."

손자는 가만히 불을 쬐던 할머니의 부름에 멈칫하며 입을 닫았다. 여관 주인은 여전히 난롯불을 응시하며 입을 열었다.

"내가 지금껏 절망의 호수에 가는 인간들을 보며 느낀 게 있지."

노인의 나이만큼 오래되어 보이는 여관 벽에는 노인의 그림자가 넓게 드리워져 있었다.

노인은 젊었을 때부터 여기서 살아왔다. 그러다가 모험가인 남편을 만나 결혼하여 남편도 여기에 정착했고, 함께 여관을 세웠다. 그리고 딸을 낳고, 그 딸이 결혼하여 손자를 낳는 것까지 보았다.

노인은 고개를 돌렸다. 케일과 노인의 눈이 마주쳤다.

"말이 안 통해."

호수에 가는 인간들은 말이 안 통했다.

"내 딸과 사위가 그랬지."

몇 년 전 떠나간 남편은 더 앞서 떠나간 딸과 사위를 먼저 가서 볼 테니 천천히 오라고 했다. 손자가 다 크고 결혼할 때까지 악착같이 산 후에, 그 후에 오라고 그녀에게 말했다.

노인은 그러겠다고 답했다.

케일의 눈을 응시하던 노인은 고개를 돌렸다.

"……말은 알아들었지만 안 갈 인간은 아니구먼."

노인의 귓가로 방금까지 눈을 맞췄던 남자, 케일의 목소리가 들렸다.

"살아 돌아와서, 여기서 이 술 다시 마시죠."

노인은 따뜻한 불빛에 몸을 쬐며 입을 열었다.

"솔리."

"네, 할머니."

"술값 받지 말거라."

케일은 어색하게 웃어 보이는 손자 솔리에게 술잔을 흔들어 보이고, 그 술을 들이켰다. 머릿속으로 나지막한 목소리가 들려왔다.

—……인간, 우리 그 눈보라 부숴 버리자!

케일은 그 말을 무시했다. 온과 홍이 냐옹거리며 탁자를 두드려댔다. 케일은 그것도 무시했다. 그는 고룡 에르하벤에게서 들었던 말을 떠올렸다.

'눈보라를 없애려면 세계수를 없애야 된다.'

'물론 세계수가 눈보라를 조종하니까, 내 증표를 네가 사용하면 바로 길을 터줄 거야.'

에르하벤은 드물게 케일에게 경고하듯이 말했다.

'눈보라를 보면 세계수가 잔인하다는 생각이 들지도 모른다. 하지만 수만여 년 동안 한곳에 뿌리를 내린 채 죽었다 살아나며 삶을 이어온 존재가 세계수다.'

'세계수는 자연을 가장 닮았지. 자연에서는 살고 죽는 건 당연한 이치다. 그 말을 명심하도록.'

세계수는 다른 위험으로부터 자신을 보호하기 위해 눈보라를 일으켰다. 그 눈보라에 인간이 죽어갔지만, 그랬기에 세계수는 다른 생명체의 욕망으로부터 안전할 수 있었다.

케일은 술잔을 내려놓으며 자신의 방으로 가기 위해 일어섰다. 온과 홍이 따라왔다. 그는 자신을 따라 일어서는 최한에게 작은 목소리로 지시했다.

"호숫가에 유품이 있으면 다 챙기도록. 다른 일행에게도 전달해."

최한은 따라오던 것을 멈추고 고개를 끄덕였다. 케일은 미련 없다는 듯 제 방으로 올라갔고 최한은 미소를 띤 채 일행이 있는 테이블로 돌아갔다.

방에 들어선 케일은 침대에 드러눕자마자 홍의 질문을 받아야 했다.

"이번에 나도 독 먹으면 실명시킬 수 있을 것 같은데?"

"아마 그렇겠지?"

"오."

홍은 감탄과 함께 얼른 제 누나 옆으로 가 잠들 준비를 했다. 홍은 어떻게 하면 눈보라를 많이 먹을 수 있을지 고민하며 잠들었다.

다음 날, 홍은 휘몰아치는 눈보라와 조금 떨어진 곳에서 입을 크게 벌렸다.

"우아아아."

열린 입안으로 흩날리는 눈들이 들어왔다. 톡 쏘는 게 색다른 독맛이었다.

"더, 더!"

홍의 들뜬 목소리에 케일은 제 품의 홍을 조금 더 눈보라 쪽으로 들이밀었다. 범고래 아치가 그 광경을 드물게 충격받은 표정으로 쳐다봤다.

아기 고양이를 눈보라에 들이밀다니!

싸가지는 없어도 도덕적 관념은 있는 아치는 입을 뻐끔거리다가 파세톤의 어깨를 잡았다.

"저, 저거-"

말려야 하지 않나?

그렇게 말하려던 그에게 홍의 목소리가 들려왔다.

"맛있는데!"

그리고 케일의 목소리가 들려왔다.

"많이 먹으면 배탈 난다."

옆에 있던 온이 말했다.

"눈은 아무리 먹어도 작아서 배 안 부른데."

케일은 고개를 가로저었다.

"찬 거 먹으면 배탈 나."

무뚝뚝한 목소리에 온은 '아' 하면서 고개를 끄덕였다. 그리고 옆으로 고개를 돌렸다. 보온 마법과 더불어 털옷까지 입은 라온이 코를 훌쩍이고 있었다.

"맞다. 감기는 조심해야 한다. 위대해도 코는 막힌다."

라온의 당당한 말에 온은 고개를 끄덕였다. 그러고는 안개를 일으켰다.

휘이이-

케일은 눈앞의 거대한 눈보라에서 나는 바람 소리와 다른 작은 소리에 고개를 아래로 내렸다. 제 옆의 온이 안개를 회전시키고 있었다.

"뭐 해?"

"나도 눈보라처럼 하고 싶은데."

온이 그리 말하고는 케일을 쳐다봤고 케일은 솔직한 감상을 전했다.

"훌륭하다."

온이 빙그레 미소를 그리며 안개를 회전시켰다. 검은 용은 그 옆에서 이리저리 조언을 건네며 더 강력한 안개 회오리를 만들어주려 노력했다.

이 광경을 파세톤은 애매한 표정으로 바라봤다.

"뭐, 뭐 이런!"

혼혈 고래 파세톤은 범고래 아치의 어버버거리는 모습을 모른 척해줬다. 그는 시선을 앞으로 옮겼다. 예전에 케일과 함께 어둠의 숲에 갔을 때 마주했던 검은 늪보다 훨씬 더 거대한 호수가 보였다.

사실 파세톤은 얼어붙은 나무들 너머로 보이는 꽁꽁 언 호수가 제대로 다 보이지 않았다. 그저 사계절 내내 얼어 있는 호수 위에 자리한 거대한 눈보라로 그 크기를 짐작할 뿐이었다.

파세톤은 빠르게 주위를 둘러보았다. 검은 드래곤은 호수 주위에 다른 생명체가 없다고 했다. 그 말에 일행은 긴장을 풀고 있었다. 그 모습 자체가 신기했다.

'이 바람을 그저 편히 흘려보낸다니.'

눈보라가 일으키는 거대한 바람.

왜 눈보라를 보면 들어가지 못하고 돌아서는 이가 많다고 했는지 이해됐다. 사람이 저절로 뒤로 밀릴 만한 바람이었다.

조금씩 눈보라 밖으로 밀려 나온 눈들도 피부에 닿으면 따끔한 것이, 더 다가가면 독에 중독될 것 같은 공포를 안겨주었다. 주위의 나무도, 풀도, 땅도 모두 하얗게 얼어붙은 공간. 그래서 더 공포스러웠다.

그러나 파세톤 주위의 사람들은 태연했다. 범고래 아치도, 최한도, 로잘린도, 라온, 온, 홍도 평소와 다름없어 보였다. 심지어 케일도.

'역시 케일 공자도 보이지 않는 강함을 지닌 것이 틀림없어.'

이따금씩 케일이 보이는 위압감에 파세톤은 놀랄 때가 있었다. 그는 지금도 꼿꼿하게 서 있는 케일을 응시했다.

물론 케일은 고대의 힘 바람의 소리를 사용해 눈보라 바람을 밀어내며 서 있을 뿐이었다. 그리고 독이 닿을 때마다 심장의 활력이 바로바로 치료를 해줬다.

하지만 그 따끔거리는 감각이 아프게 느껴져 케일은 홍을 바닥에 내려놓았다.

"가자."

얼른 눈보라 사이로 길을 터서 따끔거리지 않았으면 싶었다.

로잘린은 홍을 품에 안아 들며 케일에게 다가갔다. 그들은 사람이 없음을 확인한 후 염색 마법을 풀었고, 그 덕에 홍과 로잘린, 케일은 유독 붉어 눈에 확 띄었다.

"공자, 바로 에르하벤 님의 증표를 쓰실 건가요?"

"그러려고요."

케일은 로잘린의 눈동자에 깃든 탐구욕을 알아챌 수 있었다. 고룡이 건네준 증표. 마법사인 로잘린이 충분히 궁금해할 만했다. 그녀는 케일이 제국에 다녀오는 동안 연구실에만 틀어박혀 있었다고 들었다.

에르하벤이 한마디 말로 그녀의 성취에 대한 평가를 내렸다.

'궁금한 게 있으면 물어보도록.'

매번 에르하벤이 라온을 가르쳐 줄 때 슬그머니 가서 주워듣고 배운 로잘린이었다. 에르하벤은 이를 모른 척해 줬으나, 한 번도 직접 물어보라 말하지 않았다.

그런 그가 직접 물어보라고 말한 것은 로잘린이 성장했음을 가리켰다.

케일은 이 부분을 언급했다.

"나중에 에르하벤 님께 증표에 대해서 여쭤보면 가르쳐 줄 겁니다."

"그렇죠. 여쭤봐야겠어요."

로잘린은 열정적으로 고개를 끄덕였다. 케일은 예전에 라온을 가르치던 에르하벤의 모른 척 덕분에 수업에 꼽사리로 끼어 들을 수 있다며 신나 하던 로잘린을 떠올렸다. 왕녀든 아니든 그녀 본질 자체도 대단했다.

로잘린은 케일이 꺼내 든 푸른빛 증표를 탐색하듯이 바라보다가 케일의 목소리를 들었다.

"로잘린 씨, 마탑을 세우면 어떻겠습니까?"

"네. 네?"

케일은 되묻는 로잘린에게 흘러가듯이 물었다.

"로잘린 씨 실력이면 충분하지 않을까요?"

로잘린도 어느새 차분한 안색으로 흘러가듯이 답했다.

"맞아요. 충분해요."

케일은 그녀를 바라봤다. 역시나 로잘린은 그녀답게 이성적이면서도 자신만만한 눈빛을 보였다. 그녀는 확실히 스스로가 가진 위치와 능력을 잘 알고 있었다.

꿈도, 야망도 확실했다.

케일은 그런 그녀에게 말했다.

"돈이나 마정석 필요하면 말하세요."

"고마워요."

로잘린은 굳이 호의를 거부하지 않았다. 케일은 그녀의 인사에 슬쩍 웃는 것으로 답을 대신하며 증표와 함께 눈보라로 다가갔다.

'조금 힘드네.'

눈보라가 어찌나 센지 바람의 소리로 바람을 흘려보내도 압박감이 느껴졌다.

케일은 숲을 나와 호숫가로 걸어갔다.

'절망의 호수는 태초부터 불가사의 지역이다.'

에르하벤의 말이 머릿속에 떠올랐다.

'세계수는 아무나 만나주지 않아. 눈을 조종하는 것은 세계수의 의지.'

'세계수는 그 눈보라를 뚫고 온 이들에게 낙원을 선물하지.'

낙원이라. 케일은 낙원이라는 단어를 입안에 굴리며 걸음을 멈췄다.

눈보라가 일어나는 호수가 코앞이었다. 이제 한 발만 내디디면 얼어붙은 호수 위였다. 케일은 증표를 조작하며 한 걸음을 내디뎠다.

달칵.

푸른 증표에서 빛이 흘러나왔다. 케일의 걸음이 호수 위에 닿았다.

"음?"

케일은 걸음을 멈췄다.

파지직.

증표가 없는 왼손을 내려다봤다. 손바닥에 붉은 전류가 맴돌고 있었다.

파괴의 불이다.

에르하벤이 했던 말이 케일의 머릿속을 스쳐 지나갔다.

'뭐, 한때 세계수가 폭주하는 바람에 눈보라가 북부를 점령하고 땅이 얼었던 적이 있었지. 나도 전설로 들었는데, 아주 무서웠다고 해.'

'아! 그 전설에서는 그걸 없앤 인간 영웅이 있다고 말하더군.'

순간 케일은 열손가락산에서 만났던 엘프 족장을 떠올렸다. 족장이 그에게 짱돌의 전설이 담긴 책을 주며 했던 말이 흐릿한 기억 속에서 튀어나왔다.

'참 웃긴 전설인데. 영웅이 엄청나게 돈을 탐냈다고 하더군요. 그 영웅이 죽자 그의 재산을 되찾아 보관하게 된 또 다른 영웅의 일대

기인데.'

'영웅이 돈 따위를 탐내겠어요? 그것도 얼어붙은 세상을 구한 위대한 영웅이며, 어떠한 권력도 작위도 명예도 탐내지 않은 사람이 고작 동전 줍기가 취미라고? 말이 된다고 생각하세요?'

케일은 다시 에르하벤을 떠올리며 그가 전설을 말하며 흘렸던 실소를 기억해 냈다.

'전설에는 그 영웅이 세계수도 태워먹으려 했다는 헛소리도 있던데. 그게 사실이겠어? 예전에 내가 세계수에게 그 이야기를 꺼내도 아무 답이 없더라고. 그 반응이 곧 전설이 헛소리란 소리 아니겠어?'

……설마 이거?

케일은 손바닥을 맴도는 불벼락의 기운을 느끼며 고개를 들어 앞을 바라봤다.

휘이이이-

증표의 푸른빛이 쏟아진 방향을 따라 눈보라가 마치 투명한 동굴처럼 통로를 만들었다.

"공자, 증표를 사용하셨나요?"

"인간! 너 불벼락은 왜 꺼내 드나?"

로잘린의 음성과 라온의 다급한 목소리. 그 사이로 케일은 또 다른 목소리를 들었다. 짱돌이 평소와 다른 말을 했다.

-부수려는 건가?

'이건 또 다른 패턴인데?'

케일은 주먹을 쥐었다.

파직, 파지직.

손안에 전류가 튕기는 것이 느껴졌다.

"인간, 불벼락 왜 쓰려고 하나? 내가 부숴준다! 말만 해라!"

"안 써."

케일은 얼굴을 들이미는 라온을 가볍게 밀어내고는 앞으로 걸어갔다. 살짝 미끄러운 호수 표면이 신발 밑으로 느껴졌다. 증표의 푸른빛을 따라 형성된 작은 통로에서 불어오는 따뜻한 바람이 얼굴을 스쳐 지나갔다.

"무슨 일 있습니까?"

케일은 다급하게 다가온 최한에게 손을 흔들어 보였다.

"딱히."

"그럼 됐습니다."

최한은 묵묵히 답하고는 케일을 따라 통로로 걸어갔다.

"많이 걸어야 합니까?"

고래 혼혈 파세톤의 조심스러운 물음에 케일은 대충 답했다.

"좀 걸어야 된다던데."

에르하벤은 호수에서 입구까지 꽤 걸어야 한다고 알려주었다.

로잘린은 호기심이 가득한 표정으로 통로를 둘러보았다. 마치 투명한 막에 감싸인 듯한 통로 벽 밖으로 눈보라가 휘몰아치고 있었다. 물론 홍은 그 눈보라를 보며 침을 꼴깍꼴깍 삼켜댔다.

"케일 공자, 증표를 사용하는 것만으로 이런 안전한 통로가 생기다니 신기하네요. 세계수가 바로 그 신호를 느꼈나 봐요."

로잘린은 신이 났기에 미처 케일의 표정을 보지 못했다. 케일은 알 수 없는 얼굴로 맞장구를 쳤다.

"글쎄요. 그런가 보네요."

그 반응에 최한이 멈칫했다. 하지만 케일은 최한의 반응은 조금도 신경 쓰지 않은 채, 에르하벤이 했던 말을 생각 중이었다.

'이 증표를 사용하면 그래도 내가 보낸 사람이라는 표식은 될 테니, 그럭저럭 독에는 당하지 않고 지나갈 만한 통로가 생길 거다.'

분명 에르하벤은 그럭저럭 지나갈 만한 통로라고 했는데, 지금 이 통로는 상당히 쾌적했다.

'찜찜한데.'

케일은 찜찜했지만 무섭지는 않았다. 그 이유는 위험하거나 뭔가 터질 때마다 나타나던 짱돌의 희생 주장이 오늘은 없었기 때문이다. 오히려 짱돌은 부술 건지 물어봤다. 그것도 상당히 염려 가득한 목소리로.

케일은 제 손바닥을 내려다봤다. 여전히 파괴의 불이 파지직거리고 있었다. 케일은 굳이 이 힘을 다시 몸 안으로 돌려보내지 않았다.

'진짜 이 불벼락, 과거에 세계수를 태워 먹으려고 했나?'

케일은 돈을 엄청 좋아하고 동전 줍기가 취미이던 고대의 힘 주인을 떠올렸다. 더불어 상당히 친절하게 길을 터주는 세계수의 반응도 생각했다.

'이거 어쩌면-'

케일의 입꼬리가 살짝 올라갔다. 케일의 눈치를 보던 범고래 아치가 살며시 말을 건넸다.

"그런데 공자님, 엘프를 만나 보신 적이 있습니까?"

"있지."

"그러면 엘프들이 어떤지 아시겠군요, 공자님."

아치는 심각한 표정을 지었다.

"왜?"

"지금까지 본 엘프들보다 더한 엘프들이 바로 이 호수의 엘프들입니다."

더하다고?

케일은 시켈러가 '오만하고 싸가지 없는 엘프'라고 평했던 것을 기억하고 있었다. 케일이 관심을 보이자 아치는 조금 더 힘 있게 말했다.

"그나마 고래족과 가장 가까이 있는 엘프 마을이고, 서로 필요한 물품 교류 때문에 몇 번 해안가에서 만난 적이 있습니다."

"그런데?"

아치는 한숨을 흘렸다.

"자기들이 선택받은 엘프들인 줄 압니다."

케일은 스쳐 지나간 생각을 내뱉었다.

"세계수의 선택을 받았단 건가?"

"뭐, 그렇죠."

아치는 코웃음을 흘렸다.

"이 엘프들은 본인들이 세계수는 물론이거니와 드래곤도 자유로이 볼 수 있는 유일한 엘프들이라고 아주 콧대가 높아요."

슬그머니 파세톤도 대화에 끼어들었다.

"음, 상당히 타 종족을 무시하는 경향이 강합니다. 유독 이 엘프 마을이 그렇죠. 드래곤님의 지시로 가는 것이지만, 음."

파세톤은 살짝 뒷말을 잇지 못했다.

"그렇지만?"

케일이 보채자, 아치가 나섰다.

"그렇지만 인간이니 무시할 겁니다. 고래족도 신체만 강한 무식한 놈들이라고 깔보거든요."

아치는 기가 차다는 표정이었다. 그는 고래왕 시켈러가 세계수 때문에 봐주라고 하지 않았다면 꼬리로 후려쳤을 것이다. 그 표정을 본 파세톤은 침묵을 택했다.

'……아치 대장님도 만만치 않은데.'

싸가지에는 더 큰 싸가지로 대응하는 아치의 일화를 들어왔던 파세톤이었다. 잠자코 듣고 있던 케일이 두 고래에게 물었다.

"너희, 엘프들이 드래곤을 어떻게 느끼는지 모르나?"

"압니다. 존경한다고 하더군요."

"엘프와 드래곤이 만나는 장면을 본 적이 있나?"

"없습니다."

아치는 그리 말하면서 힐끗 라온을 쳐다봤다. 그리고 조심스레 말했다.

"이번에는 라온 님도 계시니 엘프들이 그 빳빳한 목을 조금은 숙이겠지요."

"과연 그럴까?"

"네?"

케일이 진지한 얼굴로 두 고래를 쳐다봤고, 두 고래는 그 눈빛에 멈칫하며 생각했다.

설마 아무리 6살로 어리다고 해도 용인데, 그리고 고룡의 전언을 전하러 가는 사람도 있는데 엘프들이 막 대할까?

하지만 두 고래는 그간 엘프들의 그 고고한 콧대를 생각하면 그럴 수도 있겠다는 생각이 스멀스멀 들었다. 그 순간, 케일이 심각한 얼굴로 말했다.

"운다."

"……네? 우리가요?"

케일은 의아해하는 아치에게 진지하게 말했다.

"엘프들이."

"……네?"

"라온을 보면 감격해서 울지도 몰라."

엘프들이 드래곤을 존경한다고?

케일이 보기에 그 정도 수준이면 차라리 나았다. 아치와 파세톤은 라온을 쳐다봤다. 검은 용은 어깨와 날개를 활짝 펴며 당당하게 말했다.

"내가 좀 위대하고 인기도 많다!"

라온이 입은 털옷의 하얀 털이 흩날렸다. 상당히 위엄이 없어 보였다. 하지만 두 고래족은 담담한 케일 일행의 모습에 수긍을 택했다. 케일은 어벙한 고래족을 모른 척하며 증표의 푸른빛이 이끄는 대로 걸었다.

'케일 헤니투스. 세계수 방어 마법진을 강화해야 된다. 꼬맹이와 로잘린에게 맡기면 될 거야.'

'그리고 세계수에게 내 말을 전해다오.'

에르하벤은 케일이 북쪽으로 떠나기 전 따로 불러 은밀히 덧붙였다.

'꼬맹이에게 말하지 말고.'

에르하벤이 세계수에게 전하려던 말.

'나는 이제 2년도 안 남았다. 세계수, 네 열매는 내가 아닌 내가 보내는 용에게 주었으면 한다. 내 모든 걸 배우는 아이다.'

에르하벤은 웃으며 덧붙였다.

'케일 헤니투스, 너만 알도록.'

케일은 웃는 고룡에게 평소처럼 답했다.

'네, 저만 알겠습니다.'

'그래. 너라면 이렇게 답할 줄 알았어.'

흡족해하는 에르하벤을 보며, 그 뒤로 케일은 고룡의 삶을 더 이어나가게 할 방법이 없을까 전보다 더 열심히 생각해 보았다. 에르하벤은 어디가 아픈 것도 아니었고 나이가 들어 자연히 죽음을 맞이하는 경우였다.

'그런데 에르하벤 님.'

'왜?'

'죽음을 반기시는 겁니까?'

'……세상에 죽음을 반기는 존재가 있겠나. 아프기 싫고 죽기 싫고, 다 그렇지. 그건 인간이나 용이나 비슷할 것 같은데.'

고룡은 아무렇지 않은 어조로 태연히 대답했지만 그 안의 더 살기를 바라는 마음이 케일에게 느껴졌다. 케일은 그 모습을 보며 생각했다.

'분명히 있을 것 같은데.'

불로불사는 자연의 순리로는 불가했다. 그래도 조금 더 노환을 늦추는 고대의 힘이 있을 것 같았다. 케일은 자신의 기억 속 고대의 힘들에 대해 생각하다가 걸음을 멈추며 생각도 멈췄다.

"다 왔다!"

신나 하는 라온의 말에 케일은 아래를 내려다봤다.

휘이이이-

눈보라의 중심에 거대한 구멍이 위치하고 있었다.

"인간, 금 용 할배가 이 밑으로 내려가면 세계수 있댔다!"

"그래. 일단 라온, 너 투명화해라."

"나? 알겠다!"

케일은 투명화해서 등에 업히듯 달라붙는 라온을 느끼며 아치와 최한에게 말했다.

"아치, 네가 엘프들과 안면이 있으니까 먼저 내려가고. 최한, 너는 맨 마지막이다."

"알겠습니다."

최한은 곧바로 답했고 아치는 떨떠름한 얼굴로 구멍을 쳐다봤다.

툭. 케일이 아치의 등을 두드리자 아치는 한숨과 함께 아래가 보이지 않는 통로로 뛰어내렸다.

"재밌겠는데!"

"어서 가면 좋을 텐데!"

케일은 무서웠지만, 온과 홍의 눈빛에 한숨과 함께 통로로 뛰어들었다.

저번 지하 도시로 갈 때와 비슷했다. 다만 더 심한 각도의 미끄럼틀이라 조금 더 다이내믹했다.

-우아! 인간, 재밌다!

등 뒤의 라온이 신나 했다. 케일은 그 반응에 그러려니 하며 귀찮은 얼굴로 통로에 몸을 맡겼다. 곧 통로 끝의 빛이 보였다. 케일의 몸이 그 빛 속으로 떨어졌다.

철퍽.

음.

케일의 미간이 찌푸려졌다. 폭 하고 부드러운 솜에 떨어지던 지하 도시 때와 달리 상당히 찝찝한 소리와 함께 떨어졌다. 케일은 푹신하게 물에 젖은 짚들을 바라보았다.

"하아."

털외투가 젖었다. 케일은 찌푸린 미간을 풀지 않고 그대로 일어섰다.

"크흠, 큼."

케일은 자신을 보며 애매한 표정으로 서 있는 아름다운 엘프들을 볼 수 있었다. 입구 경비 엘프 두 명에, 케일을 마중하러 온 듯한 엘프 세 명이 보였다. 그중 맨 앞에 있는 중년 엘프가 헛기침을 했다.

케일은 그 모습을 훑어보고는 고개를 위로 들었다.

-신기하다!

라온의 말대로 신기했다.

시야에 호수가 보였다. 호수 아래에 세계수와 엘프 마을이 있었다. 마을 천장에 물길을 따라 넘실대는 투명한 막이 보였다. 더불어 수많은 나뭇가지가 보였다.

"크흠, 큼."

케일은 계속해서 헛기침을 해대는 엘프 대신 뒤를 돌아봤다.

"우아, 재밌는데!"

그는 온과 홍, 뒤이어 도착하는 일행을 확인한 후, 중년의 엘프에게 다가갔다. 그 모습을 지켜보던 범고래 아치는 애매한 엘프의 표정에 생각했다.

'역시 그대로네.'

아치는 중년 엘프의 표정을 보며 저들이 인간인 케일과 고룡의 지시를 받고 온 케일 사이에서 그를 어떻게 대해야 할지 몰라 한다고 생각했다. 파세톤도 마찬가지라 걱정스러운 얼굴로 케일을 쳐다봤다.

"크흠, 그-"

중년 남성 엘프가 입을 열었다. 나름 직책 있어 보이는 자였다.

케일은 그래서 이 반응을 이해했다. 그는 중년 엘프 뒤에 서 있는 바짝 굳은 얼굴의 엘프들도 이해했다.

중년 엘프는 위치가 있다 보니 기대감을 억누르는 중이었고, 다른 엘프들은 중년 엘프의 표정 때문에 경거망동하지 않도록 최대한 마음을 다스리는 중이리라. 중년 엘프는 말을 이었다.

"그, 에르하벤 님의 전언을 전하러 온 분이십니까? 그, 그분도 오셨습니까?"

음?

아치는 중년 엘프의 상당히 예의 바른 어투에 당황했다. 그는 중년 엘프를 유심히 관찰했다. 엘프는 어깨를 들썩이고 있었다.

'왜 저래?'

매번 싸가지 없게 거래하던 놈이 이상했다. 아치는 케일의 입이 열리는 것을 볼 수 있었다.

"라온."

그 두 글자를 내뱉었고.

"나 나타났다!"

라온이 나타났다.

"오오오!"

그리고 이어진 괴성에 아치는 당황해 고개를 돌렸다. 중년 엘프가 심장을 부여잡고 감탄을 흘려댔다. 그 뒤 엘프들도 마찬가지였다.

"……뭐야?"

엘프들이 왜 이래?

드래곤과 엘프들의 만남을 처음 본 고래족들은 당황했다. 그러나 힐러인 엘프 펜드릭을 통해 면역이 생긴 케일 일행은 담담했다.

"나는 위대한 라온 미르다!"

엘프들은 고개를 끄덕이며 중대한 숙제를 외우듯 라온의 이름을 외워댔다. 한 엘프는 무릎이라도 꿇을 듯해서 이를 케일이 막으며 일으켜 세웠다.

"고맙습니다."

케일을 향한 호의가 듬뿍 느껴지는 엘프의 미소에 아치는 경악했다. 하지만 케일은 예상했던 반응이라, 조금 귀찮을 뿐이었다.

"어디로 가면 됩니까?"

"아, 네."

중년 엘프는 땀을 닦아내며 말을 이었다.

"세계수 님을 보필하는 사제님께 가면 됩니다. 원래 사제님께서 나오시기로 했는데, 갑자기 세계수께서 전언을 내리시는 바람에 못 오셨습니다."

"그렇습니까? 그러면 바로 사제님께 가죠."

후딱 해치우고 난로 근처에 드러눕고 싶은 케일이었다.

"네. 바로 모시죠! 어?"

중년 엘프는 나뭇가지로 가득한 마을 방향으로 몸을 돌리다가 놀라 움직임을 멈췄다. 케일도 얼굴에 의아함을 드러냈다.

한 여자아이가 이쪽을 향해 뛰어오고 있었다. 그 뒤를 엘프 몇 명이 따라오고 있었다.

"……사제님?"

사제?

케일은 중년 엘프의 말에 다시 여자아이를 쳐다봤다.

'음?'

사제와 눈이 마주친 것 같았다.

'나를 쳐다보는 건가?'

케일은 상당히 말썽꾸러기처럼 생긴 어린 엘프가 헐레벌떡 뛰어오는 광경에 갑자기 뒤통수가 서늘해져 왔다.

'너무 절박한데?'

엘프 얼굴이 절박해 보였다. 아주 깊은 사명감을 지닌 듯 다급한 얼굴로 어린 사제는 케일에게 달려왔다. 그리고 가까이 다가왔을 때, 중년 엘프가 황급히 사제에게 다가갔다.

"사제님, 갑자기 무슨 일입니까?"

사제는 중년 엘프는 쳐다도 보지 않고 손가락으로 케일을 가리켰다.

"붉은 머리칼!"

케일은 흠칫했다. 어린 사제는 주근깨 가득한 얼굴에 서린 비장함을 그대로 드러내며 케일의 바로 앞까지 다가왔다. 케일은 슬그머니 한 발짝 뒤로 물러섰다.

이 사제가 조금 이상해 보였다.

그때, 케일의 귀를 자극하는 소리가 있었다.

짤랑. 동전이 부딪치는 소리였다.

케일은 어린 사제를 내려다봤다. 사제는 고개를 들고서 케일에게 손에 들린 주머니를 내밀었다. 짤랑, 짤랑. 주머니에서 꼭 동전들이 부딪치는 소리가 났다.

어린 엘프는 대뜸 말했다.

"오래된 인간 세계 돈이지만 받으세요! 은화래요!"

음?

"자, 자! 어서!"

사제는 케일의 품으로 동전을 들이밀었고 케일은 일단 받아 들었다. 그러자 사제는 넓은 소매 품을 뒤적이더니, 납작한 직사각형 물건을 꺼냈다.

"여기 금도! 금화는 없어서!"

어린 엘프는 급해 보였다.

"……뭐야?"

케일은 당황해 저도 모르게 반말이 튀어나왔다. 하지만 어린 사제는 그런 건 신경도 쓰지 않고 있었다.

사제가 된 지 10년, 사제는 지금껏 이리 다급한 세계수 전언은 들어본 적이 없었다. 사제는 금을 케일에게 다시 들이밀며 말했다.

"세계수께서 붉은 머리칼한테 돈을 주라고! 동전을 주라고 했어요!"

동전. 아까부터 그 단어가 거슬렸다.

케일은 왼손을 펼쳤다. 파지직, 파직. 파괴하는 불이 존재감을 나타내고 있었다. 케일이 다시 어린 사제를 쳐다보자 사제는 다급히 말했다.

"받아주세요! 안 그러면 다 태운다고! 불바다 만든대요!"

케일은 생각했다.

'도대체 과거에 이 파괴하는 불 주인이 뭔 짓을 했던 거지?'

그냥 돈 밝히는 평범한 영웅 아니었어?

엘프 사제는 절박했다.

"동전을 엄청 좋아한다고, 환장한다고 했는데!"

케일은 기가 찼지만, 일단 엘프 사제의 금은 받아 챙겼다. 케일은 금과 동전을 품에 안은 채 빤히 엘프 사제를 응시했다.

허둥지둥 달려왔던 어린 사제는 안도의 한숨을 폭 내쉬다가 멈칫했다. 케일 다리 옆에 앉아 있는 검은 용과 눈이 마주쳤다.

"헙!"

숨넘어가는 소리가 흘러나왔다. 검은 용 라온은 케일의 머릿속으로 사제의 첫인상에 대해 평했다.

–좋은 엘프 같다.

그러면서 힐끗힐끗 케일의 품속 커다란 동전 주머니를 쳐다봤다. 반면에 어린 사제는 허리를 깊이 숙이며 라온에게 인사했다.

"드래곤님을 뵙게 되어 영광입니다! 저는 끝 마을에서 세계수 님을 곁에서 모시는 아디테라고 합니다."

오.

케일은 살짝 감탄을 흘렸다. 드래곤을 마주하고 차분한 엘프는 처음 봤다. 에르하벤이 해줬던 조언이 떠올랐다.

'엘프들이 말을 못 알아들으면 세계수 담당 엘프에게 말해. 그러면 돼.'

이때 말을 못 알아듣는 상황은 진짜로 말을 못 알아듣는 상황을 가리켰다. 드래곤을 보며 환호하느라 제대로 말을 못 알아들을 테니까.

"그래. 반갑다, 엘프야."

사제를 향한 라온의 밝은 인사에, 사제를 따라왔던 엘프들과 케일 일행 마중을 나왔던 엘프들이 모두 절로 환한 웃음을 그렸다. 모두 라온에게 시선을 집중한 채 연신 고개를 끄덕여 댔다. 가끔씩 에르하벤의 전언을 전하러 온 케일을 쳐다보기는 했지만 드물었다.

이래서 케일의 말을 못 알아듣는 상황이었다. 케일을 의도적으로 무시하는 것은 아니었다. 단지 저들은 라온만 보일 뿐이었다.

물론 케일이 하나 모르는 점도 있었다. 엘프들의 연신 고개를 끄덕이는 행동, 그리고 라온을 쳐다보다가 열 번에 한 번 정도는 케일에게 잠시 시선을 두는 데에는 이유가 있었다. 케일에겐 보이지 않는 존재들의 대화 때문이었다.

'이 붉은 머리칼 인간 때문에 세계수께서 전언을 내리시다니! 세계수께서 인간에 대해 말하는 건 몇백여 년 만인 것 같아!'

'이 인간에게 자연의 기운이 엄청 많아요. 인간 중에 가장 자연을 많이 품었을 거예요.'

'역시 그래서 드래곤님 두 분과 함께하는구나. 굉장히 좋은 향기가 나는 인간이야.'

정령들이 케일을 두고 여러 대화를 나눴다. 그들의 말이 들리는 엘프들은 케일을 힐끗거리는 눈빛이 갈수록 깊어져 갔다.

"음?"

케일은 점점 자신을 쳐다보는 엘프들의 시선이 많아짐을 느꼈다. 무엇보다도 어린 사제가 주근깨 가득한 콧등을 찡그린 채 케일을 보며 두 손을 맞잡고 있었다.

'이상한데.'

이상함을 느끼기 시작했을 때 케일은 멈칫했다.

사아아-

바람이 부는 것 같았다. 하지만 바람이 부는 것이 아니었다.

"……이게 뭐야?"

케일은 당황했다.

하나둘.

반투명한, 여러 색을 띤 정령들이 나타났다. 그건 이상하지 않았다. 저번 열손가락산 엘프 마을에서도 그러했으니까.

정령의 숫자가 상당히 많았다. 그것도 이상하지 않았다. 세계수, 그 옆이 정령들에게는 고향이니까.

그런데 문제는 다른 부분이었다.

이 많은 정령들이 어디에 있나?

"우아!"

홍의 감탄이 들려왔다.

"엄청 많은데!"

온의 감탄도 들려왔다.

정령들이 모두 케일 곁에 있었다. 케일은 제 주위를 이리저리 날아다니는 정령들을 쳐다보았다. 뭐라 말하는 것 같지만 케일은 하나도 알아들을 수 없었다.

'강한 바람 냄새가 나! 은밀하지만 당당해!'

'이건 나무군요. 그래요, 나무는 땅, 바람, 다른 요소에 비해 작은 존재지만 굳건하죠. 그 굳건함이 느껴집니다! 훌륭해!'

'으음, 아주 달콤한 물의 향기가 나요. 나도 모르게 빠져들 것 같은데.'

어린 엘프 사제는 이 모든 말들을 주의 깊게 들었다. 그때, 사제의 귓가에 때려 박히는 소리가 들려왔다.

'불의 본질이야. 그래, 불은 탐욕스럽지. 그렇기에 순수하고 아름다워. 본질을 지녔어.'

불바다. 그 단어가 어린 사제의 머릿속을 뒤흔들었다. 사제는 두 손을 맞잡고 입을 열었다.

"이번에 에르하벤 님의 뜻을 전하러 오신 분인가요?"

케일은 알짱거리는 정령들 때문에 짜증이 났으나 애써 미소를 그리며 입을 열었다. 하지만 케일보다 라온이 빨랐다.

"그렇다! 아주 착하고 좋은 우리 인간이다! 이름은 케일 헤니투스다! 이름도 조금 멋지다!"

정령들이 더 활기차게 케일의 주위를 날아다녔다. 케일은 자신의 옆에 바짝 붙은 라온과 자신을 쳐다보는 엘프들에게 여전히 미소를 지어 보였다.

"반갑습니다. 케일 헤니투스라고 합니다."

적당한 예의를 차린 행동에서 귀족 특유의 예절이 보였다. 좀 나이가 든 엘프들은 한층 흐뭇한 눈빛으로 케일을 바라봤다. 케일 마중을 나왔던 중년 엘프가 다시 앞으로 나섰다.

"저는 촌장 후계자 디클이라고 합니다."

"반갑습니다."

케일은 디클과 화기애애하게 인사를 나눴다. 고래족 혼혈 파세톤은 이 광경을 멍하니 바라봤다. 그의 귓가로 흔들리는 목소리가 들려왔다.

"……이럴 수가."

범고래 아치. 그는 지금껏 믿고 있었던 상식 중 하나가 산산이 부서지는 광경을 보며 충격을 받고 있었다. 아치는 새삼 엘프들이 라온을 보면 울지도 모른다는 케일의 말에 확 믿음이 갔다. 그래도 여전히 믿을 수가 없었다.

라온, 엘프들, 더하여 정령들에게 둘러싸인 케일이 신비로워 보였다.

'인간이 맞나?'

분명 케일이 인간임을 알지만 왠지 다른 느낌으로 다가왔다. 그러고 보면 케일은 신기한 사람이었다.

동대륙과 서대륙. 모두 인간들이 가장 숫자가 많아 장악하다시피 한 곳이지만 그 안엔 수많은 수인족과 이종족들이 존재했다. 그런 많은 종족들과 잘 어울리는 케일이 조금 낯설게 느껴졌다.

아치는 제 곁에 있던 최한과 로잘린의 대화가 들려왔다.

"역시 케일 님이야."

"넌 '역시 케일 님이야' 이 말이 너무 입에 붙은 것 아냐?"

"그럼 아닌가?"

"그건 아니고. 케일 공자가 특별하긴 하지. 아주."

태연하게 대화를 나누는 최한과 로잘린은 특별하다고 말하는 것과 달리 이 상황이 익숙해 보였다. 아치는 이를 쳐다보다가 로잘린과 시선이 부딪쳤다. 로잘린은 살짝 눈을 크게 떴다가 고래족의 분위기를 눈치채고는 입을 열었다.

"모두와 잘 어울리는 케일 공자가 참 신기하게 보이죠?"

"네."

아치는 곧바로 답했다.

"그래도 케일 공자가 지금껏 대륙 곳곳에서 했던 일을 생각하면 이런 대우는 당연한 게 아닐까요?"

로잘린의 말을 듣고 있던 파세톤은 작게 탄성을 흘렸다. 지금까지 케일이 한 일. 그 일들이 머릿속을 스쳐 지나갔기 때문이었다.

로잘린은 이어 말했다.

"공자는 지금까지 그런 일들을 했는데도 흔한 작위 하나, 직책 하나 받지 않았어요. 물론 보상을 조금 받았지만 그게 목숨을 대신한다고 생각하지 않아요."

로잘린은 케일이 영리하기보다 영악함을 알고 있었다. 그럼에도 그를 착하다고 평하는 것은 단 하나 때문이었다.

욕심이 없다.

돈?

돈 욕심보다 더한 것이 권력욕이고 명예욕이다.

왜 상인이 주체할 수 없을 정도로 돈이 생기면 작위를 사려고 하겠는가. 그리고 왜 돈도 권력도 충분한 역사 속 왕들이 쓸데없는 전쟁을 벌였겠나?

돈보다 더 많은 욕망이 존재했다.

케일은 그것을 탐내지 않았다. 도리어 피하려고 애썼다.

'그리고 번 돈도 제 사리사욕을 위해 쓰지 않아.'

로잘린은 헤니투스 영지와 지금까지 했던 일들에, 케일의 재산이 상당 부분 들어갔음을 알고 있었다. 물론 케일이 개인적으로 돈을 쓸 때도 있다. 그래 봤자 본인 먹는 것 아니면 일행 먹이고 재우는 일이었다.

'이런 사람이 돈을 지녀야 해.'

더 큰일을 위해 돈을 쓸 줄 알고, 스스로는 큰 사치 없이 그저 제철 과일 먹으며 그걸로 기분 좋아하는 사람.

로잘린은 케일이 돈을 더 벌어도, 아니, 더 벌어야 한다고 생각했다.

'……마탑.'

그녀는 케일이 언급했던 마탑을 떠올렸다. 케일이 투자를 해준다는 말을 로잘린은 거절하지 않았다. 그녀는 인간의 마음을 모두 헤아릴 수는 없으나, 적어도 케일이 그간 한 일을 보면 마탑에 돈을 보태겠다는 그의 마음을 조금은 알 수 있었다.

'세상을 이롭게 하는 마탑을 세워야 해.'

위퍼 왕국의 마탑과는 전혀 다른 마탑. 그런 마탑을 세워 마탑주가 되리라, 로잘린은 다시 한번 마음을 굳혔다. 케일을 보며 다짐을 되새기던 로잘린은 그와 눈이 마주쳤다. 동시에 그녀는 엘프들도 이쪽을 보고 있음을 깨달았다.

라온이 로잘린과 일행 곁으로 날아왔다. 그러고는 엘프들에게 한 명씩 소개해 주었다.

"똑똑한 로잘린이다. 강한 최한이다."

엘프들은 라온이 말할 때마다 예의 바르게 환히 웃었다. 로잘린은 엘프들이 건네는 손을 잡고 악수를 나눴다. 최한도, 고래족도 마찬가지였다.

"고래족분들은 오랜만에 뵙네요. 아주 듬직하니, 훌륭하십니다! 하하!"

범고래 아치는 촌장 후계자 디클이 자신을 칭찬하며 손을 내밀자, 그 손을 잡고 그저 웃음으로 답했다. 이제 그도 점점 그러려니 하는 마음가짐이 생겼다.

케일은 일행이 엘프들과 잘 섞이는 것을 보며 어린 사제 아디테에게 말을 건넸다.

"사제님."

그리고 흠칫했다. 마치 시한폭탄을 보듯 저를 바라보는 어린아이의 눈망울이 보였다. 케일은 그 모습에 더 궁금해졌다.

"사제님, 그런데 엘프들은 속세의 물건에 흥미가 없지 않습니까?"

케일은 제 품의 동전 주머니와 금을 가리켰다. 사제 아디테는 심각한 얼굴로 말했다.

"아주 오래전부터 세계수께서 동전을 조금씩 모아두라고 하셨습니다. 속세에 얽매일 필요는 없으나 언젠가 쓰인다면서요."

사제는 다부진 표정으로 케일에게 세계수의 말을 전했다.

"세계수께서 케일 님을 뵙고 싶어 하십니다."

물론 세계수는 동전과 금을 받아 들면 데려오라고 했지만, 그 사실을 아디테는 굳이 언급하지 않았다.

"좋습니다. 저도 뵙고 싶었는데, 바로 가죠."

케일의 대답에 사제는 엘프 마을로 걸음을 내디뎠다.

"따라오시면 됩니다."

사제는 등 뒤로 자신을 따라오는 케일과 라온을 느끼며 정령의 말에 귀를 기울였다.

'불완전한 듯 완전하고, 강한 듯 약하네. 신기해.'

정령이 관심을 가지는 인간은 정령사 말고 없었다. 그런데 지금 정령들이 인간에게 관심을 보인다. 사제 아디테는 조금 더 걸음을 서둘렀다. 케일은 그 걸음을 따라 세계수를 만나러 갔다. 그리고 미묘한 표정을 지었다.

평범하다.

어느 산을 가도 만날 수 있는 오래된 침엽수가 그의 시야에 들어왔다.

"세계수 님이십니다."

사제가 흔하게 볼 수 있는 나무를 가리켰다.

케일은 조금 놀라웠다. 자신보다 세 배는 큰 나무였지만, 어둠의 숲에서 볼 수 있는 나무들과 비슷했다. 차라리 '부서지지 않는 방패'를 얻고 난 후 보았던 하얀 나무가 더 신비로워 보였다.

'……차라리 주위의 나무들이 더 세계수 같아 보이는데.'

세계수를 호위하듯이 둘러싼 나무들은 드넓은 호수와 이 엘프 마을의 천장을 뒤덮을 만큼 거대하고 푸르렀다.

"세계수 님의 모습에 놀라셨죠?"

사제는 케일의 반응에 그럴 줄 알았다는 듯 말을 건넸다. 보통 엘프들도 평범한 세계수의 모습에 놀라곤 한다. 케일은 주위를 둘러보며 대충 나오는 대로 지껄였다.

"본디 우리가 스쳐보는 것에 소중한 것들이 있듯, 평범한 모습에 진짜가 담겼을 수도 있지요."

"……역시."

세계수에게 오며 마음을 가라앉혔던 사제는 현명한 눈동자로 케일의 말에 동의를 보냈다. 그러거나 말거나 케일은 거대한 나무들에 둘러싸인 풀밭 중심에 홀로 서 있는 세계수가 있는 이 공간을 탐색했다.

스스스-

그때, 바람도 불지 않았건만 이 공간을 둘러싼 나무들의 나뭇잎이 흔들렸다.

"케일 님!"

사제가 황급히 케일을 불렀다. 케일은 아디테를 감싼 푸른빛을 볼 수 있었다. 증표의 색과 일치했다. 반면 아디테는 케일을 보며 놀람을 숨기지 못했다.

"세계수께서, 세계수 님이 케일 님과 대화를 나누고 싶어 하십니다."

"대화요?"

"네."

사제는 놀라웠다. 그녀는 살면서 세계수가 직접 대화하는 이는 에르하벤을 빼고 처음 보았다. 그녀는 라온을 바라봤다.

"그리고 라온 님과는 천천히 시간이 될 때 대화를 나누고 싶으시답니다."

"그래, 알았다! 세계수야, 반갑다!"

스스스-

라온의 인사에 답하듯 주위 나뭇잎들이 나부꼈다. 라온은 뭐가 좋은지 풀밭 위를 뒹굴었다.

"여기 아주 상쾌하고 따뜻하다. 우리 집 다음으로 좋다!"

케일은 그 말에 피식 웃고는 사제에게 물었다.

"대화를 어떻게 하면 됩니까?"

"눈을 감고 세계수 님과 닿으시면 됩니다."

사제는 세계수 나무 기둥을 가리켰고 케일은 별다른 거리낌 없이 세계수로 다가갔다. 그리고 사제가 가리킨 기둥에 손바닥을 대었다.

스스스-

다시 한번 나무들이 흔들렸다. 사제는 세계수의 모습을 긴장 어린 마음으로 지켜보았다.

'늘 진중하시던 세계수 님을 당황시킨 인간이라니.'

그녀는 케일과 세계수가 나눌 대화가 궁금하면서도 이 상황 자체가 신비롭게 느껴졌다. 불을 형상화한 듯한 붉은 머리칼의 남자를 보는 사제의 눈빛은 깊어져 갔다.

'음?'

지켜보던 사제는 케일이 멈칫하는 것을 볼 수 있었다. 눈을 감은 남자의 미간이 찌푸려졌다. 그 순간, 케일은 세계수의 목소리를 듣고 있었다.

-그 정신 나간 방화범의 힘을 이은 인간이 다시 나올 줄 몰랐구나.

방화범. 파괴의 불을 가리키는 것이 틀림없었다.

-그것도 그 힘을 온전히 모두 이은 데다가 강화까지 시키다니. 케일, 너도 대단하구나.

'내가 파괴의 불을 강화시켰다고?'

케일은 '심장의 활력'을 떠올리다가 세계수의 말에서 이상함을 느꼈다.

'케일, 너도 대단하구나.'

……친근하다. 세계수가 너무 친근하게 케일을 대한다. 또 묘하게 친절하다.

세계수는 말을 이었다.

-내가 살아오면서 앞뒤 없는 영웅은 많이 봤지만, 그 방화범처럼 그렇게 눈이 돌아간, 음, 아무튼 돈에 빠져들어 앞뒤 없는 존재는 처음이었느니라.

인자한 노인을 떠올리게 하는 목소리는 다정했다.

-인생의 목표가 부자인 영웅이라니. 늘 죽음과 탄생을 반복했다고 하더라도, 나의 죽음은 곧 탄생. 끊임없이 이어지는 삶을 살아가

는 내가 그 영웅 때문에 예기치 않게 불에 타 죽을 뻔했었지.

세계수라는 나무는 시들었다가 다시 새로이 잎이 돋아나며 살아난다. 같은 자리에서 같은 존재로 죽고 살아나고를 반복하며, 흙으로 돌아가지 않은 채, 완전한 죽음과 동떨어진 채 생을 이어가는 세계수. 그는 과거를 얘기하다가 조금의 안도감을 드러냈다.

-그래서 내가 돈을 모았지. 이게 바로 장수의 비결이야.

그는 말을 이었다.

-여하튼 케일, 네가 그 힘을 이은 줄은 몰랐구나. 얼마나 놀랐던지. 혹시 '불의 본질'이 폭주할까 봐 놀라서 아디테에게 돈을 보냈느니라.

케일은 들으면 들을수록 세계수에게서 이상함을 느꼈다.

'나를 알고 있어?'

마치 이전부터 케일을 알고 있었단 어투였다. 케일은 저를 아냐고 물어보려 입을 열었다. 그때였다.

-가샨은 잘 있느냐?

가샨? 호랑이 주술사 가샨?

케일은 순간 세계수와 닿아 있는 나무 표면의 까슬함이 서늘하게 느껴졌다.

'설마 가샨이 말하던 그 자연이?'

가샨은 늘 '자연께서 말하셨다.'면서 신통방통한 예언을 해댔었다. 세계수의 목소리가 이어졌다.

-가샨은 내 목소리가 들리는 신기한 아이더구나.

이야.

케일은 감탄했다. 그리고 놀랐다. 그렇다면 세계수에게 예언의 힘이 있는 건가?

그때, 케일에게 인자함이 사라진 목소리가 들려왔다. 순간 뒷골이 서늘해져 왔다.

–케일.

세계수는 물었다.

–넌 누구지?

스스스스–

나뭇잎들이 흔들렸다.

'넌 누구지?'

언젠가 왕세자에게 비슷한 물음을 들은 적이 있었다. 하지만 이번은 그때와 달랐다.

–케일, 너의 미래가 보이지 않는구나. 과거도 2년 전부터 보이지 않아.

케일은 탄식을 삼켰다. 2년 전. 그때 김록수는 케일 헤니투스가 되었다.

–난 별것 아니지만 오래 살아왔다. 물론 시들었다가 피어나고를 반복했지. 그 덕에 조금 세계를 볼 수 있는 눈이 생겼고.

세계수는 세계를 구성하는 무수히 많은 흐름들 중 일부를 조금이나마 볼 수 있었다. 그러나 그가 아무것도 보지 못했던 때가 있었다. 그리고 지금 세계수는 점점 보이는 것이 줄어들고 있었다.

–오랜 옛날.

세계수는 자신이 눈보라를 일으키며 북쪽을 장악할 수밖에 없었던 때를 떠올렸다. 스스로 세계수라는 것을 인지한 이후 처음으로 공포를 느꼈던 순간이었다.

–너처럼 미래도 과거도 잘 보이지 않는 인간들이 있었다. 너와 비슷하게, 그들에게선 언뜻언뜻 가까운 미래의 흐름만 조금씩 보였지.

케일은 자신과 비슷한 이가 있었단 소리에 집중했다.

'그 인간들도 빙의자인가?'

빙의자가 있다면 그들의 미래가 궁금했다. 그러나 세계수는 케일의 기대를 저버렸다. 전혀 의외의 말이 흘러나왔다.

–고대의 힘을 지닌 인간들이 너와 같았어. 그들은 시간의 흐름이 보이지가 않았다.

고대의 힘?

–방화범의 시간 흐름도 보이지 않았고 돌머리도 그랬지.

……왠지 돌머리가 누군지 알 것 같은데.

케일은 무서운 짱돌의 주인을 떠올렸다. 동시에 고대의 힘을 지닌 이들이 활개를 치던 시대. 고대를 생각했다. 그 시대는 대륙에 어둠이 내리며 종식됐다고 한다. 더불어 어둠이 사라지며 평화가 찾아왔다고 했다. 그러나 어디서도 그 어둠이 무엇인지 명확히 설명해 주지 않았다.

"어둠이 무엇입니까?"

뜬금없는 케일의 질문에 이쪽을 보고 있던 사제와 라온이 의문을 드러냈다. 하지만 세계수는 케일의 말을 바로 알아듣고 답해주었다.

–나는 세계의 허락을 받고 말해도 되는 것만 말해야 한다.

말할 수 없다는 대답.

–또한 볼 수 없는 것도 말할 수 없지. 난 '어둠의 실체'를 예지할 수 없었어. 그러나 그 시대를 살았던 나는 '어둠'을 보았지. 그리고 그건 말할 수 없는 부분이야.

케일은 배배 꼬인 대답에 살짝 미간을 찌푸렸다.

–'암'이라고 했던가? 나를 노리는 놈들이?

"그렇습니다."

–난 '암'을 보지 못했어. 또한 요즘 점점 보는 것이 줄어들고 있지.

케일은 직감했다.

'……더 난장판이 되나 보네.'

지금도 난장판이건만, 곧 다가올 미래는 더 난장판이란 소리였다. 세계수가 '암'의 정체를 모른다니, 케일로서는 아쉬운 답이었다.

–내가 흐름을 보지 못할 때마다 나에게 위기가 찾아왔다네. 어쩌면 방관자가 아닌 나도 흐름에 속할 것이라 아무것도 보이지 않는 걸 수도 있고.

세계수는 짧게 결론을 냈다.

–그건 내 문제니, 이제 너로 돌아가도록 하지. 넌 누구지?

다시 한번 이어진 질문. 케일은 차분하게 답했다.

"평범한 인간입니다만."

눈을 감고 있던 케일의 귓가로 라온의 목소리가 들려왔다.

"우리 인간은 평범하지 않다! 그리고 약하다!"

뭔 소리야.

케일은 라온의 말을 한 귀로 듣고 한 귀로 흘려보냈다. 그러나 세계수의 말은 흘려보낼 수 없었다.

–나는 오늘 내 가지 중 세 개를 버릴 생각이네.

가지? 나뭇가지?

제 안위를 엄청 챙길 것 같은 세계수가 한 말에 케일은 슬슬 불안감이 밀려왔다. 생각보다 작은 나무였지만 케일보다는 컸고, 나뭇가지도 꽤 두껍고 튼튼해 보였다.

'그걸 왜 버리지?'

케일은 입을 열었다. 하지만 세계수가 먼저였다.

–하나.

세계수는 세계에 허락받지 않고 말하고자 했다. 완전한 소멸을 겪지 않는 이상 끊임없이 생을 이어나갈 수 있는 세계수이기에 저지를 수 있는 희생이었다.

과거 세상에 어둠이 내렸을 때. 그때 수많은 생명체들은 서로 싸웠고, 평화라는 단어 대신 끝없는 전쟁만이 펼쳐졌다.

어둠의 시대는 전쟁의 시대였다. 자신의 이득을 위해 나와 다른 뜻을 지닌 자들을 죽이는 시대.

세계수는 첫 번째를 말했다.

–고대의 힘을 모으는 자는 고대의 힘을 총 세 개 소유했다.

케일은 멈칫했다.

'세 개면 내가 아닌데? 고대의 힘을 모으는 사람이 있다고? 왜?'

지금 사람들에게 그저 곁다리 힘으로만 알려진 게 고대의 힘이었다. 왜냐면 고대의 힘은 한계가 있으니까. 성장이 없는 힘으로는 높은 곳에 도달할 수 없었다.

케일은 황급히 입을 열었다.

"그걸 왜 모으려고–"

하지만 그 질문은 이어질 수 없었다.

쿵!

케일은 귀를 따갑게 찌르는 거대한 소리가 들려왔다. 동시에 땅에 닿아 있는 발바닥에서 진동이 느껴졌다.

뭔가가 떨어졌다.

케일은 눈을 뜨려고 했다.

-뜨지 마라.

세계수는 뜨지 말라고 했다. 동시에 어린 사제 아디테의 목소리가 들려왔다.

"세, 세계수 님! 세상에!"

아디테는 비명을 내지르듯 세계수를 불렀다. 뒤이어 라온의 목소리도 들려왔다.

"이게 뭐냐? 세계수야, 네 나뭇가지 큰 거가 다 썩어서 떨어졌다! 세계수야, 다쳤나? 아픈가?"

"라온 님, 다가가시면 안 됩니다!"

어린 사제는 다가가려는 라온을 붙잡았다. 그녀는 발을 동동 구르면서 어쩔 줄을 몰라 했다. 그녀는 왜 잡냐는 듯 쳐다보는 라온에게 힘없이 말했다.

"세계수 님이, 세계수께서 오지 말라고 하십니다."

"그래? 알았다."

라온은 별다른 말 없이 제자리로 돌아갔다. 하지만 검은 용의 눈빛에 걱정이 어렸다. 그 시선은 세계수의 시꺼먼 나뭇가지가 떨어진 바로 옆, 케일에게 닿아 있었다.

반면에 케일은 머릿속이 더 복잡해져 왔다.

-두 번째.

세계수는 힘없이, 하지만 다급하게 말했다.

-검은 용의 부모가 남긴 흔적을 찾거라.

라온의 부모?

언젠가 케일도 그 부분에 대해서 움직여야지 생각하고 있던 이야기였다.

쿠웅. 커다란 나뭇가지가 또 하나 떨어졌다.

"어떡해, 어떡하지."

어쩔 줄 몰라 하는 엘프의 목소리가 들려왔다. 하지만 케일의 머릿속은 복잡하기만 했다. 그러나 그는 긴장을 놓지 않았다.

—마지막.

하나가 아직 더 남았다.

—동대륙으로 도망간 심판자. 그녀를 찾아라.

……이건 또 뭔 소리야.

케일의 미간이 있는 대로 찌그러졌다.

그때였다.

콰직.

케일은 제 머리 위에서 무언가 부러지는 소리가 들려왔다. 동시에 그의 몸이 튕겨 나갔다.

"……억!"

웬 단단하고 동그란 돌덩이가 그의 몸을 밀어버렸다. 동시에 작고 동그란 앞발이 그의 등을 받쳤다.

쿵!

케일은 눈을 떴다. 자신이 있던 자리. 그곳에 시꺼멓게 변해 붉은 액체를 흘리는 커다란 나뭇가지가 있었다.

"인간, 괜찮나?"

케일은 자신을 튕겨 버리고 또 받쳐준 검은 용을 쳐다봤다. 라온은 케일의 등 뒤에서 얼굴을 빼꼼 내밀었다. 케일은 차분하게 말했다.

"마법으로 떨어뜨렸으면 됐을 건데."

그랬다면 케일은 돌덩이와 같은 라온의 머리와 부딪치는 충격을 느끼지 않았을 것이다. 라온의 동공이 흔들렸다가 이내 제자리를 찾고 외쳤다.

"그래도 피했다!"

"그래, 그래."

케일은 대충 칭찬을 하고는 다시 세계수에게 다가갔다.

뚜욱. 뚝.

세계수의 말에만 집중하느라 놓쳤던 작은 소리들이 그제야 들려왔다. 부러진 세 개의 큰 나무줄기. 그 부러진 자리에서 사람의 피와 같은 붉은 액체가 떨어졌다.

'평범한 줄 알았더니, 아니네.'

붉은 액체를 흘리는 나무는 처음 보았다. 케일은 천천히 세계수 기둥에 손을 대었다.

-후우.

힘없는 한숨 소리가 들려왔다.

-열매는 여름이 지나야 줄 수 있겠구나. 이게 내가 너에게 알려줄 수 있는 한계란다.

세계수의 목소리가 점점 작아졌다.

-넌 강해질 생각이 없지?

맞다. 케일은 더 강해질 생각이 그다지 없다.

세계수는 그간 흐름을 조금씩 엿보며 케일의 그런 생각을 눈치챌 수 있었다. 왜냐면 세계수 본인도 그러하니까.

세계수는 강함을 추구하지 않는다. 권력도, 명예욕도 없다. 그저 편안히 살아 있으면 된다. 그러나 그것이 힘들어질 거란 예감이 들면 그는 움직였다.

과거에 대륙 북부 전체를 뒤엎은 눈보라를 일으켰듯, 이번에는 가지 세 개를 버리고 '보이지 않는 인간'에게 몇 가지 조언을 던졌다. 과거에도 보이지 않는 인간들이 이 세상을 지켜냈으니까.

이번에도 그러하리라 그는 믿고 싶었다.

—……난 이제 쉬어야겠구나.

케일은 더 이상 세계수의 목소리가 들리지 않았다. 손을 떼어, 사제 아디테를 바라봤다. 어린 사제는 눈물을 뚝뚝 흘리며 입을 열었다.

"세계수께서 한동안 잠드셔야 한다고 대화는 나중에, 열매와 함께 하자고 하십니다."

열매.

케일이 세계수에게 얻어가야 할 물건이었다. 그는 세계수의 열매가 지닌 효능을 아직 몰랐다. 다만 에르하벤이 라온에게 주려는 것으로 보아 좋은 물건이라 예측할 뿐이었다.

엘프는 검게 물든 나뭇가지들을 슬픈 눈으로 쓰다듬으며 이어 말했다.

"그리고 라온 님과 대화를 하지 못해 아쉽지만, 그 대화 또한 다음으로 미루자고 하십니다."

"나도 아쉽지만, 괜찮다! 세계수야, 도울 건 없나?"

라온이 걱정스러운 표정으로 세계수에게 다가갔다. 어린 사제는 고개를 가로저었다.

"회복 또한 세계수께서 알아서 하실 일. 그저 기다리면 됩니다."

스스스-

케일은 다시 한번 나뭇잎들이 흔들리는 소리를 들으며 세계수가 전해준 정보를 생각했다.

고대의 힘을 세 개 모았고 더 모으려는 자.

라온의 부모가 남긴 흔적.

동대륙으로 도망간 심판자.

케일은 두 손으로 얼굴을 쓸어내렸다.

언제쯤 쉴 수 있을까.

조금 슬퍼졌다.

하지만 그 기분은 며칠 뒤 조금 나아질 수 있었다.

톡. 톡. 케일은 호수 위 서슬 퍼런 추위와 달리 따뜻한 호수 아래 엘프 마을에서 앵두를 하나씩 떼어 먹었다.

"……눌러앉을까?"

케일이 나직이 내뱉은 말에 라온이 반응했다.

"안 된다! 우리 집이 제일 좋다!"

그건 그렇지.

케일은 라온의 말을 인정하면서도 어느 때보다 안락함을 느끼고 있었다. 이 광경을 파세톤은 멍하니 바라봤다.

케일 곁에는 파세톤과 라온뿐이었다. 그들이 있는 장소는 등을 기대기 참 좋게 생긴 앵두나무 밑으로, 주변에는 과일과 음료들이 자리했고 케일이 앉은 방석은 상당히 포근해 보였다.

엘프 마을에서 케일은 귀빈 대접을 받았다.

어찌 이럴 수가 있을까. 파세톤은 그저 신기했다. 하지만 곧 그는 느긋하게 지시를 내리는 케일의 말에 일어서야 했다.

"다 모아와."

"네."

케일은 일행을 데리러 가는 파세톤을 보며 자리에서 일어섰다.

로잘린은 어제까지 라온과 함께 방어 마법진 보수를 끝냈고, 오늘은 제대로 시행이 되는지 최한과 함께 확인 중이었다. 온과 홍은 아치와 함께 눈보라 속을 신나게 뒹구는 중이었다.

"인간, 이제 떠나는 건가?"

케일은 라온의 물음에 대답 대신 머리를 쓰다듬어 주었다. 그는 며칠간 세계수가 던져준 문제들을 고민했다. 그리고 결론지었다.

케일은 저 멀리 뛰어오는 사제 아디테를 보았다. 어린 엘프는 치렁치렁한 사제복을 번거로워하면서도 열심히 뛰어왔다. 그리고 케일 앞에서 숨을 몰아쉬었다.

"허억, 헉, 케일 님!"

"그래."

"세계수께서 방금 전에 말씀을 하나 남기고 다시 잠드셨습니다!"

말씀?

케일은 어서 말하라는 듯 사제를 응시했고, 사제는 멈칫하다가 이내 눈을 질끈 감고 외쳤다.

"고대의 힘을 지닌 것들은 다 미친놈들이었지. 네 멋대로 해라."

세계수의 이런 거친 표현은 처음이었던지라, 사제 아디테는 말하고 나서도 마음이 조마조마했다. 케일의 반응을 기다리던 아디테는 곧 그의 말을 들을 수 있었다.

"어떻게 알았대?"

"네?"

아디테는 눈을 떠 케일을 쳐다봤다. 케일은 환하게 웃고 있었다.

"걱정 말라고 해. 난 내 마음대로 할 거니까."

그는 남의 말을 들었다고 남의 말대로 살 생각은 없었다. 라온이 다가와 물었다.

"인간, 그러면 우리 이제 불 내러 가나?"

사제가 흠칫했다. 때마침 로잘린과 최한이 파세톤과 함께 다가왔다. 그들도 라온의 물음에 케일을 쳐다봤다.

반면에 케일은 한 존재를 떠올렸다.

신의 눈물.

존재하는지도 안 하는지도 알 수 없는 존재. 어느 누구도 소유하지 못했던, 주인 없는 신비로운 물. 어떠한 병이든 치료해 준다는 경이로운 존재.

'케일, 그 전설을 믿나?'

에르하벤은 케일의 말에 웃으며 허무맹랑한 소리라고 했다.

"인간, 왜 대답을 안 해주나? 불 말고 다른 거 하나?"

"어. 겸사겸사 뭐 좀 훔치러 가게."

훔친다는 말에 듣고 있던 엘프 사제가 당황했다. 라온이 입을 열었다.

"또냐?"

엘프 사제는 이전보다 더 크게 움찔했다. 그러거나 말거나 케일은 갸웃거리는 라온에게 자신을 가리키며 말했다.

“어. 내 안에 도둑이 있거든.”

일행의 표정이 해괴해졌지만 케일은 신경 쓰지 않고 웃었다.

신의 눈물이 정말로 ‘신’의 눈물이라면. 알아서 자신에게로 굴러올 것이다.

38장

속았나?

38장
속았나?

케일은 일행과 함께 일전에 머물렀던 여관을 다시 방문했다. 테이블에 앉자마자 의자 등받이에 기대는 케일의 표정은 드물게 진이 빠져 있었다.

–인간, 아주 즐거웠다! 역시 나는 위대하다!

반면에 투명화한 라온의 목소리는 생기발랄했다. 같은 테이블에 앉은 범고래 아치가 아연실색한 표정으로 중얼거렸다.

"……이 지독한 놈들."

여기서 지독한 놈들은 끝 마을 엘프들이었다. 케일은 천장을 올려다봤다. 눈물의 송별식을 하던 엘프들이 자연스럽게 떠올랐다.

'이리 짧은 시간을 머물다가 가신다니요? 너무 슬픕니다.'

'꽁꽁 언 호수 아래서, 근 몇십 년 만에 아름다운 빛을 마주한 시간이었습니다. 제 평생의 축복이자 환희의 순간을 잊지 못할 겁니다.'

눈물을 줄줄 흘리며 라온에게 이렇게 말하던 엘프들.

'걱정 마라! 금 용 할배 데리고 또 온다!'

신이 난 라온의 호언장담에 연신 감탄사를 흘리며 환호하던 엘프들. 그 사이에서 엘프와 정령들을 헤치며 떠나야 했던 케일은 처음으로 고단함을 느꼈다. 케일의 손을 잡고 연신 매만지던 엘프 촌장은 말했다.

'우리가 남인가?'

어쩌다 내가 엘프와 우리가 된 것인가.

케일은 알 수 없었지만, 좋은 게 좋은 것이라 그러려니 끝 마을 엘프들을 잊어버렸다.

탁!

그런 그의 앞에 술잔이 놓였다.

"뭡니까?"

케일이 절망의 호수에 가기 전에 머물렀던 여관. 그 여관의 주인인 노인을 보며 케일은 이 술잔의 의미를 물었다. 노파는 케일과 일행을 쓰윽 보더니 중얼거렸다.

"……멀쩡히 살아 돌아왔구먼."

케일은 절망의 호수에서 딸과 사위를 잃었다던 노인에게 말했었다.

'살아 돌아와서, 여기서 이 술 다시 마시죠.'

스치듯 케일 일행을 보는 노인의 눈꼬리 끝이 흔들리고 있었다. 케일은 장난스레 물었다.

"공짜죠?"

"예끼, 돈도 많아 보이는 놈이!"

짓궂게 웃던 노파는 케일의 머리 바로 옆을 힐끗 보다가 흘러가듯이 말했다.

"……뭐, 따뜻하니 술로 속을 데울 필요는 없을 테고. 술 한 잔으로 충분하겠지."

따뜻하니?

그 말에 케일은 물론이거니와 라온도 멈칫했다.

–인간! 이 할머니 인간 이상하다!

그러거나 말거나 노인은 케일이 붙잡기도 전에 벽난로 옆 의자로 가버렸다. 이를 지켜보던 케일의 앞에 노인의 손자 솔리가 나타났다.

"……할머니가 안주도 주라고 하셔서요."

주춤주춤 그는 쟁반 위의 음식들을 테이블에 올려놓았다. 그의 표정은 뭐라 설명하기 힘들 만큼 복잡해 보였다.

부모를 절망의 호수에서 잃었기에, 그 호수가 어떤 곳인지, 어떻게 멀쩡히 살아 돌아올 수 있었는지 아주 궁금했다. 또한 이들이 누군지 궁금했고, 어찌 됐든 살아 돌아와서 기뻤다. 그러나 무엇보다 하나가 자꾸 눈에 거슬렸다.

"……저기."

그는 그 거슬림을 참을 수가 없었다. 염색 마법으로 갈색 머리칼이 된 케일과 달리, 진짜 갈색 머리칼에 주근깨를 지닌 순박해 보이는 청년. 절망의 호수 옆 작은 마을에서 나고 자라 마을 밖은 한 번도 본 적 없는 솔리는 제 눈을 비비며 케일에게 말했다.

"저기, 손님."

케일은 이상하게 찝찝해져 왔다. 여관 주인 손자의 시선이 케일 자신에게서 미묘하게 벗어나 있었다. 분명 케일을 쳐다봤으나 제대로 보면 그 시선은 케일 옆의 허공을 향해 있었다.

그래, 케일 눈에는 이 주인 손자가 보는 곳은 허공이었다.

솔리의 입이 열렸다.

"그, 죄송한데 제 눈이 이상한 건지. 아, 정말 이게요."

그는 횡설수설하며 케일과 최한 머리 사이 허공을 가리켰다.

"지금 무슨 붉은 털실 뭉쳐놓은 것 같은, 작고 동그란 빨간 게 보이거든요? 제, 제가 지금 헛것을 보는 걸까요? 아, 내가 왜 이러지?"

솔리는 제 눈을 비벼댔다. 아무리 눈을 비벼도 붉은 털실 뭉치가 케일 옆에서 둥둥 떠다니고 있었다. 그 순간 케일은 생각했다.

'미치겠네.'

이 점원, 정령사야?

케일은 싸하다 못해 기가 찼다. 라온의 목소리가 들려왔다.

-인간, 쟤 정령이 보이나 보다!

케일은 당연히 지금 제 머리 옆에 붉은 털실 뭉치 같은 건 보이지 않았다. 라온을 포함한 다른 일행도 마찬가지였다. 왜냐면 힘이 부족한 정령은 차가운 공기 속에서 힘을 아끼는 중이었으니까.

그러나 그들은 절망의 호수 아래, 엘프 마을에서 엘프 사제가 어색하게 웃으며 보여줬던 빨간 털 뭉치는 알았다.

'저, 케일 님.'

케일이 떠나기 전, 엘프 사제 아디테는 난감한 얼굴로 손가락을 꼼지락거렸다.

'괜찮으시면 여기 우리, 음, 태어난 지 1년이 되신 아기 불 정령님이 케일 님께서 호수 밖 마을 입구까지 가는 길을 배웅하도록 허락해 주실 수 있을까요?'

반투명한 붉은 털 뭉치가 둥둥 뜬 채 케일의 곁으로 날아왔다. 이건 또 뭔 짐덩이인가 싶어 케일이 아디테를 응시했고, 아디테는 황급히 설명했다.

'아직 형체를 못 정하셔서 그렇지 곁에 두시면 따뜻해요. 정령들은 태어난 후에 자신의 길을 정하면 그에 따라 모습이 정해지거든요.'

제대로 형상도 못 이룬 붉은 털실 뭉치가 불 정령이었다. 케일의 얼굴이 대번에 찌푸려지자 아디테는 빠르게 말을 쏟아냈다.

'케일 님을 존경한다고, 꼭 배웅하고 싶다고 생떼, 아니, 간곡한 청을 하셔서요.'

'……날 존경한다고?'

아디테는 당연하다는 듯 답했다.

'네. 이렇게 파괴적이고 미친 불의 힘은 처음 본다고! 닮고 싶대요!'

태어난 지 1년도 안 된 불 정령이 그를 존경하는 이유를 들은 순간 케일은 즉시 답했다.

'마을 어귀까지만 배웅하고 깔끔하게 헤어진다. 알았어?'

'네!'

아디테가 밝게 답했고, 붉은 털실 뭉치는 케일 머리 옆으로 날아오더니 점점 투명해져 갔다. 그리고 그 투명해진 상태로 이곳 여관까지 따라왔는데.

'그랬는데, 그 불 정령이 보인다고?'

케일은 여전히 귀신이라도 본 듯, 아니면 얼떨떨한 듯 눈을 비비는 솔리 너머 그의 할머니를 쳐다봤다. 방금 그녀는 케일에게 말했다.

'……뭐, 따뜻하니 술로 속을 데울 필요는 없을 테고.'

그 말에 케일은 멈칫했다. 지금 이 순간, 케일의 머릿속에 '정령사'라는 단어가 크게 떠오르기 시작했다. 그는 솔리에게로 시선을 돌렸다.

"으아!"

갑자기 솔리가 놀라며 두 팔로 제 얼굴을 가렸다. 챙그랑. 쟁반이 떨어져 바닥에 나뒹굴었다.

"가, 갑자기 털 뭉치가 이리로 와서요!"

솔리는 황당한 표정으로, 그러면서도 연신 뭔가가 제 주위를 빙글빙글 돈다는 듯 고개를 움직이며 어쩔 줄 몰라 했다.

케일은 곧바로 여관 주인을 쳐다봤다. 노인은 이를 드러내며 웃었다.

"내가 저것들이 보인다고 했을 때 우리 남편이 그랬지. 정령이라고."

노인은 케일을 보며 말했다.

"내 딸은 저것들이 보이지 않아서 안심했지. 혹시 나를 닮아서 저것들이 보일까 봐 걱정했거든."

저것들. 분명 정령이다. 노인의 눈동자에 회한이 서렸다.

"왜냐면 내가 저것들한테 꼬였거든. 잠깐잠깐 마을에 나타나는 저것들 보려고 내가 이 절망의 땅에 터를 내렸어. 그런데 빌어먹게도, 저것들이 보이지 않아도 호수는 사람들을 꾀더구먼."

할머니는 손자를 바라봤다. 몇십 년 동안 저것들이 보이지 않아서 안심했다. 자신에게 다가오지도 않고, 눈처럼 손에 쥘 수 없는 정령들의 아름다움을 그저 지켜보는 건 괴로웠으니까.

그런데 이제 손자에게 정령이 보인다.

"……저것들이 먼저 다가가기도 하는구나."

저것들이 인간에게 먼저 다가가는 광경은 처음 보았다. 노인은 솔리에게로 다가간 정령과 그런 정령이 원래 따라다니던 케일을 번갈아 눈에 담다가 케일에게 고약한 미소를 지어 보였다.

"쓸데없는 걸 내 손자한테 보여줬어. 그러니 술값 내."

케일은 그 말에 고개를 가로저었다.

"술값은 사 주신다고 하셨으니 얻어먹겠습니다."

잠시 최한과 아치가 흐린 눈동자로 케일을 쳐다봤다. 그러거나 말거나 케일은 여전히 웃고 있는 할머니에게 말했다.

"대신 안줏값은 거하게 내죠."

"흐흐, 웃긴 놈이야. 딱 봐도 귀족이구먼."

노인의 관찰력에 일행이 멈칫했지만 케일은 신경도 쓰지 않고 솔리를 쳐다봤다.

'정령사라니.'

케일은 뜻하지 않은 존재를 알게 되었다. 라온의 목소리가 머릿속에 들려왔다.

–인간! 걔도 같이 가나?

아니. 뭐 하러?

케일은 이유 없이, 굳이 더 사람과 엮이고 싶지 않았다. 웬만한 자연속성 고대의 힘을 다 지닌 자신이 정령사를 곁에 둘 이유가 없었다.

'……완전히 다 지닌 건 아니지만.'

케일은 지배하는 물의 힘이 담긴 목걸이를 매만졌다. 동시에 사제 아디테와 나눴던 대화를 떠올렸다.

'혹시 심판자를 아나?'

'심판자요?'

'어. 동대륙으로 간 심판자라던데.'

세계수가 케일에게 찾으라고 했던 심판자. 케일은 동대륙 출신의 가샨과 론에게 물어볼까 하다가 혹시나 싶어 아디테에게 물었다. 아디테는 널찍하게 펄럭이는 소매 사이 삐져나온 손으로 머리를 살짝 긁적이더니 고개를 가로저었다.

'아뇨. 그런 이름은 처음 들어봐요.'

'그래?'

케일도 기대하지 않았다.

'네. 심판하는 물은 들어봤는데.'

'……뭐?'

그런데 뜻밖의 이야기를 들었다. 아디테는 케일의 반응에 고심하는 표정으로 말을 이었다.

'심판하는 물이라고, 고대의 힘인데요.'

아디테는 긴 설명 대신 마을의 도서관에서 낡은 목판을 하나 가져다주었다.

'목판에 새겨진 글자가 워낙 충격적이라서 기억해요.'

'내가 빌려가도 될까?'

'……이걸요?'

아디테는 진심이냐는 듯 케일을 쳐다보다가 결국 고개를 끄덕였다.

'네. 마음대로 하세요.'

케일은 아디테가 그리 말한 이유를 충분히 짐작했다. 목판에는 세 줄이 적혀 있었다. 그중에 첫 줄이 보였다.

〈사직서〉

그리고 그다음 줄도 보였다.

세계수, 이 멍청한 자식아! 난 이제 해방이다!

강렬했다. 그 순간 느꼈다.

'심판하는 물. 이것도 제정신은 아니겠구나.'

마지막 줄을 보며 확신했다.

심판하는 물? 이제 난 자유로운 영혼이다!

또 희한한 걸 주워야 될지도 모르겠구나.

케일은 그리 확신했다. 그는 갑갑한 마음에 술을 대번에 들이켰다. 그리고 일행과 솔리, 할머니, 보이지 않는 불 정령이 만들어가는 난장판을 가만히 지켜봤다.

'이 사람들을 다시 만날 일이 있겠어?'

약간 파괴적으로 성장할 가능성이 큰 아기 불 정령과 순박을 넘어 어벙해 보이는 솔리, 그리고 날카로운 할머니. 케일은 이들과 엮일 일이 없을 것이라 예측했다.

하지만 그는 불 정령이 놀라서 어쩔 줄 몰라 하는 솔리의 어깨에 매달려 하는 말을 듣지 못했다.

'……불벼락. 존경. 불바다. 강력.'

웅얼웅얼 단어만 내뱉는 불 정령의 형체가 점점 성향에 따라 변화해 갔다. 그래 봤자 아직 불 뭉치라 다들 그 형체를 짐작하지 못했다.

다만 불 정령은 솔리에게서 절대 떨어지지 않았다. 정령을 듣지도 보지도 못하는 케일로서는 알 수 없는 광경이었다.

"드디어 왔군요."

최한이 감탄과 함께 성문 안으로 나타난 도시의 모습을 눈에 담았다.

하얀 눈이 쌓인 뾰족한 지붕들. 지붕들도 하얘서 마치 눈의 왕국 같아 보였다.

최한은 하얀색 신관복을 입은 채로 고개를 돌렸다. 백발의 남자, 케일은 신관복을 정돈하며 부드럽게 미소를 그렸다.

"목적지가 머지않았어. 다 함께 가자고."

케일은 파에른 왕국 수도, 바고에 입성했다. 당연히 왕세자 알베르가 구해준 신분패로 유유히 성문을 통과한 그는 신관복 차림의 일행을 이끌며 앞장섰다. 그의 머릿속으로 라온이 말했다.

-인간, 여기 축제 하나?

하얀 지붕과 하얀 눈. 저 멀리 하얀 왕성. 그곳에 화려하게, 혹은 소박하게 내걸린 장식물들이 일행의 시선을 사로잡았다. 로잘린이 다가와 케일에게 말을 건넸다.

"신관님, 수도가 화려하네요. 축제인가요?"

그녀는 케일에게 물으면서도 주위를 둘러보았다. 그러고 보니 성문을 통과하는 평민들이 굉장히 많았다. 수도 안 거리는 추운 날씨에도 시끌벅적했다.

최한도 이를 보았고, 다른 이들처럼 답을 알고 싶다는 듯 케일을 쳐다봤다. 그때 혼혈 고래족 파세톤이 입을 열었다.

"……다들 모르고 오셨습니까?"

"뭐를요?"

로잘린은 브렉 왕국의 후계자 1순위였으나, 그렇다고 해서 거의 단절되다시피 한 북쪽 끝 왕국의 축제를 일일이 기억할 필요는 없었다. 그녀가 의문을 드러내자 파세톤은 로잘린 대신 케일을 쳐다봤다. 케일은 드물게 평온한 얼굴로 입을 열었다.

"파에른 왕국은 1월이 되면 특이한 축제를 합니다."

냐아아옹. 붉은 고양이 홍이 케일의 팔을 두드리며 어서 말하라고 재촉했다. 케일은 홍의 털을 쓰다듬으며 말했다.

"한 해의 슬픔을 미리 거둬가 달라고 신의 눈물이 있다는 호수에서 제를 올리고, 바고시 곳곳에서 축제를 펼치죠."

최한은 멈칫했다.

딱 들어도 중요한 행사 같다. 그런데 지금 우리는 신의 눈물이 있었다고 전해지는 호수에 불을 지르러 간다. 그 시기가 왠지 이번 축제와 겹칠 것 같다.

최한은 케일을 쳐다봤다. 케일은 남들이 듣지 못하게 은밀히 속삭였다.

"사람이 다치면 안 되니까 제를 올리는 날은 빼고. 마지막 날 밤에 광장에서 다 같이 모여 춤을 춘다던데."

마지막 날 밤. 축제의 화려한 피날레를 장식하기 위해 광장에 사람들이 모여 추위도 잊은 채 춤을 추고 노래할 것이다. 그 때문에 호숫가에는 경비병 빼고는 사람도 없을 터. 경비병 몇 명이 다치지 않게 움직이는 건 쉬웠다.

케일은 자신을 바라보는 일행에게 웃으며 물었다.

"축제의 마지막은 불꽃놀이 아니겠어?"

순간 일행 사이에 정적이 내렸다. 범고래 아치와 혼혈 고래 파세톤은 말문이 막힌 표정이었고 로잘린과 최한은 고민에 잠긴 표정이었다. 은빛 고양이 온은 그러면 그렇지, 라는 표정으로 케일의 얼굴을 외면했다.

하지만 케일은 이런 정적에 신경 쓸 틈이 없었다. 머릿속이 시끄러웠다.

–인간! 역시 너는 우리 인간이다! 불꽃놀이 할 때 다치면 안 된다!

상당히 신난 목소리였다. 이런 살벌한 6살이 다 있나. 케일은 고개를 절레절레 가로저으며 최한과 로잘린을 응시했다. 최한은 가만히 케일을 보다가 입을 열었다.

"제가 무엇을 하면 됩니까?"

최한은 분명 케일이 하는 말을 들었다.

'사람이 다치면 안 되니까.'

참 악당 같은 일을 벌이면서도 이런 생각을 하는 케일이기에, 최한은 망설임이 없었다.

"나중에 보고 같이하자."

그리고 들려오는 케일의 대답에 미소를 그렸다. 같이하자. 수십 년을 혼자 살아남기 위해 버텼던 최한에게 언제 들어도 듣기 좋은 말이었다.

케일은 마지막으로 로잘린과 시선이 닿았다. 그녀는 웃고 있었다.

"아주 효과적인 계획과 적절한 시기 같네요."

"역시 로잘린 씨라면 그리 말할 줄 알았습니다."

고래족 두 명은 더욱더 말을 잃은 표정이었으나, 케일은 신경 하나 쓰지 않고서 파세톤에게 지시했다.

"파세톤, 숙소부터 잡자."

"아, 네!"

"그 뒤에는 호수 구경하고."

호수. 그 단어에 파세톤은 침을 꿀꺽 삼키며 케일 일행을 파에른 왕국 수도 안으로 안내했다.

사람들이 그런 그들을 힐끗거렸다. 평범한 여행자용 로브를 써 얼굴이 잘 보이지 않는 일행. 그들이 이상해 보이진 않았다.

다만 그들이 호위하듯 둘러싼 한 사람. 사람들은 백발의 신관을 힐끗거렸다. 케일은 그 시선을 느끼며 미소를 그렸다.

–또 저렇게 웃는다! 왕세자랑 얘기하는 것도 아닌데!

라온의 말이야, 가볍게 흘려버렸다.

사박사박. 눈을 밟는 소리는 차분했다. 케일은 주위를 둘러보았다.

사람은 몇 명 보이지 않았다. 오가는 이들은 작은 목소리로 대화를 나눴지만 표정이 밝았다. 경건한 분위기지만 엄숙하지는 않았다.

케일은 한적한 공원에 온 듯한 기분에 설렁설렁 걸음을 내디뎠다. 그의 머릿속으로 라온이 말했다.

–인간, 입구에 있던 경비병 말고도 곳곳에 순찰하는 병사들이 있다!

참, 이제 시키지 않아도 착실하게 잘한단 말이야.

케일은 1살 더 먹었다고 알아서 잘하는 라온이 흐뭇했다. 그의 곁으로 최한이 다가와 속삭였다.

"축제 때 올릴 제사 전이라, 그 준비로 호수 북쪽 지역은 접근이 불가하다고 합니다. 그러나 어디든 충분히 뚫을 수 있는 정도의 보안 상태입니다."

최한도 이제 알아서 보고를 잘했다. 케일은 성장한 라온과 최한에 대한 흐뭇함이 밀려왔다. 멧돼지 잡아다 주던 검은 용과 밥 준다고 하면 따라오던 놈이 참으로 많이 성장했다. 케일은 뿌듯한 마음과 함께 앞을 주시했다.

툭. 툭. 그의 팔을 홍이 두드렸다. 케일이 홍을 바라보자 홍은 앞발로 정면을 가리켰다. 홍은 경악한 표정이었다.

냐아아옹!

차마 여기서 말을 할 수는 없어서 홍은 울어대며 눈으로 물었다.

'여기에 불을 지른다고 들었는데?'

케일은 단박에 그 눈의 의미를 이해했다.

"그래, 여기다."

고양이와 케일의 모습을 지켜보던 로잘린은 아무 말도 하지 못했다. 그녀는 고개를 돌렸다. 아까부터 말이 없던 고래족 두 명이 보였다. 저들의 마음이 이해되었다.

'……너무 큰데.'

눈앞에 신의 눈물 호수가 자리해 있었다. 물 한 방울 없이 메마른 호수는 움푹 파인 채 갈라진 밑바닥을 보여주고 있었다. 그녀는 슬그머니 케일에게 다가갔다.

파에른 왕국 수도 바고시 북쪽 외곽. 광장과 이어지는 큰 대로를 따라 걸으면 수도의 북쪽 끝에 있는 거대한 호수가 나타났다. 물 한 방울 없는 이 호수는 보는 순간 엄청난 크기로 사람들이 발걸음을 멈추게 만들었다.

로잘린은 조심스럽게 케일에게 물었다.

"공자, 이 정도면 거의 바고시 면적의 삼분의 일 정도 되지 않나요?"

"그러게요. 생각보다 작네요."

작다고?

로잘린이 멈칫했지만, 케일은 조금도 신경 쓰지 않은 채 온과 홍을 내려두고 거대한 호수의 외곽을 따라 걸었다.

"각자 흩어져서 구경하다가 잠시 뒤에 만나도록 하지."

한마디를 남기고 케일은 일행과 멀어졌다. 투명화한 라온만이 함께였다.

신의 눈물. 케일은 이 호수에 대해서 꽤 많은 조사를 했다.

호수 북쪽에 신전과 함께 제단이 있었다. 축제 때 그곳은 통제되지만 다른 곳은 여유롭게 출입이 가능했다. 케일은 그나마 사람들이 없는 곳으로 향했고, 그러다 보인 안내판 앞에서 걸음을 멈췄다.

신의 눈물

이 호수는 전설이 남아 있다. 신은 늘 얼어붙어 있는 파에른 땅을 서글프게 여겨 얼지 않는 호수를 만들어주었다.

얼지 않는 호수에 인간들은 처음에는 환호했다.
그러나 인간들은 점점 더 많은 것을 탐냈고 결국 탐내선 안 될 것을 탐내어,
신은 눈물을 흘리며 호수의 물을 앗아가 버렸다.

케일은 가만히 서서 안내판의 내용을 읽었다.

이에 인간들은 스스로가 저지른 탐욕을 깨닫고 이 호수를 보존하였다.

그리고 언젠가 다시 신의 축복으로 이 호수에 물이 차오르길 바라고 있다.

아는 내용을 다시 한번 읽은 케일은 가지고 있던 궁금증을 꺼냈다.

'어떤 신이지? 누구지?'

케일은 이 내용을 읽을 때마다 궁금했다.

물이 다시 차오를 때. 남쪽으로 떠났던 신이 돌아온 순간이리라.

"남쪽이라."

케일은 남쪽이라는 단어에 집중하며 고개를 들었다. 그리고 당황했다.

–인간, 왜 그리 놀라나?

라온은 그 반응에 놀라서 케일을 불렀지만, 케일은 황급히 시선을 다른 방향으로 돌리며 고민에 빠졌다.

'저 자식이 왜 여기에 있어?'

케일은 황급히 '영웅의 탄생' 내용을 떠올렸다.

클로페는 가문 대대로 이어진 백발을 보며 전설을 다시 현실로 만들겠다고 다짐했다.

메마른 호수 바닥을 바라보는 백발의 남자. 케일은 그를 힐끗거리며 확인했다. 동시에 '영웅의 탄생' 내용이 뒤이어 떠올랐다.

와이번 기사단. 그 전설을 현실로 만들 것이리라. 수호 기사 세카 가문의 후계자 클로페는 그렇게 결심했다.

클로페 세카.

파에른 왕국의 수호 기사이자, 와이번 기사단의 단장이며, 북 3국의 구심축.

"……이야."

케일은 그저 감탄을 흘렸다.

'수호 기사 클로페를 여기서 볼 줄이야.'

예상 못 했다. 하지만 잘됐다.

―인간, 저 인간 때문에 놀랐나? 음, 확실히 좀 강하다.

좀 강하다고?

케일은 라온의 평가에 멈칫했다.

클로페. 그는 '영웅의 탄생'에서 제대로 등장한 적이 황태자 아딘보다 적었다. 그래서 정보가 부족했다. 단 하나 유용한 정보가 있었지만, 그것 빼고는 아는 게 없었다.

―메리만큼 강하다.

그런데 네크로맨서 메리만큼 강하다고?

최한과 로잘린 사이가 메리였다. 그렇다면 수호 기사 클로페는 상당히 강하다고 할 수 있었다.

―인간, 최한이 온다!

케일은 시선을 돌렸다. 최한이 굳은 얼굴로 이쪽으로 다가오고 있었다. 아마도 클로페가 누군지는 모르나, 그 강함을 느끼고 다가온 듯싶었다.

케일은 손을 들었고, 최한은 그 행동에 멈춰 섰다. 케일은 대기하라고 손짓하고는 천천히 걸음을 옮겼다. 당연히 클로페 쪽이었다.

–인간! 저 백발 검사 근처에 기사들이 두세 명 있다.

웬만한 위험 탐지는 다 할 수 있는 라온의 친절한 설명을 들으며 케일은 '영웅의 탄생' 속 정보를 하나 떠올렸다.

클로페는 전설을 맹신했다. 그는 전설과 설화, 미신을 잘 믿는 편이었다.

케일의 입꼬리가 씰룩였다.

자신이 왜 백발에 신관복으로 왔겠는가. 왜 굳이 신의 눈물 호수에 신의 분노라며 불기둥을 만들려고 했겠는가.

–……인간, 너무 착하게 웃는다. 아니, 우리 인간은 착하지만, 그렇지만!

혼란스러워하는 라온의 목소리를 배경음처럼 들으며, 케일은 잔잔한 미소와 함께 호수를 내려다봤다.

사아아아–

클로페 세카. 그는 부드럽지만 서늘한 겨울바람에 머리칼을 쓸어 넘기며 시선을 옆으로 돌렸다. 근처에서 인기척이 느껴졌기 때문이다.

'왕국민인가.'

클로페는 고개를 돌리며 인기척의 정체가 관광 온 왕국민일 거라 생각했다. 그는 그동안 일부러 자신의 모습을 세상에 드러내지 않았다.

그가 세상에 나타날 때는 와이번 기사단이 세상에 나타날 때일 터였다. 그리고 그때, 파에른은 얼지 않는 항구와 땅을 향해 나아갈 것이다.

그러나 그는 밖으로 나올 때면 굳이 자신의 백발을 숨기지 않았다. 자랑스러운 수호 기사 세카 가문의 상징이었으니까. 그 때문에 혹시나 하는 시선으로 자신의 곁으로 다가오는 왕국민들이 종종 있었다. 왕국민들에게 수호 기사 가문은 든든한 방패이자 창이었기 때문이다.

전설에 따르면, 신이 호수의 물을 거두다가 한 방울을 떨어뜨렸다. 그 한 방울이 한 사람에게 닿았고, 그 사람의 머리칼은 하얗게 변해 버렸다. 그는 기사가 되어 북쪽 끝 땅을 어둠으로부터 지켰다고 한다.

신의 마음을 이어받은 자.

그는 그게 바로 클로페 자신이라 믿어 의심치 않았다. 그렇기에 클로페는 고개를 돌려 인기척의 정체를 확인한 순간 눈을 크게 떴다.

하얀 머리칼이 클로페의 시야를 채웠다. 더불어 지금 흩날리듯 내리는 눈처럼 하얀 신관복이 눈에 들어왔다.

신관복엔 표시 하나 없어 어떤 신을 모시는지 알 수 없었지만, 은은하게 풍겨오는 분위기가 범접할 수 없는 사람임을 느끼게 해주었다.

휘이이-

바람이 그 백발 신관을 훑고 지나갔다. 신관은 클로페의 시선을 못 알아챈 듯 호숫가를 보며 혼잣말을 내뱉었다.

"남쪽으로 가면 뵐 수 있을까."

클로페는 멈칫했다. 저 말이 심장을 콱 찔렀다.

'물이 다시 차오를 때. 남쪽으로 떠났던 신이 돌아온 순간이리라.'

그는 신전에 적힌 문구이자, 안내판에 적힌 문구가 떠올랐다.

'지금 저 신관은 남쪽으로 떠난 신을 떠올리는 것일까.'

수호 기사 클로페. 그는 곧 남쪽으로 내려간다. 그래서 과거 신이 내려준 호수처럼 얼지 않는 땅과 바다, 강을 가져 지금의 파에른 왕국을 전설로 만들고 싶었다.

'……누구지?'

저 범상치 않은 자는 누구지?

클로페의 걸음이 천천히 백발 신관에게로 향했다. 케일은 부스럭거리는 소리와 함께 한 사람의 목소리를 들을 수 있었다.

"남쪽으로 가면 뵐 수 있을 겁니다."

걸렸구나.

케일은 입꼬리를 제어하며 고개를 천천히 돌렸다. 클로페는 케일이 자신의 백발과 검을 보았음에도 태연함을 넘어 더 여유로워진 눈빛에 기분이 묘해졌다.

눈앞의 신관은 분명 강하지 않은 자이건만, 어째서인지 그에게서는 쉽게 느낄 수 없는 위압감이 느껴졌다. 신관의 입이 열렸다.

"그분께서는 인간의 탐욕에 그저 주었던 것을 거둬 떠나셨지요. 화도 한 번 내시지 않고, 눈물을 흘렸던 그 마음이 무엇-"

신관이 잠시 말을 멈췄다. 그러나 이내 슬픈 표정으로 호수를 바라봤다.

"그 마음이 어떠하셨을지. 얼마나 슬프셨을지 궁금하군요."

"……신을 모시는 분입니까?"

클로페의 진중한 눈빛이 케일을 향했다. 그는 판타지 소설에서 전형적인 북쪽의 기사로 등장할 법한, 백발에 아주 우수에 찬, 잘생긴 기사였다.

'미치겠네.'

그러나 케일은 그딴 건 알 바가 전혀 아니었다.

휘이이-

바람이 불며 케일과 클로페 사이에 신비로운 분위기를 형성했다. 하지만 케일은 잠시 말을 멈추게 만들었던 '바람의 소리'를 느끼며 당황했다.

'……왜 저 자식을 보고 날뛰어?'

바람의 소리. 성물을 훔쳤던 도둑이 수호 기사 클로페를 보며 날뛰기 시작했다.

'저 자식한테 신의 눈물이 있나?'

아님 쟤네 집에 있나? ……털어야 하나?

케일이 고민할 때 다시 한번 클로페의 물음이 던져졌다.

"어떤 신을 모시는지 알 수 없는 겁니까?"

그러나 케일은 평소보다 더 날뛰려는 바람의 힘과.

-희생하려는 건가?

환장하게 무서운 짱돌의 콜라보에, 고대의 힘을 진정시키며 나오는 대로 지껄이기로 했다. 클로페는 갑자기 굳은 신관의 눈빛에 저도 모르게 멈칫했다. 신관은 말했다.

"시간이 지나면 모든 것이 눈에 보일 터."

케일의 입은 자동 반사처럼 잘 움직였다.

펄럭펄럭. 신관의 넓은 소맷자락이 펄럭일 정도로 바람이 불었다. 클로페는 흔들리는 호숫가 나무들을 보다가 거세지는 바람에서 신비로움을 느꼈다.

"호수가 곧 다시 차오르길 바랍니다."

클로페는 신관의 눈동자를 응시했다. 바란다는 말과 달리 신관은 확신에 찬 표정이었다.

쿵. 쿵.

클로페는 심장이 뛰었다.

호수가 다시 차오른다. 그것은 길조였다. 전설이 다시 시작된다는 길조.

물론 케일은 물이 아니라 불기둥으로 호수를 채울 것이다. 클로페는 왠지 지금이 아니면 안 되겠다는 생각이 들어 입을 열었다.

"누구십니까?"

이자의 정체를 알아야 할 것 같았다. 그 순간 클로페는 신관이 말라붙은 호수 바닥을 가리키는 것을 볼 수 있었다.

'설마?'

클로페는 알 수 없는 기분에 사로잡혔다.

국왕에게서도 볼 수 없는 카리스마를 지닌 이. 그는 희미한 미소와 함께 클로페를 스쳐 지나가며 말했다.

"그저 지나가던 방랑자입니다."

누가 보아도 방랑자가 아니었지만, 케일은 그리 말하고 멀어져 갔다. 클로페는 그 뒷모습을 멍하니 바라봤다.

-인간, 재 너 쳐다본다.

케일은 라온의 보고를 들으며 생각했다.

'일단 밑밥은 깔았고.'

그는 라온에게만 들리게 작은 목소리로 말했다.

"라온, 다른 이들에게 내 주위에 오지 말라고 해."

–알았다. 그래도 나는 옆에 있는다.

"그리고 세카 공작가 위치가 어딘지 파세톤에게 물어봐."

라온의 천진난만한 목소리가 머릿속에 들려왔다.

–인간, 이번에는 거기 터나?

참, 눈치가 늘었다. 케일은 흐뭇한 마음으로 고개를 끄덕이며 답해주었다.

"일단 보고."

멀어지는 케일을 지켜보던 수호 기사 클로페에게 숨어 있던 기사들이 다가갔다.

"단장님, 누군지 알아볼까요?"

심복의 물음에 클로페는 대답하지 않고, 사람이 드문 곳으로 걸음을 옮기는 신관을 응시했다.

"단장님."

한 번 더 부르자, 클로페는 고개를 끄덕였다.

"일단 대충 알아봐."

대충?

그 말에 심복을 제외한 기사 두 명이 멈칫했다. 조금 전의 낯선 이는 신비롭지만 누가 보아도 수상한 사람 아닌가. 평소 클로페 성격이면 철저하게 알아보라 지시했을 것인지라 의문이 들었다. 그러나 심복만큼은 곧바로 고개를 숙였다.

"알겠습니다."

심복은 대충의 의미를 알아들었다.

말 그대로 누군지 알아본다. 그 정도를 클로페는 대충이라고 표현했다. 그에게 제대로 알아보는 건 상대의 약점과 트라우마 모두를 샅샅이 알아보는 것을 의미했다.

그랬기에 심복은 그저 누군지만 알아보는 것에 집중하고자 마음먹었다. 그러나 정작 지시를 내린 클로페는 마음이 조금 껄끄러웠다.

'……불경한 행동은 아니겠지?'

범상치 않은 이의 정체를 알아보려다 뭔가 그르치지 않을까 걱정이 들었다. 한편으로는 그르칠 '뭔가'가 무엇인지 클로페 자신도 알 수 없었다. 그는 심복을 제외한 기사 둘에게 지시했다.

"뒤따라가 봐."

호숫가 동쪽 숲으로 사라진 백발 신관. 그를 뒤쫓으란 클로페의 명령에 기사들은 신속하게 움직였다.

그러나 몇 분 뒤, 클로페는 기사들에게 희한한 보고를 들을 수밖에 없었다.

"단장님, 없습니다."

"뭐?"

"숲 입구부터 점점 발자국이 옅어지더니 이내 흔적도 없이 사라졌습니다."

클로페의 표정이 묘해졌다. 기사들은 심각한 표정으로 입을 열었다.

"혹시 마법사일까요?"

"신관으로 위장한 마법사가 비행 마법을 한 것 아닐까요?"

클로페는 단호하게 고개를 저었다.

"아니, 마나도 느껴지지 않았고. 비행 마법을 할 정도로 높은 경지가 아니었다. 약한 자였어."

소드 마스터 클로페의 말이었기에 기사들은 그 말을 믿으면서도 의구심이 깊어졌다. 약하다기에는 분위기가 남다른 사람이었으니까. 이는 클로페도 마찬가지였다.

'주위에 강자도 보이지 않았는데.'

최한의 경지는 물론 라온은 존재조차 알 수 없는 클로페였기에, 그는 점점 신관의 정체에 관해 다른 생각이 들기 시작했다. 한 존재가 떠올랐다.

신의 사자. 혹시 신의 말씀을 전하러 온 이일까?

"어떻게 할까요?"

부하의 물음에 클로페는 속마음을 삼켰다. 그가 전설을 심하게 믿는다는 것은 모두에게 비밀이었다. 오히려 사람들은 자신이 무교이며 아무것도 믿지 않는 줄 안다.

클로페는 냉철한 목소리로 지시했다.

"일단 호수 출입 명단을 받고 생각하지."

그는 냉철한 겉모습과 달리 심장이 뛰었다. 그러고는 곧바로 신전으로 향했다. 축제 준비로 출입이 통제된 신전. 그 중심에 세워진 비석 앞에서 그는 멈춰 섰다.

신은 늘 인간의 가까이에 계셨다.
이 북쪽 땅을 가장 닮은 모습으로 나타나
힘든 우리들에게 따스함을 선물해 주셨다.

북쪽 땅은 늘 눈이 내리는 땅이다. 하얀 땅과 가장 닮은 모습.

클로페는 비석에 새겨진 글자를 읽고 또 읽으며 한 사람을 떠올렸다.

그리고 보고를 들을 수 있었다.

"단장님, 백발을 지닌 신관이 출입했었다고 합니다. 로브를 쓴 이들도 일행이었는데 그들이 방을 잡은 여관에 쪽지 한 장을 남겨두고 모두 사라졌다고 합니다!"

"……쪽지 내용이 무엇이지?"

심복은 쪽지를 내밀었다. 클로페의 눈동자는 쪽지를 본 순간, 큰 파문이 일었다.

과거의 전설을 지금의 전설로 만들려는 자여.

똑같은 전설은 결코 만들어질 수 없다.

새로운 전설만이 나타나 영광을 이어갈 뿐이다.

수호 기사의 심장이 뛰었다. 과거의 전설을 현실로 만들려는 사람은 바로 자신이다. 이는 오로지 그 혼자서 마음먹은 목표이다. 다른 이들은 그저 얼지 않는 땅을 위한 전쟁이라 생각했다.

클로페 본인만이 오로지 전쟁 이상의 것, 전설을 이어가고 싶었다.

'새로운 전설이라고?'

클로페의 입꼬리가 올라갔다. 그는 신관이 신비로운 존재라 확신했다. 안 그러면 저런 쪽지 내용을 쓸 리가 없다. 분명 클로페 그에게 전해질 것을 알고 쓴 쪽지다. 그는 기분이 좋아졌다.

'새로운 전설의 주인공이라. 나쁘지 않군.'

영광의 주인공은 자신이 되리라 클로페는 믿어 의심치 않았다.

한편, 로잘린은 붉은 머리칼을 쓸어 넘기며 케일에게 물었다.

"공자, 쪽지 내용은 무슨 뜻인가요?"

케일은 입안에 있던 닭고기 조각을 여유롭게 씹어 삼키곤 냅킨으로 입가를 닦으며 답했다.

"그냥 헛소리죠."

"……헛소리요?"

로잘린은 자신처럼 붉지만, 왠지 모르게 나른해 보이는 빛깔의 머리칼을 지닌 남자가 대수롭지 않게 말하는 광경을 그저 지켜보았다.

"네, 그냥 대충 있어 보이는 말들로 끄적였습니다."

케일은 신관이 아닌 평소의 모습으로 돌아와 숙소 소파에 몸을 기댔다. 로잘린은 한숨을 내쉬었다. 그녀는 주위를 둘러보았다.

이곳은 플린 상단 파에른 왕국 1호점이자 유일한 지점 뒤편에 은밀히 만들어진 별채였다. 로운 왕국 3대 상단 중 하나인 플린 상단이 파에른 왕국에 건물 하나 없다는 건 말이 되지 않았다.

비록 파에른 왕국에 오기 위해선 배를 통해 다른 북부 왕국으로 가서 다시 국경을 넘어 와야 했지만, 돈이라면 그깟 국경쯤 아무렇지 않은 게 상인들이었다.

로잘린은 그런 상인들만큼 꼼꼼한 이를 보며 물었다.

"공자, 이런 숙소가 있으면서 따로 숙소를 구했던 건 수호 기사와 만날 걸 예측하셨기 때문인가요?"

"전혀 예측하지 못했죠. 다만 나중에 일 벌이고 흔적 없앨 때 편하려고 그랬습니다."

케일의 태연한 대답에 로잘린은 고개를 가로저었다. 그녀의 손에는 왕세자 알베르가 만들어준 가짜 신분패와 더불어 플린 상단 소속 상인임을 증명하는 또 다른 신분패가 하나 더 있었다.

상인 신분패는 조금 전 케일이 아무렇지도 않게 건네준 것이었다.

'도대체, 대충 하는 것 같으면서도 꼼꼼하단 말이야.'

로잘린은 케일의 생각에 대해 가늠하는 것을 포기했다. 한 방면에 있어 비범한 사람의 생각을 알고자 하는 것보다는 자신이 해야 할 분야에서 두각을 드러내는 것이 나았다.

"앞으로 어떻게 할 건가요?"

그녀의 물음에 케일 대신 라온이 신이 나 답했다.

"공작가 턴다!"

로잘린은 물론이거니와 공작가 위치를 알려주었던 파세톤도 움찔했다. 다만 최한은 담담히 읊조렸다.

"이번엔 거기군요."

케일은 고개를 끄덕이며 일어났다.

"일단 소소하게 구경만 갔다 오도록 하지."

최한과 라온이 다가왔다. 케일은 구석에 뒹굴고 있는 두 아이들에게 손가락을 까딱였다.

"밥값."

냐아아옹.

"오랜만인데!"

온과 홍이 대번에 꼬리를 살랑거리며 다가왔다. 이 둘의 은밀함은 이제 시종 론에 조금 못 미친다. 그 정도면 클로페의 눈은 피할 수 있을 터.

케일은 이들을 데리고 곧바로 파에른 왕성 바로 옆에 위치한 세카 공작가 근처로 향했다.

귀족 가문들이 밀집한 곳에 자리한 한적한 찻집 2층. 케일은 그곳에서 차를 홀짝이며 언덕 위에 위치한 한 저택을 쳐다봤다.

"……살벌하네."

언덕 위의 하얀 집. 그게 세카 공작가였다. 더불어 철로 된 정문 옆에 자리한 살벌한 조각상들이 시선을 사로잡았다.

-인간, 저 조각상들이 살벌해 보이나?

케일은 라온의 물음에 고개를 끄덕였다.

와이번의 무시무시한 모습을 그대로 드러낸 조각상들이 흉악하게 언덕 위의 하얀 집 입구를 차지하고 있었다. 크기도 거대해서 언덕 아래에서도 그 위용이 느껴졌다.

케일은 라온의 의문 가득한 목소리가 머릿속에 들려왔다.

-인간, 네가 준 지옥의 파수꾼을 닮은 토끼보다는 귀엽다.

맞다.

케일은 잊고 있던 조각가이자 암살자 프리지아를 떠올렸다.

'다음에 기회가 되면 프리지아한테 우리 백작가 앞에 조각상 좀 만들어달라고 해야겠는데.'

그러면 웬만한 이들은 무서워서 피하지 않을까. 케일은 담담하게 백작이 알면 기함할 일을 생각하며 찻집에서 일어섰다.

"가볼까?"

"네."

케일과 최한은 자리에서 일어섰다.

이미 고양이들은 지붕을 넘나들며 언덕 위 하얀 집으로 향하고 있었다. 곧 온과 홍이 귀족 가문들이 모인 이곳의 골목과 길을 모두 파악할 것이다.

휘이이이-

케일은 이젠 어깨를 넘을 정도로 길어버린 머리칼이 바람에 이리저리 흔들렸으나 신경 쓰지 않았다. 마법으로 변한 갈색 머리칼이 점점 거세게 흩날리며 케일 주위로 바람이 모여들었다.

'난리네.'

바람의 소리가 아주 생난리를 피워댔다.

케일은 언덕 위 세카 공작가에서 조금 떨어진 곳에 걸음을 멈췄다. 투명화한 라온의 목소리가 들려왔다.

-여긴 기사들이 널렸다. 그런데 마법사가 아주 적다!

당연하지.

기사의 나라인 파에른 왕국이다. 더불어 '수호 기사'의 집안이다. 마법보다 검이었다.

휘이이이-

케일은 손바닥을 펼쳤다. 바람들이 당장에라도 세카 공작가로 쳐들어갈 태세였다.

"……이상한데."

"무엇이 말입니까?"

케일은 최한의 물음에 고개를 가로저었다. 그리고 생각했다.

'수호 기사는 공작가에 신물이 있다는 걸 알까?'

안다면 이상했다. 전설을 만들려는 자가 왜 그것을 그저 공작가에 묻어두려는 것일까.

'그리고 그게 신의 눈물이 맞을까?'

지금 이 바람 도둑이 가지고 싶어 하는 것이 과연 신의 눈물일까?

왜 이것이 공작가에 있을까?

이상했다. 그런데 더 이상한 것은 최한의 반응이었다.

"케일 님."

"왜?"

"조금 더 공작가 근처로 가봐도 되겠습니까?"

"뭐, 안 될 것도 없지."

케일과 최한은 눈에 띄지 않도록 은밀하게 공작가로 다가갔다. 최한은 연신 고개를 갸웃거렸다.

"익숙한 느낌인데."

익숙?

케일은 최한이 익숙하다고 느낄 만한 것이 무엇인지 생각했다.

'……피 냄새?'

문득 떠오른 단어에 케일은 몸서리치며 최한에게서 한 발짝 물러섰다.

"케일 님, 괜찮다면 오늘 밤 저 혼자 저택에 미리 들어가서 보고 와도 되겠습니까?"

"먼저?"

최한이 먼저 무엇을 한다고 나서는 건 처음이었다.

"아무래도 익숙한 느낌이 들어서요. 물론 절대 들키지 않게 움직이겠습니다."

최한은 케일의 답을 기다렸고, 케일은 곧바로 답해주었다.

"이런 건 일일이 묻지 않아도 돼. 다치지 말고 다녀오도록."

"네."

–인간, 나도 갈까?

케일은 라온의 말을 무시하며 최한에게 온과 홍도 맡기고 숙소로 돌아왔다. 그런 다음 느긋하게 와인과 함께 스테이크를 먹었고, 아주 푹신한 침대에서 잠들었다. 편안한 밤이 찾아왔다.

덜컹덜컹.

케일은 귓가로 창문이 부서질 듯한 소리가 들렸다. 그는 잠결에 서서히 눈을 떴다.

"흡."

그리고 숨을 들이마셨다.

최한이 바로 코앞에 있었다. 어찌나 놀랐는지 케일은 최한의 얼굴을 손으로 밀어 치워 버렸다.

"케일 님!"

그러나 최한은 다급했다.

"왜?"

케일의 얼굴이 왕창 구겨졌다. 왜 멀쩡한 문을 놔두고 창문으로 들어오냐고!

"인간, 놀랐나?"

라온의 짜리몽땅한 앞발이 케일의 어깨를 다독였다. 케일은 미리 알면서도 깨워주지 않은 라온의 발길을 무시하고 최한과 온, 홍을 쳐다봤다.

"우리 엄청난 거 봤는데!"

"진짜 엄청났는데!"

온과 홍이 연신 폴짝폴짝 뛰어댔다. 케일은 이상하게 뒤통수가 시려와 뒷머리를 매만졌다.

"……무슨 일인데?"

자다 일어난 그의 목소리는 잠겨 있었다. 최한은 다급하게 입을 열었다.

"케일 님, 암입니다."

케일의 입에서 곧바로 말이 튀어나왔다.

"그 자식들이 여기 있어?"

홍이 답했다.

"'암'이 공작가 사람들한테 물건을 넘겨주던데! 그거 중요한 물건 같던데!"

설마?

케일은 최한에게 물었다.

"익숙하다던 게 '암'이었나? 그들 기운도 느낄 수 있나?"

케일의 물음에 최한은 고개를 가로저었다.

"아뇨. 익숙했던 건, 그저, 음. 익숙한 피의 냄새 정도로 생각하시면 될 겁니다."

……정말로 피 냄새일 줄이야.

케일은 강한 놈들은 별별 냄새와 기척을 다 느낀다면서 황당해했지만 일단 최한이 말을 끝내기까지 기다렸다.

"그래서 혹시 저택 안에서 위험한 일이 벌어지나 싶어 미리 탐색차 갔습니다. 나중에 훔치러 갈 때 변수가 생기면 곤란하니까요."

맞는 말이다.

"그런데 '암'이 공작가 사람에게 어떤 작은 상자를 비밀리에 넘겨주더군요. 그 상자 안의 물건이 귀한 것 같습니다."

심각하게 말하던 최한은 이상한 소리에 말을 멈췄다. 케일이 웃고 있었다. 아주 재밌게 되었다는 표정이었다.

"최한."

"네."

"내가 말이야. 원래는 신관복을 입고 불기둥 피워서 난리를 피우려고 했거든?"

백발 신관이 불기둥 앞에서 웃어대면 얼마나 살벌하겠는가?

"그런데 그걸 못 하게 되었단 말이야."

우연찮게 마주친 클로페의 기억 속에 멋진 신관으로 남게 되어 그 계획은 쓸데가 없어졌다. 최한은 점점 짙은 미소를 그리는 케일의 모습에 침을 삼켰다.

'설마?'

최한은 한 가지가 번뜩 생각났다. 그 순간, 케일은 두 팔을 살짝 펼치며 즐겁게 말했다.

"내가 '암' 요원 옷 챙겨왔다?"

그럴싸한 것 같으면서도 조잡한 비밀 단체를 흉내 낸 옷. 그는 손가락을 쫙 펼쳤다.

"딱 5벌 챙겨왔거든. 어때, 좋지?"

케일, 최한, 로잘린, 그리고 고래족 2명.

딱 5명이었다.

최한이 차마 답하지 못할 때, 아이들이 외쳤다.

"인간, 좋다!"

"좋은데!"

"나도 입어보고 싶은데."

케일은 흐뭇한 눈빛으로 아이들에게 답해주었다.

"축제 때 맛있는 거 사 주마."

끝까지 최한은 아무 말도 할 수 없었다. 그렇게 밤이 지나간 후, 축제의 첫날이 찾아왔다.

케일은 한가로이 박수를 쳤다.

짝짝짝.

제단에서 대신관이 뿌리는 물을 보며 사람들이 박수를 치고 환호했다.

"올 한 해 모든 슬픔은 이 물이 땅에 스며드는 순간 사라지리라!"

"올 한 해 모든 슬픔은 이 물이 땅에 스며드는 순간 사라지리라!"

대신관이 외치자 그 말을 그대로 사람들이 따라 외치며 즐거워했다.

신의 눈물 전설이 남겨진 호수 북쪽에는 제단이 마련되어 있었다. 사람들은 그 거대한 제단을 중심으로 발을 굴리기도 하며 요란한 소리를 만들어냈다. 제라고 해서 엄숙할 줄 알았건만, 축제에 걸맞게 그 분위기는 밝았다.

케일은 시끄러운 틈을 이용하여 품 안의 홍에게 물었다.

"그놈들은 그곳에 머문다고?"

냐아아옹.

여전히 인간 나이로 9세인지라 어린이 고양이 모습인 홍이 그렇다는 듯 울어댔다. 케일은 그 대답에 생각들을 정리해 나갔다.

그놈들, 암은 물건을 건네준 후 바로 떠나지 않고 공작가에 머무는 것으로 확인되었다.

'저택에서 만나려나?'

케일은 저택에 가면 새로운 비밀 단체 요원을 볼 수 있겠다고 생각하며 느긋하게 시끄러운 사람들 틈바구니에서 멀어졌다.

그는 혹시 몰라 클로페보다 무력이 약한 로잘린과 너무 아름다운 고래족 두 명은 두고, 최한과 아이들만 데리고 밖으로 나온 상태였다. 클로페에게 들키든, 사람들에게 기억되든 두 상황 모두 다 곤란했기 때문이었다.

"우리의 밝은 희망에 신께서도 기뻐하실 겁니다!"

우아아-

케일은 사람들이 한 신관의 말에 따라 환호하는 것을 보며 최한이 건네는 떡꼬치를 받아 들었다.

'신기하단 말이야.'

케일은 국교가 없어 다양한 종교를 인정하는 파에른 왕국 백성들이 한 신을 향해 환호하는 것이 독특하게 보였다.

어쩌면 이들에게는 '신의 눈물' 전설에 나오는 신이 그저 신이 아니라, 전설 속 환상이자 축제라는 즐거움을 준 존재라서 환호하는지도 몰랐다.

'뭐, 내 알 바는 아니지.'

케일은 떡을 우물우물거리며 제단 위를 관찰했다. 역시나 수호 기사 클로페 세카는 보이지 않았다. 대신 그의 아버지이자 현 세카 가문의 공작이 그 자리를 채우고 있었다.

'그리고 사람들은 아직까지 저 공작이 '수호 기사'인 줄 알지.'

왕국 내, 그리고 대외적으로도 그렇게 알려져 있다. 다만 몇 명의 소수만이 진짜 수호 기사인 클로페를 알고 있었다.

그 소수는 두 종류였다. 클로페와 함께 대륙에 전쟁을 일으키려는 자들. 다른 한쪽은 케일 측 사람들이었다.

"어휴."

케일은 귀찮음이 밀려와 대충 한 손으로 홍을 안아 들며 떡꼬치를 마저 먹었다. 그때 그의 머릿속으로 음산한 목소리가 들려왔다.

-……이, 인간.

라온이었다.

-나 저금통 있다……. 돈 많다. 나도 떡꼬치 사 달라.

케일은 고개를 숙였다. 홍이 침을 꼴딱꼴딱 삼키고 있었다. 당연히 최한 품의 온도 눈동자가 케일 손에서 붙박여 움직이지 않았다. 그는 세 아이의 시선을 느끼며 입을 열었다.

"좀 이따가 다 사 줄게."

그리고 한마디를 덧붙였다.

"내 돈으로."

온과 홍이 귀를 쫑긋거렸다. 라온의 목소리가 머릿속에 울려 퍼졌다.

–역시 우리 인간 착하다!

그럼, 그럼.

케일은 라온의 말에 고개를 끄덕였다. 오늘부터 며칠간은 일행을 두둑이 먹이고 놀게 할 생각이었다. 마지막 날 밤이 되면 다들 잠도 못 자고 내내 일할 테니까.

"최한, 맛집에 가볼까?"

"끝까지 안 봐도 되겠습니까?"

와아아아–

최한은 여전히 환호가 가득한 호숫가를 가리켰다. 그러나 케일은 더 이상 딱히 볼 게 없었다.

"어. 안 봐도 돼. 사람들 쏟아지기 전에 가자고. 그래야 식당에서 편히 먹지 않겠어?"

케일이 말을 마치자, 최한은 신관들의 목소리가 들려왔다.

"비록 메마른 호수이나 신의 흔적이 남아 있습니다!"

"파에른은 유일하게 신이 직접 인간을 위해 자연물을 만들어주었던 곳!"

"이 호수 물이 다시 차오를 때, 파에른에는 영광이 올 것입니다!"

최한은 그 말을 들을수록 표정이 묘해졌다. 그는 조금의 관심도 없다는 듯 휘적휘적 호숫가를 빠져나가는 케일에게 물었다.

"도대체 무슨 신입니까?"

최한은 도대체 저렇게까지 사람들이 환호하는 신의 정체가 궁금했다.

"몰라."

하지만 케일도 알 수 없었다. 어느 서적에서도 이 신의 정체에 대해서 말하지 않았다.

"하지만 이 왕국 사람들은 파에른의 신이라고 하지."

왕국민들은 파에른 땅을 위한 신이라며 찬양해 댔다.

케일은 자신이 관심을 더 둘 필요가 없는 분야인지라 신경을 끄고 빠르게 찾아둔 맛집으로 향했다. 최한은 제단과 사람들을 힐끗거리다가 그 뒤를 빠르게 따랐다.

"오."

맛집에 도착한 케일은 염색한 갈색 머리칼을 쓸어 넘기며 감탄을 흘렸다. 맛있는 냄새가 코끝을 자극했다.

-인간, 인간, 반드시 테이블보 밑으로 음식들을 보내라! 무조건 나도 먹는다!

라온이 근엄하게 다급히 말했다.

-무조건이다!

케일은 그 말을 흘려들으며 아직 사람이 적은 식당 안으로 들어섰다. 일부러 테이블 식탁보가 길어서 라온도 숨어서 먹을 수 있는 곳으로 정한 케일이었다. 그는 가장 구석 자리로 향했다. 그러다가 이상함을 느꼈다.

"뭐 해?"

최한이 걸음을 멈춘 채 빤히 케일을 쳐다보고 있었다.

'왜 저래?'

툭툭. 케일의 팔을 홍이 다급히 두드렸다. 꾹꾹 누르려는 태세에 케일은 홍을 내려다봤다. 입을 열었다 닫았다 하는 본새가 할 말이 있는 것 같았다.

케일은 주위를 둘러보다가 점원이 다가오자, 일단 평소처럼 행동했다.

"안녕하세요! 안내해 드릴까요?"

"가장 안쪽 자리로 하고 싶습니다만."

"네! 저기에 앉으시면 됩니다!"

서빙 직원은 친절하게 가장 구석 자리로 안내해 주었다. 그는 테이블 위에 메뉴판을 놓고 주문할 때 부르란 말과 함께 멀어져 갔다. 그제야 케일은 고개를 숙였다. 홍이 앞발로 케일의 어깨를 짚으며 일어서서 귓가에 속삭였다. 라온도 머릿속으로 말했다.

"어젯밤에 본 사람들이 있는데."

–인간, 여기 로잘린 정도로 강한 생명체가 있는데?

……뭐?

연달아 터져오는 소리에 케일은 머릿속이 순간 멍해졌다.

홍이 어젯밤 본 사람들. 당연히 '암' 비밀 조직이다.

끼이익. 케일은 의자를 잡아당기는 소리에 고개를 들었다. 최한이 그의 맞은편에 앉으며 나직이 읊조렸다.

"9시 방향."

케일은 자연스럽게 식당을 둘러보았다. 그리고 9시 방향, 선명한 황금색 장발의 두 사람을 보았다. 남매로 보였다. 케일은 다시 한번 라온이 했던 말을 떠올렸다.

'인간, 여기 로잘린 정도로 강한 생물체가 있는데?'

생물체. 그 단어가 이상하게 머릿속에 제대로 박혔다. 그럴 수밖에 없는 것이, 저 황금색 두 명은 누군가를 떠올리게 만들었다.

평균보다 큰 키, 거대하지만 날렵해 보이는 덩치. 꼭 지금 눈밭을 구르고 있을 호족이 생각났다. 케일의 눈에 황금색 머리칼이 갈기처럼 여기저기 뻗쳐 있는 것이 명확하게 보였다.

'설마?'

케일은 최한을 쳐다봤다. 그리고 검지로 테이블을 두드렸다.

톡톡. 그 행동에 최한이 테이블을 쳐다봤고, 케일은 테이블 위에 손가락을 움직였다. 그 손가락은 글자를 만들었다.

<사자?>

최한은 확신할 수 없다는 듯 고개를 가로저었다. 케일은 온과 홍을 내려다봤다. 홍과 온은 어깨를 으쓱였다. 수인족이라고 해서 서로의 정체를 대번에 알아챌 수는 없었다. 그것도 강자는 더 어려운 법이었다.

그때 라온의 목소리가 들려왔다.

-오! 저것들이 사자구나! 어쩐지 늑대족과 비슷하면서도 다른 냄새가 났다!

역시 만능 용이었다. 케일은 두 손으로 얼굴을 쓸어내렸다.

"하아."

호랑이, 곰, 고래, 사자. 강하다고 알려진 수인족들로, 그 바로 밑의 강자가 늑대족이었다. 여하튼 위의 4종족 중 곰족과 사자족은 개체수가 나머지 종족보다 많은 편이었다.

'비밀 단체에 사자족이 있을 줄이야.'

케일은 비밀 단체에 당연히 인간들만 있을 줄 알았다. 그간 고래나 늑대, 호랑이에게 한 것으로 보아 마치 '인간'만이 유일한 강자가 되어야 한다는 듯이 행동했기 때문이다. 그런데 이렇게 보니 얘기가 또 달라졌다.

케일은 가게를 구경하듯 사자족 두 명을 살펴보았다.

'……강해 보이는데.'

우아하게 음식을 먹는 사자족 둘은 상당히 강해 보였다. 분위기부터 남다른 것이 사자족에서도 그냥 부족원이 아닐 것 같았다.

'하긴 공작가에 머무를 정도의 인물이라면 낮은 직급일 리 없지.'

홍이 다시 속삭였다.

"쟤네 빼고 그 단체원들 다 복면 썼는데. 쟤들은 안 썼는데."

역시 좀 높은 놈들이다. 그러니 로잘린 정도로 강하겠지.

케일은 짜증이 났다.

'마음 편히 밥 좀 먹을랬는데.'

갑자기 쓸데없는 것들이 눈에 들어와 버렸다. 하지만 그는 이내 마음을 진정시키며 메뉴판을 펼쳤다. 최한은 심각하게 메뉴판을 응시하는 케일의 모습에 조심스럽게 입을 떼었다.

"제가 있으니 괜찮습니다. 걱정되시면 나중에 따라가 볼까요?"

"메뉴 골랐냐?"

"……네?"

케일은 심각한 얼굴로 말했다.

"다 맛있어 보여서 못 고르겠는데."

케일은 일단 다른 것들은 제쳐두고 열심히 메뉴를 고르는 중이었다. 그는 최한이 멍하니 쳐다보든 말든 고양이들에게 눈짓했고, 고양이들은 슬그머니 먹고 싶은 음식 그림을 가리켰다.

-인간, 나는 다섯 개! 다섯 개 고른다! 공짜니까 다 먹을 수 있다!

역시 기회를 놓치지 않는 용은 대단했다.

케일은 라온의 말에 감탄하며 메뉴를 모두 정해 주문했다. 최한도 덩달아 주문을 한 뒤 케일을 응시했다. 그 시선에 케일은 여유롭게 답했다.

"적을 알고 나를 알면-"

최한의 머릿속에서 문득 지구의 격언이 떠올랐다.

적을 알고 나를 알면 백전불태.

'케일 님이 그런 걸 말씀하시려나?'

그러나 그 예상은 빗나갔다. 케일은 말을 이었다.

적을 알고 나를 알면.

"더 난장판으로 만들 수 있어."

케일은 조금 즐겁게 말을 이었다.

"그리고 몰래 내뺄 수도 있고."

또한 앞으로를 대비할 수 있지.

케일은 뒷말을 삼켰다. 그는 최한이 허무해하는 표정을 지었으나 전혀 신경 쓰지 않고, 사자족이 우아하게 식사를 마치고 일어서는 것을 힐끗거렸다.

순간 사자족 한 남자와 눈이 마주쳤다. 케일은 멈칫했다.

피식. 사자족 남자가 실소를 흘렸다. 마치 '그래, 이렇게 잘생기고 멋진 사람을 쳐다보는 시선을 이해하지' 라는 눈빛이었다. 그 예상은 적중했다.

"역시 난 어딜 가나 눈에 띄는군."

그렇게 말한 사자족 남자는 여자와 함께 식당 안 사람들에게 실소를 흘리며 식당을 벗어났다.

케일은 생각했다.

'뭐야, 저 미친놈은?'

색다른 미친놈이었다. 그러나 케일은 두 사람의 모습에서 꽤 많은 걸 알아챘다.

사자족은 라온의 말대로 로잘린 정도의 실력인지, 최한과 라온의 힘을 눈치 못 챈 듯싶었다. 온과 홍은 그저 고양이로 여기는 듯했다.

'아주 강한 편은 아니네.'

케일은 사자족의 거대한 덩치를 보며 생각했다.

'사자는 무리 생활에 능해.'

호랑이와 달리 사자는 무리 생활에 익숙했다. 따라서 사자족은 무리로 싸울 때 더 강력했다. 호랑이족이 무리 대 무리로 사자족과 싸운다면 사자족이 이길 확률이 높았다.

그러나 케일은 이 순간 다른 종족을 떠올렸다.

푸른 늑대족. 늑대들은 사자보다 약하다. 그러나 그들이 무서워질 때가 있었다.

'라크를 제대로 키워야겠어.'

소심함은 조금 고쳤지만 여전히 늑대왕의 모습이 보이지 않는 늑대 소년 라크.

케일은 그간 최한이 그를 인간의 방식으로 훈련시키는 것을 지켜보았다. 그러나 이제 사자족의 존재를 파악한 이상, 라크를 성장시켜야 할 때임을 깨달았다.

'라크뿐만이 아냐.'

늑대족 아이들도 진정한 늑대로 키워야 했다.

'거기에 호랑이족의 게릴라전이 섞이면.'

단독 사냥에서는 호랑이족의 영악함과 힘을 이길 존재가 없다. 늑대족 무리에 호랑이족. 이렇게 섞인다면.

'해볼 만하지.'

충분히 해보고도 남는다. 또 다른 강자인 곰족이 조금 걱정되나, 그건 후에 생각할 문제였다. 케일은 사자족 둘이 유유히 나가는 것을 본 후, 입을 열었다.

"일단 먹자."

냐아아옹!

냐아옹!

-나, 나! 저 연어 스테이크 테이블 밑으로 내려달라!

케일은 연어 스테이크를 사람들 시선 몰래 테이블보 아래로 내려다 주며 식사를 시작했다. 그는 점점 사람이 많아지는 식당 안을 보며 입안의 음식 맛을 즐겼다. 그리고 생각했다.

'제대로 약 올려줘야겠는데.'

케일은 자신을 향한 사자족의 실소를 결코 잊지 않았다.

이른 새벽. 케일은 인상을 찡그렸다.

꾹. 꾹. 꾹.

총 여섯 개의 발이 그의 몸통을 꾹꾹 눌러댔다.

'정말, 이것들이.'

케일은 짜증을 내며 눈을 떴다. 그러자 창밖으로 조금은 밤이 가신 남색빛 하늘이 보였다. 하지만 겨울이라 아직 해가 뜨려면 멀었다.

케일의 시야로 붉은 털이 나타났다.

"오늘인데."

홍이 비장하게 말했다.

"맞아. 오늘 밤인데."

"불꽃놀이다!"

차분한 온과 신난 라온의 조합에 케일은 왠지 속이 답답해져 누워 있던 몸을 일으켜 세웠다. 그때 딱 마침 문을 두드리는 소리가 들렸다.

똑똑똑.

"들어와."

케일의 명에 잠시 뒤 문이 서서히 열렸다.

끼이이-

문밖에 최한과 아치가 서 있었다. 아치는 최한 뒤에 서서 오묘한 표정을 짓고 있었고 최한은 상쾌해 보였다. 이를 본 케일은 물었다.

"새벽 운동 잘 했고?"

"네, 케일 님. 상쾌합니다."

최한은 선한 미소로 답하며 문밖에서 손에 묻은 흙을 털어냈다. 그 모습에 아치는 조용히 고개를 가로저었다.

메마른 호수에 불기둥을 만들 액체를 묻어두고 온 최한이었다.

"역시 운동이 제일 좋지."

운동이라고는 숨쉬기를 제일 좋아하는 케일이 최한의 말에 맞장구치며 상쾌한 하루를 맞이했다.

축제의 마지막 날. 불꽃놀이가 예정된 날의 아침이 밝았다.

날이 밝자마자 케일 일행은 찢어졌다. 흩어졌다가 해가 질 때 광장에서 다시 만나기로 했다.

'북쪽의 마법이 궁금한데. 도서관 다녀올게요.'

'케일 님, 검을 하나 구해오겠습니다.'

로잘린은 왕립 도서관으로, 최한은 무기상점으로, 고래족 두 명은 축제 속으로. 모두 제 볼일과 케일의 지시를 함께 품고서 사라졌다. 결국 평균 9세의 세 아이들은 케일의 몫이 되었다.

"……인간, 나 정말 계속 먹어도 되나?"

라온은 다정한 미소를 볼 수 있었다.

"그럼."

케일은 부드럽게 답하며 라온의 앞에 북방 특등품 소고기 스테이크를 내밀었다. 그리고 라온의 입가에 묻은 소스를 닦아주었다. 검은 용은 상당히 미덥잖은 눈빛이었지만 일단 스테이크를 먹었다.

광장 근처 5층짜리 식당의 5층 특실. 그곳에서 케일은 케이크 조각과 로제 파스타를 각각 홍과 온에게 건넸다. 홍은 신이 나 바로 케이크를 먹었지만 온은 고개를 갸웃거렸다.

"……이상한데. 친절한 척하는데."

케일은 온의 말에 멈칫했지만, 이내 화사한 미소를 그렸다.

"그럴 리가. 많이 먹어야 튼튼하게 자라지."

온은 결국 파스타 면 하나를 오물오물 먹으며 케일을 관찰했다. 하지만 홍과 라온은 먹느라 정신없었다. 말 못 하는 척도, 투명화도 할 필요 없이 특실에서 마음껏 먹으며 광장을 구경하니, 평균 9세들로서는 즐거울 일이었다.

"인간, 좋다! 이렇게 놀다가 저녁에 불꽃놀이까지 다 잘하자!"

케일은 고개를 끄덕이며 물 흐르듯이 답했다.

"그래. 그때 불벼락도 하나 덤으로 보내자고."

라온의 동그란 눈이 껌벅였다.

"……불벼락?"

챙그랑. 라온 앞발에 쥐어져 있던 포크가 떨어졌다. 라온의 얼굴이 일그러졌다.

"인간, 불벼락 쓸 건가?"

"안 쓰러져."

"마법 있다!"

"마법은 안 돼."

"왜!"

"마법인 줄 아니까."

소드 마스터 클로페와 마법사들에게 오늘 일은 '제국에서 일으킨 일' 더하기 '자연의 힘'도 함께 느껴져야 했다.

라온은 이미 결정을 내린 듯한 케일의 눈빛에 입을 오물거리다가 이내 스테이크 접시를 케일 앞으로 들이밀었다.

"먹어라, 인간!"

"배불러."

"넌 왜 배도 작나? 약해서 그렇나?"

……스테이크를 10인분 먹는 네가 대단한 것 같다만.

케일은 도대체 작은 배의 기준을 알 수 없었지만 해야 할 말을 했다.

"오늘은 작게 쓸 거야. 안 쓰러져."

"……진짜냐?"

"그래. 그냥 반짝하는 정도면 되거든."

케일의 담담한 목소리에 라온은 찡그리면서도 더 말을 하지 않았다. 고양이들도 이제야 납득했다는 듯 음식들을 깨작거렸다.

'어휴.'

케일은 힘을 쓰는 것도 평균 9세들의 눈치를 봐야 하는 자신의 처지에 서글픔을 느꼈다. 만약 고래족이나 호족들이었으면 눈치도 안 봤을 건데. 어쩌다 이리 되었는지, 망나니로 살 때가 더 편했나 싶었다.

그러면서도 케일은 라온의 입에 묻는 소스를 틈틈이 닦아주었다. 세 아이들은 그의 눈치를 보며 서로 눈빛을 주고받았다.

'쓰러지면 다 부순다!'

라온의 눈빛에 홍이 고개를 끄덕이자 온이 고개를 가로저으며 다른 눈빛을 보내왔다.

'부수기 전에 보호해 주면 되는데. 강한 놈들 조금이라도 다가오면 독안개 쓸 건데. 사자족이든, 소드 마스터든 독에 중독되면 결국 쓰러지는데.'

'오! 좋다!'

아이들의 살벌한 눈빛 교환을 모른 채, 케일은 쿠키를 심드렁한 얼굴로 씹어 먹었다. 그런 그를 아이들이 연신 쳐다봤으나, 케일로서는 알 수 없는 일이었다.

케일은 창밖을 보며 생각했다.

불벼락. 그것을 저번에 최대치로 쓰고 쓰러졌다.

'그러면 반만 써야지.'

밤이라, 반만 써도 붉은 벼락이 번쩍거리며 눈에 확 띌 것이다.

'반이면 안 쓰러지겠지?'

케일은 괜히 심장이 두근거렸다. 그러나 이내 미간을 찌푸렸다.

'이제 아주 미친 건가?'

그는 알람처럼 머릿속에 울려대는 소리에 머리를 살짝 털었다. 아침부터 꼭 경보음처럼 한 목소리가 들려왔다.

-부수려는 건가?

무서운 짱돌의 목소리였다. 불벼락을 쓰려고 마음먹어서 그런 걸까? 케일은 도대체 짱돌이 왜 이러는지 알 수 없었다.

"……이 목소리 좀 끌 방법 없나?"

그가 투덜거리자 몰래 속닥거리던 용과 고양이들이 흠칫했다. 하지만 케일은 아이들에게 눈길을 주지 않았다.

'참, 짱돌은 쓸데가 없단 말이야.'

케일이 그렇게 생각했기 때문이었을까, 짱돌이 조금 다른 말을 했다.

-불의 영원한 경쟁자의 흔적을 부수려는 건가?

음? 영원한 경쟁자? 파괴하는 불 경쟁자?

케일은 자신이 부술 것을 떠올렸다. 신의 눈물에 관한 전설이 있는 호수였다. 그런데 경쟁자라니?

케일의 표정이 심각해졌다. 라온은 덩달아 케일이 뭘 보나 싶어 그 시선이 향한 곳으로 고개를 돌리다가 표정을 굳혔다.

그곳엔 사과파이 노점상이 있었다. 라온은 케일이 노점상을 보며 꿈쩍도 안 하자 주섬주섬 아공간에서 저금통을 끄집어내 1실버를 꺼냈다. 온과 홍도 1실버씩 꺼냈다.

그러거나 말거나 케일은 지금 아무것도 눈에 보이지 않았다. 그의 머릿속은 새로운 주제로 복잡해져 있었다.

'불의 영원한 경쟁자의 흔적을 부수려는 건가?'

짱돌이 거짓말을 할 리 없다. 그랬기에 이 말을 듣고 난 후 한 가지 가정이 떠올랐다.

'……혹시 호수 전설의 주인공도 신이 아니라 고대의 힘을 지닌 인간인가?'

아무리 파괴하는 불 주인이 막나가도 신과 대적하지는 않았을 것이다. 가장 쉽게 예측할 수 있는 것이 상극인 물의 고대의 힘 소유자가 불의 경쟁자라는 생각이었다.

케일은 문득 신화가 하나 떠올랐다.

'수호신.'

예전 스텐 후작가의 버려진 장남이었던 테일러에게서 들은 신화였다.

고대, 로운 왕국의 터였던 동북부를 지킨 수호신에 관한 내용으로, 바위와 같은 존재의 신이 바위의 땅을 지켰다는 내용이었다. 그런데 왜 하필 지금 그 수호신을 떠올리니.

'짱돌 생각이 나지?'

케일은 한숨을 내쉬었다. 그는 이내 한 가지를 결정하며 자리에서 일어섰다.

'내 알 바가 아니야.'

짱돌은 '희생하려는 건가?' 이렇게 묻지 않았다. 적어도 케일이 위험할 일은 없다는 소리였다. 그렇다면 미리 의심하고 깊게 생각할 필요가 없다.

케일은 일어선 자신에게로 냅다 날아오는 라온을 볼 수 있었다.

"인간, 인간! 사과파이 사 먹으려는 건가?"

사과파이?

갑자기 뭔 소린가 싶어 케일이 물끄러미 응시하자, 용과 고양이 두 마리는 어깨를 쫙 펴고 당당하게 자신의 맞은편에 섰다. 자신의 대답을 기다리는 듯한 모습에 케일은 고개를 가로저었다.

"아니."

"흐."

라온이 실실 웃었다.

"인간, 네 마음 이해한다! 우리 때문에 여기 식당 잡은 거 안다! 사과파이, 기대해라!"

"우리 이제 돈 많은데!"

"보답은 해야 하는데."

뭐야?

케일은 도통 세 아이들을 이해할 수 없어, 그들의 대화를 무시하며 말했다.

"마저 먹지?"

그의 말에 아이들은 잽싸게 테이블 위에 쌓인 음식들을 맛있게 먹었다. 무슨 생각을 하는지 신이 난 아이들을 보며 케일은 좋은 게 좋은 거지 싶어 그러려니 생각에 잠겼다.

그가 특실 구석 의자에 앉아 있는 동안, 라온이 '인간, 나 잠시만 최한한테 갔다가 온다!'며 나갔다 왔지만. 케일은 내내 머릿속 생각들을 정리하기 바빴다.

똑똑똑.

케일은 문을 두드리는 소리에 늘어져 있던 몸을 일으켜 세웠다. 플린 상단 이름으로 하루 종일 대여한 특실의 문이 이제 열릴 차례였다.

"들어와."

달각 소리와 함께 최한과 다른 이들이 들어섰다. 케일은 창밖으로 고개를 돌렸고, 광장이 서서히 붉은 놀로 물드는 것을 볼 수 있었다.

"시간 다 됐네."

케일은 자리에서 일어섰다.

광장에 노점상들이 하나둘 좌판을 접었고, 병사들이 돌며 널찍한 자리를 만들었다. 그리고 광장 중심에 거대한 나무 탑이 나타났다.

"케일 님, 저 탑을 태우면서 춤을 추는 겁니까?"

"그래."

나무 탑에 불을 붙이는 순간, 사람들은 각자가 가지고 나온 악기를 연주하거나, 혹은 노래를 부르거나 춤을 추며 밤 12시까지 즐긴다. 그리고 12시가 지나고 다음 날이 되면, 나무 탑에 물을 뿌리며 축제의 끝을 알린다.

둥. 두웅- 둥.

북소리와 함께 나무 탑에 불이 붙었다.

"불처럼 타오르는 밤이 되리라!"

누군가의 외침이 울려 퍼졌고 뒤따라 광장 안의 사람들이 외쳤다.

두웅- 둥. 둥, 둥, 둥!

북소리가 점점 더 거세졌고, 그 소리 위에 다른 악기 소리와 함께 사람들의 목소리가 얹혔다.

탁, 타닥.

케일은 슬쩍 고개를 아래로 내렸다.

라온과 온, 홍이 음악에 맞춰 파에른 왕국 사람들처럼 리듬을 타며 어설프게 춤을 춰댔다. 흥겨워 보이는 광경을 지켜보던 케일은 하늘이 완전히 어두워졌을 때 로브를 벗었다. 검은 야행복이 나타났다.

"가지."

케일은 일행의 대답을 듣지 않고 발끝에 바람을 모았다. 그는 5층 테라스로 가 가볍게 지붕으로 뛰어올랐다.

타닥. 탁.

-인간, 같이 가자!

케일은 뒤따라 몸에 스며든 라온의 마법으로 한결 높아진 속도를 느끼며 지붕을 넘나들었다. 가장 화려하게 빛을 뿜어내는 광장에서 멀어지는 그를 일행이 뒤따랐다.

그 걸음의 끝, 케일은 현재 수도 바고시에서 가장 조용하고 어두운 곳에 도착하였다. 최한이 케일의 앞으로 나아가며 짧게 보고했다.

"오늘 순찰 행로를 파악했습니다. 모시겠습니다."

검집을 가볍게 매만지며 최한이 제일 앞에 섰다. 그 뒤, 로잘린이 케일의 옆으로 다가와 속도를 맞췄다.

"호숫가에는 마법 장치가 없더라고요. 도서관에서 보니 파에른은 확실히 마법사의 세력도, 마법의 힘도 약해요."

케일의 일행은 오늘 그냥 따로 논 것이 아니었다. 로잘린은 산뜻하게 보고했다.

"마법 걱정은 마세요."

케일은 자신의 뒤에 호위하듯이 서는 고래족 2명에게 눈짓했다. 파세톤이 하루 종일 축제 구경을 하며 확인한 것을 보고했다.

"귀족들 중엔 광장에 전망 좋은 식당을 예약한 이들이 많더군요. 반응이 더 커질 것 같습니다."

"그리고 세카 공작가는 조용했습니다. 클로페 세카는 왕성에 있는 것으로 확인됐습니다."

마지막으로 범고래 아치의 보고를 들은 후 케일은 걸음을 멈췄다.

호수의 동쪽 숲. 케일은 가장 인적이 드문 곳을 통해 호숫가로 들어섰다. 메마른 호숫가를 따라 희미한 조명이 몇 보였을 뿐, 사람은 보이지 않았다.

케일은 호수 북쪽을 바라봤다. 신전과 병사들이 눈에 띄었다.

케일은 오늘 새벽 최한과 아치에게 불기둥 액체를 호수 중앙에 묻어두고 오라고 지시했다. 제국 마이플성에서 가져왔던 모든 양이었다.

"공자, 마법 폭탄으로 불을 붙일까요?"

"아닙니다."

로잘린은 고개를 가로젓는 케일의 모습에 의아했다. 타이머 마법 폭탄을 들고 온 것도 아니라서 액체가 담긴 구슬을 터뜨리려면 어느 정도 폭발력이 필요했다.

"그럼 어떻게-"

"제가 합니다."

"공자가요?"

케일은 의아해하는 로잘린과 아치, 파세톤을 모른 척하며 앞으로 나섰다. 순찰병이 오기 전에 움직여야 했다.

"……케일 님."

최한이 그 모습에 반응했다. 마법 폭탄과 비슷한 케일의 힘이 떠올랐다.

열손가락산의 골짜기를 일순간 붉은빛으로 잠식시켰던 벼락. 로잘린과 고래족은 보지 못했지만, 최한은 그 힘을 보았고, 쓰러진 케일을 보았다.

"최한."

앞으로 나서려던 최한은 자신을 부르는 케일을 바라봤다. 케일은 무덤덤하게 지시했다.

"내가 힘을 쓰고 난 후, 나와 온, 홍, 라온을 즉시 세카 공작가로 무조건 데리고 간다. 알았나?"

최한은 입술을 깨물다가 이내 고개를 끄덕였다.

"알겠습니다……. 계획은 모두 알고 있습니다."

로잘린은 최한의 결연한 모습에 더 의문이 생겼다. 케일이 방금 내린 지시도 이상했다.

'당연히 그렇게 이동하기로 한 것 아닌가? 굳이 왜 최한에게 한 번 더 지시를 한 것이지?'

그러나 그녀의 의문에 답해주는 이는 없었다.

케일은 두 손을 호수 쪽을 향해 내밀었다. 그리고 고개를 돌렸다.

저 멀리 광장 사이로 솟아오른, 불타는 나무 탑이 눈에 들어왔다. 케일은 미간을 찌푸렸다.

"……생각보다 밝은데."

생각보다 불타는 나무 탑이 높았다. 작은 벼락은 광장에서 제대로 보지도 못할 것 같다.

'별수 없지.'

케일은 조금 더 힘을 쓰기로 마음먹었다. 쓰러지지 않을 정도로.

'그러면 최한이 업고 가겠지.'

느긋하게 생각하며 케일은 파괴하는 불 힘을 손끝으로 모았다.

–결국 부수는구나.

케일은 짱돌의 목소리가 들려왔다. 동시에 최한은 고개를 들었다.

우르르르–

밤하늘이 울기 시작했다. 그 소리는 적막한 호숫가에 그대로 들려왔다.

"……설마?"

로잘린은 최한을 따라 고개를 들었다. 밤하늘이 요동치는 것 같았다. 그녀는 이내 케일 등 뒤로 향하는 최한을 볼 수 있었다.

–로잘린아, 포션 꺼내라.

그리고 머릿속에 말하는 라온의 목소리를 처음으로 들을 수 있었다.

–나는 실드 한다.

그녀는 라온뿐만 아니라 온이 안개를 펼치며 실드 안에서 일행을 감싸는 것을 보았다.

그때.

우르르르–

하늘이 더 크게 울렸다. 저 멀리 신전에서 신관이 나와 하늘을 쳐다봤다. 병사들도 마찬가지였다.

"곧."

일행에게 작은 목소리가 들려왔다. 라온이 드물게 투명화한 채로 말했다.

"온다."

온다고?

일행의 시선이 하늘로 향했다가 케일에게로 향했다.

그 순간이었다.

"아."

눈앞이 붉어졌다.

시야가 하얗게 변했다.

하늘이 일순간 붉어진 것 같았다.

뒤이어 거대한 소리가 들려왔다.

콰아앙!

벼락. 그 글자가 일행의 머릿속에 박혔다.

로잘린은 서서히 시야가 보이기 시작했다. 그 찰나의 적막이 영원과 같이 느껴졌다.

곧, 하늘로 향하는 기둥이 나타났다.

"……세상에."

붉은 벼락이 내리친 자리에 하늘을 향해 끝없이 치솟아 오르는 불기둥.

로잘린은 일련의 상황에, 순간 숨이 막혀왔다. 거대한 자연의 힘이 조금 전 케일에게서 흘러나왔다.

"고, 공자!"

그녀는 비명과도 같은 외침을 터뜨렸다.

"로잘린."

그런 그녀에게 최한의 차분한 음성이 박혔다. 최한은 로잘린의 이름을 부르며 그녀를 진정시킨 후, 비틀거리는 케일을 가뿐하게 업었다. 그는 당황한 로잘린, 놀란 듯한 고래족 두 명을 응시하며 입을 열었다.

"어떻게 할까요?"

최한의 등 뒤로 힘없는 목소리가 들려왔다. 하지만 또렷했다.

"어떻게 하긴."

지친 케일의 얼굴이 모두에게 보였다. 그는 말했다.

"모두 지시대로 해."

로잘린과 고래족 두 명이 그 말에 정신을 차렸다.

"알겠습니다."

최한은 담담히 답하며 케일을 업은 채 곧바로 세카 공작가를 향해서 움직였다. 그 뒤를 라온과 온, 홍이 따랐다. 그 모습을 지켜보던 남은 일행도 움직였다.

케일은 음악도, 웃음도 사라지고 적막이 내려앉은 바고시로 향했다.

붉은 벼락과 함께 적막이 수도를 잠식했다.

그 순간 케일은 생각했다.

'배고파.'

그것만 빼면 아주 멀쩡했다. 그냥 직접 움직여도 될 것 같았다. 하지만 지금은 배고프다고 멈출 때가 아니었다. 그런 그에게 이동 중이던 라온과 온, 홍이 다가왔다.

"뭐야? 빨리 안 움직이고?"

케일의 힘없는 목소리에도 굴하지 않고 다가온 라온이 아공간에서 무언가를 꺼내 내밀었다.

세 아이들이 함께 산 사과파이 10개였다.

"인간, 배고프지? 저번에 눈 뜨자마자 배고프다고 했다!"

케일은 입을 벌렸고 그 안으로 사과파이 조각 하나가 들어갔다. 물론 여전히 최한에게 업힌 채였다.

케일은 사과파이와 함께 충격의 축제 현장으로 스며들었다.

케일을 업었음에도 지붕을 넘나드는 최한의 움직임은 마치 평지를 달리듯 조금의 흐트러짐도 없었다.

'마차보다 편한데.'

케일은 그 엄청난 안정감에 감탄하며, 입을 벌릴 때마다 들어오는 사과파이 조각을 맛있게 먹었다. 사과 향과 식감, 그리고 단맛까지. 사과파이 하나를 먹은 후 케일은 입맛을 다시며 평온함을 느꼈다.

'이제 살 만하네.'

'파괴하는 불'을 쓰고 난 뒤에는 다 좋은데 극심한 공복감이 밀려왔다.

'그래도 이번에는 저번 열손가락산 때보다 힘을 덜 써서 피도 안 흘리고 참 좋은-'

그는 생각을 끝마칠 수 없었다.

쿨럭.

케일은 기침을 했고, 최한의 옷에 피가 스며들었다.

'제기랄.'

케일은 역시 피를 토하는 걸 보며 한 가지를 깨달았다.

'심장의 활력이 급격하게 움직일 때 꼭 피가 난단 말이지.'

수도 은빛 방패 때도, 열손가락산 때도, 제국 방패 때도. 꼭 과한 힘을 쓰고 난 후, 심장의 활력이 재생을 위해 급히 힘을 뿜어낼 때면 피가 섞인 기침이 한 번 나왔다.

'편안하네.'

그리고 속이 편안해졌다. 케일은 사과파이를 먹고 있을 때 기침이 나오는, 그런 끔찍한 상황이 발생하지 않았음에 안도하며 라온을 쳐다봤다.

"……너 뭐 하냐?"

"……아니다, 인간."

케일은 부스러기가 되어 날아가는 사과파이 하나를 볼 수 있었다. 온과 홍의 몸에서 흘러나온 독안개도 보였다. 그는 영 이상한 기분에 사로잡혀 최한의 등을 두드렸다. 등에 피를 묻혔으니 사과는 해야 하지 않겠나?

"미안하다."

"……괜찮습니다."

최한은 한참 만에 답했다. 그 모습에 케일은 등에 피가 묻어서 짜증이 났음에도 수긍하는 것이라 생각했다. 자신이라도 화날 테니까.

케일은 화난 최한에게서 멀어지고 싶었다. 일단 대충 파이로 배도 채웠기에 그만 업혀도 될 것이다.

"난 이만 내려도 될 것 같다. 나 내리고 다시 이동하지."

"……됐습니다."

됐다고?

케일은 최한의 반응에 의아했다. 최한의 목소리가 빠르게 들려왔다.

"빗자루를 등에 메고 가는 정도입니다. 짚더미보다 안 무겁습니다. 제가 케일 님보다 신속하게, 그리고 들키지 않고 갈 수 있습니다."

……내가 빗자루, 짚더미 정도란 건가?

케일은 최한이 분명 진지하게 사실을 말한다는 것을 알았지만 이상하게 기분이 상했다. 그때 라온이 사과파이를 들이밀며 말했다.

"최한 말 들어라, 약한 인간아."

"아니-"

말을 하려고 열린 케일의 입으로 사과파이가 가득 찼다. 케일은 황당한 눈빛으로 라온을 쳐다봤으나, 검은 용은 결연한 표정을 지었다.

"인간, 네가 뭐라 말해도 이번엔 우리 뜻에 따라라."

우리 뜻이 뭔데?

케일은 기가 찼다. 동시에 자신이 하려던 말을 입안으로 삼켰다.

'나야 편하고 좋지.'

가만히 업힌 채로 사과파이를 먹으면서 언덕 위의 하얀 공작 저택으로 향하는 건 편해서 좋았다. 그러나 편안한 케일과 달리, 그가 지금 지나가는 지붕 아래는 혼돈으로 난장판이 되어가고 있었다.

케일은 아래를 내려다봤다.

밤임에도 평소와 달리 환한 거리. 여전히 나무 탑은 타오르고 있었다. 그러나 웃음도 음악도, 무엇도 보이지 않았다.

광장을 채우던 사람들의 시선이 향한 곳은 한 방향이었다. 모두 전설이 남겨진 호수를 바라보고 있었다. 호수는 보이지 않았지만 저 멀리 지붕들보다 더 높이 솟아오른 불기둥이 보였다.

"호, 호수에 불기둥이……!"

광장이 내려다보이는 높은 특실에서 식사를 즐기던 귀족은 테라스로 나와 경악에 가득 찬 얼굴을 여지없이 드러냈다. 그는 나무 탑 따위는 보이지도 않았다.

호수에서 치솟아 오른, 마치 하늘이라도 꿰뚫어 버릴 것처럼, 이 광장쯤은 우습게 삼켜 버릴 것 같은 거대한 불길은 보는 것만으로도 식은땀을 만들어냈다. 귀족은 방금 전 호수를 향해 내리쳤던 붉은 벼락을 떠올렸다.

그것은 마치-

"……신."

신의 분노 같아 보였다.

귀족은 손끝이 떨려왔다.

'왜 하필 신이 떠나간 호수에 불이-'

하지만 그의 생각은 이어질 수 없었다.

"으아아!"

"부, 부, 불이야!"

그제야 그는 테라스 아래를 내려다봤다. 상상치 못한 일에 침묵하던 사람들이 움직이기 시작했다.

도망가려는 이들, 주저앉아 기도하는 이들. 다양한 사람들의 모습이 보였다. 이러다가 광장이 혼란에 사로잡혀 사람들이 다치는 일이 발생할지도 몰랐다.

그러나 귀족은 걱정하지 않았다.

치이이이익-

수증기가 피어올랐다. 나무 탑의 불이 꺼졌다. 그 큰 소리에 사람들은 움직임을 멈췄다.

마법사들이 나무 탑에 물을 쏟아부었고, 불이 꺼져 까맣게 변한 나무 탑만이 남아 있었다. 그때 확성 마법으로 커진 목소리가 광장에 울려 퍼졌다.

"불은 끌 수 있다."

귀족은 옆으로 고개를 돌렸다.

오늘 들었던 귀중한 정보. 세카 공작이 광장의 나무 탑을 관람한다는 정보였다. 세카 공작가의 현 공작. 그가 테라스에 서서 말하고 있었다. 왕국민들은 그제야 공작의 모습을 볼 수 있었다.

현 공작 록은 아직 사람들에게 '수호 기사'라고 알려져 있었다. 록은 굳건한 표정으로 입을 열었다.

"여기는 파에른이다. 불은 결코 파에른을 이길 수 없다."

가장 추운 파에른 왕국. 그 사실과 불을 끄는 것 사이의 상관관계는 적었다. 오히려 건조해서 더 큰 불이 나기 쉬운 상황이었다. 그럼에도 사람들은 수호 기사의 말에 조금씩 안정을 찾아갔다.

"불은 결코 물을 이길 수 없는 법."

공작 록은 나무 탑을 가리켰다.

"모두 기사들의 말에 따라 움직여라. 그러면 곧 불은 사라질 것이다."

축제의 마지막을 대비하던 병사들과 기사들, 그리고 공작 록이 푼 세카 공작가의 기사들이 광장 안으로 진입하며 빠르게 혼란을 해소시켜 나갔다.

막 광장을 지나가던 케일은 그 광경을 쳐다보며 심드렁하게 말했다.

"다행이네."

진심이었다. 그리고 조금 놀랐다.

'현 세카 공작이 광장을 구경할 줄은 몰랐는데.'

귀족들도 이 나무 탑을 구경하러 올 테니, 이렇게 불기둥을 피워도 혼란을 다독일 귀족이 한 명쯤은 나설 것이라 생각했다. 그러나 그 대상이 공작급일 줄은 예상치 못했다.

"이리되면 흥미진진해지겠는데."

케일을 뚫어질 듯이 쳐다보던 라온이 외쳤다.

"인간, 왜 이번엔 또 그렇게 웃나?"

그 말에 최한이 잠시 멈칫했다. 어떻게 웃는지 라온의 말만 들어도 상상이 되기 때문이었다. 그러나 그런 반응쯤이야 케일은 가벼이 무시했다. 그럴 수밖에 없는 것이, 방금 공작은 호언장담을 했다.

모두가 보는 앞에서 진실이라는 듯이.

'곧 불은 사라질 것이다.'

곧?

턱도 없는 소리였다.

불기둥은 아무리 용을 써도 꺼지지 않을 것이고, 결국 며칠이 흐른 뒤에야 파에른 측은 제국의 연금술을 떠올릴 것이다. 협력 관계니 제국이 마이플성을 태우려던 불기둥쯤이야 알 터.

결국 공작은 왕국민들 앞에서 호언장담한 것을 지킬 수 없게 된다.

케일은 뜻하지 않게 얻어걸린 상황에 흡족해하며, 목적지인 세카 공작가가 아닌 다른 곳을 바라봤다.

파에른 왕궁. 현재 수호 기사 클로페가 있는 장소였다. 그곳에 시선을 둔 이는 케일뿐만이 아니었다. 록 공작도 바삐 움직이는 기사들에게서 시선을 돌려 왕궁을 바라봤다. 아들 클로페 세카. 그가 사람들을 데리고 호수로 향하고 있을 것이라, 그래서 문제를 해결하리라 아버지는 믿어 의심치 않았다.

그 믿음에 응하듯 한밤중 닫혀 있던 왕궁 정문이 열렸다.

끼이이이-

거대한 문이 열리고 그 사이로 말을 탄 기사들이 나타났다. 선봉에는 하얀 깃발을 든 기사가 있었고, 그 뒤에 수호 기사 클로페가 있었다.

"가자."

클로페는 짧게 명하고 빠른 속도로 신의 눈물 호수로 향했다. 그는 왕궁에서 업무를 보다가 저 멀리 밝은 광장을 보며 짧은 휴식을 즐기고 있었다. 그런데 갑자기 붉은 벼락이 땅에 내리치고 호수에 불이 차올랐다.

봄이 되어 협력국의 해안가에서 출항이 가능하면 바로 남쪽으로 진군할 계획을 세우던 그에게 지금 이 상황은 날벼락이었다. 그는 담담한 겉모습과 달리 심장이 쿵쿵 뛰었다.

'왜일까?'

그는 바람에 흩날리는 자신의 하얀 머릿결이 보였다. 그래서 더욱 더 며칠 전이 떠올랐다.

며칠 전 만났던 백발 신관. 그가 했던 말들이 머릿속을 헤집었다. 결국 신분패도 가짜였고 더 이상 모습도 찾을 수 없게 된, 신기루와 같았던 신관. 그는 말했었다.

'호수가 곧 다시 차오르길 바랍니다.'

그때 그 말을 들으며 클로페가 했던 생각이 있었다.

'확신하는 눈빛이군.'

신관은 바란다는 말과 달리 호수가 차오를 것이라 확신에 찬 표정이었다. 클로페는 순간 신관이 했던 말들이 순서에 상관없이 떠올랐다.

'시간이 지나면 모든 것이 눈에 보일 터.'

'그분께서는 인간의 탐욕에 그저 주었던 것을 거둬 떠나셨지요.

화도 한 번 내시지 않고.'

고삐를 잡고 있던 클로페의 손이 멈칫했다. 그는 고개를 들었다. 말을 멈춰 세워야 했다.

"워, 워-"

그러나 굳이 멈춰 세우려 할 필요가 없었다. 말은 알아서 멈췄다. 더 다가가지 못하고 멈춘 채 가만히 서 있었다. 클로페 역시 가만히 앞을 응시했다.

클로페는 백발 신관과의 만남 때 나눴던 대화와 그 후 시간이 흐른 뒤 눈앞에 마주한 광경에, 아무 말도 할 수 없었다. 그의 눈동자에 정확히 호수만을 가득 채운 불기둥이 담겼다.

"어찌 이런-"

무엇도 더 태우지 않고 오로지 하늘을 뚫을 듯한 기세로 호수만을 가득 채운 불기둥. 이를 본 순간, 왠지 모르겠으나 한 단어가 떠올랐다.

화.

클로페는 심장이 크게 요동쳤다. 뒤에서 따라오던 마법사들이 옆으로 다가왔다.

"단장님!"

다급한 그들에게 클로페는 냉정한 얼굴로 지시했다.

"다들 불을 끄는 데 집중한다. 기사들은 인근 나무를 모두 베어내고 흙을 가져오도록. 마법사들은 마법을 실행하고."

"네!"

재빠른 대답과 함께 왕궁에서 나온 사람들이 움직였다.

거대한 불에 다가가기 힘들었지만 그대로 두고 볼 수는 없었다.

클로페는 불기둥을 쳐다보다가 동쪽 숲으로 시선을 돌렸다. 백발 신관이 흔적도 없이 사라진 숲. 그 숲을 클로페는 한참 동안 목석처럼 응시했다.

한편, 백발 신관인 척했던 케일은 나무늘보처럼 매달려 있던 최한의 등에서 가뿐히 내려섰다. 괜히 발목과 손목을 돌리며 몸을 풀던 케일은 느껴지는 매서운 시선에 한숨처럼 말했다.

"괜찮다니까."

"엄호하겠습니다."

"보호하겠다!"

"내가 옆에서 독 뿌릴 건데."

"안개로 시야를 가릴 건데."

쏟아지는 말들에 케일은 고개를 가로저으며 하얀 저택, 세카 공작가를 응시했다.

하얀 저택은 어둡지 않았다. 오히려 불을 밝히고 있었다. 그 점은 좋았다. 어두우면 뭘 찾기 힘들지 않겠는가?

"라온."

"왜 그러나, 인간?"

"온과 홍 투명화 좀."

"알았다!"

곧 라온과 온, 홍이 시야에서 사라졌다. 케일은 복면을 꺼내 썼다. 최한도 복면을 쓰고, 한숨과 함께 케일에게 한 가지를 건의했다.

"케일 님."

"왜?"

"다음에는 더 정교한 옷을 만들죠?"

"암 요원 옷 말이야?"

"네."

"싫은데?"

싫다는 대답에 최한은 멈칫했다. 케일이 사악하게 웃고 있었다.

"최한."

"네."

"암 입장에서 생각해 봐. 누가 대충 봐야 속아 넘어갈 것 같은 조잡한 옷을 입고 앞에서 알짱대다 도망가면 더 화가 나지 않겠어?"

"……그렇군요."

케일은 옷을 일부러 조잡한 채로 두고 있었다. 그게 더 상대를 짜증 나게 할 테니까.

최한은 몇 초 침묵하다가 이어 말했다.

"깊은 뜻에 감탄했습니다."

"뭐, 이쯤이야."

케일은 최한의 말에 가볍게 응답하고는 손을 내려다봤다.

휘이이이-

바람의 소리가 일으킨 바람이 한 방향으로 향했다. 케일은 발끝에 가볍게 바람을 싣고서 아래로 내려갔다. 세카 공작가 본관 지붕 위에 있던 케일의 신형이 한 곳으로 향했다.

"……케일 님, 왜 거기로?"

최한이 의아한 얼굴로 뒤따라왔다. 그들은 밝은 곳에서 점점 멀어졌다.

케일은 공작가 구석, 초대 공작이 검소하다는 세간의 평가를 받게 만들었던 공간으로 달려 나갔다.

버려진 작은 텃밭. 그곳이 모습을 드러냈다. 케일은 정확히 그 근처를 향하는 바람의 소리를 느끼며 복면 안에서 활짝 웃고 있었다.

–인간, 지금 웃고 있지? 나는 네 마음 안다! 신난다!

라온이 귀신같이 복면 안 케일의 웃음을 맞혔다. 케일은 가벼운 걸음으로 신물을 찾으러 움직였다.

물론 의문이 하나 들었다. 신의 눈물 전설의 주인공이 고대의 힘을 지닌 인간이었다면, 신물은 무엇이지?

때마침 짱돌이 말했다.

–희생하려는 건가?

케일은 웃음을 멈췄다. 괜히 뒤통수가 시려왔다.

39장

줍긴 주웠는데

39장
줍긴 주웠는데

텃밭으로 발을 디디는 순간, 짱돌의 목소리는 귀신같이 사라졌다.

"여긴 밭인데?"

"여기 맞아."

케일은 투명화해서 보이지 않는 홍의 물음에 답하며 공작가에서 가장 조용해 보이는 곳으로 다가갔다.

-마법 장치 없다!

당연히 라온이 미리 말해줬기에 가능한 일이었다.

수호 기사 가문인 세카. 당연히 그 가문의 저택에 대해서 알아낼 수 있는 정보는 알아낸 케일이었다. 그래서 그는 이 장소를 알고 있었다.

딱 보자마자 이곳이 '그 텃밭'임을 깨달았다.

세카 가문의 초대 공작이자 최초의 수호 기사였던 사람. 그 사람은 아름다운 정원과 후원을 만들어놓고는 뒤뜰 가장 구석에 작은 텃밭을 만들었다고 한다.

그리고 노년에 들어서자 그 텃밭을 직접 가꾸었다. 작은 텃밭에 갖가지 채소를 심고, 거름을 주고, 물을 뿌리고, 병충해를 막고. 지극정성으로 작은 텃밭을 돌보는 그의 모습이 소탈하고 검소해 보여, 이 이야기는 그의 성품을 기리는 일화가 되어 사람들에게 소개되었다.

그랬기에 그가 죽고 난 후에도 공작가는 이 텃밭을 사용했다고 한다.

하지만 세월이 흐를수록 점점 이 텃밭을 직접 가꾸는 이가 줄었고, 결국 역사가 있기에 모습만 깔끔히 유지된 채 관심이 끊겼다.

사실 가문의 역사가 담겼다는 이유로 볼품없는 텃밭을 지금껏 깨끗하게 유지해 둔 것만으로도 칭찬받을 일이었다.

"좋네."

자잘한 잔디만 자란 텃밭을 거침없이 밟으며, 케일은 그럭저럭 괜찮은 텃밭 상태에 만족했다.

-인간, 땅 파나?

라온의 물음이야 가벼이 흘렸다.

휘이이이-

대신, 바람의 소리에 귀를 기울였다. 케일의 시선이 주위를 훑었다. 저 멀리 보이는 후원, 난리가 난 광장과 달리 밝지만 차분한 듯한 공작가 건물들. 물론 건물 안의 사람들은 잠들지 못했을 것이다. 그 모든 것을 둘러보던 케일의 눈동자는 마지막으로 텃밭에 닿았다.

그중에서 텃밭 옆 창고. 작고 낡은 창고에서 시선이 멈췄다.

"……여기구나."

케일의 입가에 미소가 맺혔다. 그는 빠르게 창고로 향했다. 아주 작은 크기의 창고는 케일이 허리를 숙이고 들어가야 할 듯싶었다. 최한은 케일의 움직임을 본 후, 텃밭에 서서 주위를 경계했다.

툭툭. 최한은 제 신발을 건드리는 촉감에 고개를 숙였다. 아무것도 없는 공간.

냐아아옹.

온의 울음소리가 들려왔다. 조금씩 안개가 피어오르며 텃밭 근처를 가리기 시작했다. 보이지 않는 든든한 지원군에게 최한은 손을 뻗었고, 온은 최한의 손을 타고서 그의 어깨에 안착했다.

케일은 밤과 안개에 가려진 주변을 신경 쓰지 않고, 창고 앞에 서서 허리를 숙였다. 그는 녹슨 철문의 문고리를 힘껏 잡아당겼다.

끼익, 끽!

"음."

꿈쩍도 안 한다. 제대로 녹이 슬었는지 문이 안 열렸다.

"어휴."

냐아아옹.

라온의 한숨 소리와 홍의 기가 찬 울음소리가 들렸다. 케일은 그 정도쯤은 무시하며 문고리에서 손을 놓았다.

"라온."

–알았다, 우리 약한 인간아. 이건 마법 안 써도 내 앞발로 가능하다.

케일은 라온의 말에 고민했다. 그 짜리몽땅한 앞발로 문을 여는 게 되나?

그런데 됐다.

파직!

얇은 철문에 앞발 모양의 홈이 생기며 창고 안으로 문이 손쉽게

젖혔다. 아니, 부서졌다. 케일은 달랑달랑 매달려 있는 문을 보며 입을 열었다.

"흠 자국 지우자."

–알았다!

파직, 파직, 팍!

라온은 문을 잡고 몇 번 앞발질을 했다. 결국 문에 거대한 구멍이 생겨 버렸다. 누가 보아도 저건 용의 앞발이 아니라 어디 마나구를 맞은 자국인 줄 알 것이다.

"독으로 녹여도 되는데."

어디선가 보이지 않는 홍의 침울한 목소리를 케일은 모른 척했다. 그는 두 애들을 내버려 두고 창고 안으로 들어섰다. 허리를 펴지도 못할 공간.

"라온, 불."

작은 광구가 나타나 창고 안을 비췄다. 케일의 표정이 요상해졌다.

"……농기구?"

몇 년 전 걸로 보이는 삽, 수십 년은 된 것 같은 호미, 낡은 곡괭이. 다양한 농기구와 잡동사니들이 창고 안에 쌓여 있었다.

케일은 괜히 호미를 집어 들었다. 지금 그의 아공간 마법 주머니에도 호미가 있었다. 수십 년은 된 것 같은 호미가 신물이면 참 좋을 텐데, 아쉽게도 바람은 구석을 가리켰다.

케일은 구석을 쳐다봤다. 잡동사니들이 한가득이었다.

"하아."

깊은 한숨과 함께, 그는 쪼그린 채 잡동사니들을 치우기 시작했다. 참 볼품없는 모습이었으나, 케일은 착실했다. 다만 인상을 찌푸린 채 말했다.

"밥값."

냐아아옹.

홍이 와서 도왔다. 라온이 물었다.

"인간, 그냥 다 바람으로 날려 버리자! 그러면 창고도 날아가나?"

"어. 날아가."

"그렇구나! 그런데 여기 이상하다!"

이상?

케일은 손에 쥐고 있던 이상한 놋그릇을 딴 곳으로 던져두며 라온을 쳐다봤다. 저번에 신물 두 개를 발견했을 때, 라온은 짧은 감상평으로 범상치 않은 물건에 대해 알아차렸다.

"뭐가 이상한데?"

케일의 물음에 라온이 해맑게 답했다.

"분노! 파괴!"

……뭐?

"한!"

……한?

"그런 게 느껴진다!"

챙그랑.

케일 손에 있던 작은 집게가 바닥에 떨어졌다. 그 순간 바람의 소리가 닿아 있는 물건을 발견할 수 있었다. 라온의 목소리도 뒤이어 들려왔다.

"맞다! 저 바람이 닿아 있는 저거다! 저거에서 겨울처럼 추운 한이 느껴진다! 눈의 복수 같다! 오, 좋은 이름이다! 눈의 복수!"

미치겠다.

케일은 라온이 눈의 복수라 부르는 것을 쳐다봤다.

물뿌리개. 파란색의 흔하디흔한 물뿌리개. 다만 아주 오래전의 것으로 보이는 조금 낡은 모양과 색감.

케일은 두 손으로 얼굴을 감쌌다. 아무래도 이번에 얻을 신물은 신의 눈물은 아닌 것 같다. 물건에서 느껴지는 것이 분노와 한이라니. 차라리 신의 분노면 말이 되겠네.

"……어?"

케일은 문득 떠오른 생각에 눈가를 가리던 손을 내렸다.

전설이 모두 사실일 필요는 없다.

"설마?"

케일은 라온을 쳐다봤다. 라온은 동글동글한 눈동자를 깜박이다가 케일의 눈빛을 알아챈 듯 '아!' 하고 말했다.

"인간, 우리한테 위험한 건 아닌 것 같다! 우리에게 분노하지 않았다!"

그 말에 케일은 곧바로 물뿌리개를 집어 들었다. 그리고 곳곳을 살폈다. 겉면엔 아무것도 보이지 않았다. 바닥과 옆면, 뚜껑, 어디에도 글귀 하나 보이지 않았다.

"……아닌가?"

케일은 죽음의 신이 썼던 책을 떠올렸다. 그 책처럼 글귀라도 하나 남아 있을 줄 알았다. 물론 태양의 신 물건처럼 케일은 아무것도 볼 수 없는 신물도 있었다.

달칵. 케일은 그래도 아쉬운 마음에 물뿌리개 뚜껑을 열었다. 그 안을 광구로 비춰도 아무것도 보이지 않았다.

'이번엔 없나?'

아쉬움이 밀려왔다. 케일은 한숨과 함께 물뿌리개의 뚜껑을 닫았다.

"아."

그리고 다시 열었다. 뚜껑을 뒤집었다.

"하, 하하—"

케일은 웃음을 터뜨렸다.

뚜껑 바닥에는 아주, 정말 아주 얇은 선 문양들이 새겨져 있었다. 레이스 장식처럼 구불구불 이어진 문양들. 케일은 그 문양을 가리키며 라온에게 물었다.

"마법으로 확대해서 볼 수 있어?"

"나는 당연히 할 수 있다! 위대하니까!"

곧이어 라온은 뚜껑 바닥 문양을 보며 말했다.

"글자다!"

"읽어봐."

케일은 곧바로 지시했고, 라온은 천천히 글자를 읽어 내려갔다.

"같은 내용이 계속 반복된다! 수백 번은 되는 것 같다!"

아주 작은 글자로, 그것도 문양처럼 만들어 숨겨둔 문장. 케일은 그 내용이 궁금했다. 라온의 목소리가 좁은 창고 안에 울려 퍼졌다.

"결국 아무것도 없는 것이 삶. 강물을 막아두어도 결국 넘친다. 나는 얼어붙은 땅을 위해 강을 만들었건만. 너희들은 결국 강을 막았구나."

케일은 순간 자신이 애초부터 한 가지를 잘못 알고 있었음을 깨달았다.

신의 눈물 전설이 남겨진 호수. 그곳은 호수가 아니었다.

강이다.

라온의 말은 끝나지 않았다.

"내 소중한 아이를 쫓아내고 탐욕을 멈추지 못한 너희들의 결과도 하나다."

소중한 아이? 원래 전설대로라면 신은 수호 기사를 남겨두었는데?

마지막 문장이 라온의 입을 통해서 전해졌다.

"강이 결국 흐르듯, 모든 것은 원래대로 돌아갈 것이다."

라온이 다 읽고 케일을 올려다봤다.

"라온, 무슨 글자로 보이지?"

"룬어다!"

"그래?"

저번 죽음의 신 책을 읽을 때처럼 라온은 글자가 룬어로 읽혔다. 룬어가 적혀 있지만 마법 물품이 아니라는 점. 그 부분부터 신물에 새겨진 글귀를 진실이라 보아도 무방했다. 물론 신의 입장에서 진실이었다.

케일은 그 진실을 하나하나 가다듬었다.

원래 신은 얼어붙은 북부를 위한 강을 만들었다. 그러나 과거 파에른 땅에 사는 사람들이 이를 그들만을 위한 호수로 만들었다.

그 결과 신은 분노하고 이 신물을 남겨두었으리라. 더불어 사람들은 그 호수를 만들기 위해 신이 소중히 여기던 아이를 내쫓았다.

이 말들이 진실이라면 현재 내려오는 진실은 많은 부분 왜곡되어 있었다.

'적어도 수호 기사는 신이 정해준 이가 아니군.'

파에른 왕국민들이 그렇게 의지하고, 클로페 본인조차 선택받았다고 생각하는 수호 기사의 실체는 전혀 다른 진실을 품었을 확률이 높았다.

'그리고 소중한 아이가 파괴하는 불의 경쟁자인가?'

그는 짱돌이 한 말을 떠올렸다.

'불의 영원한 경쟁자의 흔적을 부수려는 건가?'

머릿속이 여러 갈래로 얽혀들어 갔다. 아무래도 복잡하고 찜찜한 것들이 덩어리째로 섞인 느낌이었다. 하지만 케일은 생각을 그만두었다.

이 모든 것들을 지금 파악할 필요는 없었다. 시간도 장소도 적절하지 않았다.

케일은 물뿌리개를 내려다봤다.

"라온, 일단 챙기자."

"좋다! 이건 우리한테 해 안 끼친다!"

라온이 바로 물뿌리개를 자신의 아공간에 집어넣었다. 케일은 기어서 창고를 빠져나왔다. 그러자 안개가 자욱했다. 케일은 고개를 들었고, 최한이 앞에 와 있었다.

"시간이 다 되었지?"

"네. 곧 올 것 같습니다."

케일은 온과 홍에게 지시했다.

"시작하자."

냐아아옹.

텃밭 근처에만 있던 안개가 점점 더 넓어지기 시작했다. 그 안개는 여전히 하얬다.

방향감각을 상실하게 하는 독. 그 독이 듬뿍 담긴 독안개가 뒤뜰과 케일의 몸을 점점 감쌌다. 하얀 독안개는 케일에게 닿지 않고 그를 보호했다.

–인간! 이제 우리 '암'한테 가나? 걔네 거 가져오나?

"아직."

케일은 머릿속으로 던져진 라온의 물음에 고개를 가로저었다. 그때, 최한의 목소리가 들려왔다.

"온 것 같습니다."

최한은 정문 쪽으로 시선을 두었다. 정문 밖에서부터 있는 대로 자신의 기운을 뿜어내며 다가오는 거친 기운. 그 기운은 강대했고 거침이 없었다.

–왔다! 그럼 이제 걔네 거 가져오나?

"그래, 암이랑 인사 좀 하고 가져와야지."

인사라는 단어에 최한이 살짝 멈칫했다. 하지만 케일은 여유로운 목소리로 라온에게 비행 마법을 부탁했다. 독안개로 감싼 몸이 점점 위로 향했다.

콰아아앙!

콰아앙!

거대한 굉음이 세카 공작가를 덮쳤다. 갑자기 공작가가 시끄러워졌다. 케일은 지붕 위에 올라섰다. 그러자 보였다.

"하하하하! 아주 약하네!"

조잡한 비밀 단체 옷을 입은 검은 복면의 남자가 정문의 와이번 조각상 하나를 짓밟은 채 웃고 있었다. 그 조각상은 산산조각이 나 있었다.

복면의 남자, 범고래 아치는 주먹으로 그 흉악한 와이번 조각상을 다 부숴 버렸다. 아치는 오늘 케일에게 지시를 받았다.

'네 성질대로 마음껏 해.'

아치는 달려오는 공작가 기사들을 보며 주먹을 휘둘렀다.

콰아아앙!

수호 기사의 상징, 하나 남은 와이번 조각상도 부서졌다. 아치는 오랜만에 제 성질대로 굴었다.

"이야, 이건 와이번이야, 아님 파리야? 아주 귀엽네! 툭, 툭 건들면 우수수 부서지네! 으하하하!"

케일은 아주 제대로 미친놈처럼 구는 아치를 보며 흐뭇한 미소를 지었다. 범고래 아치 뒤에는 조잡한 비밀 단체 옷을 입은 로잘린과 파세톤이 있었다.

"훌륭하군."

케일은 정문으로 달려가는 기사와 사자족 남자를 보며 밤공기의 상쾌함을 만끽했다.

사자족 남자는 암의 복장이 아닌 간편한 가죽 갑옷 차림이었다. 그는 얼굴을 일그러뜨린 채 외쳤다.

"저, 저런 더럽게 조잡한 가짜 옷을 감히! 저놈들이 그놈들이구나!"

케일은 마음이 훨씬 더 상쾌해졌다.

"밤공기가 참 좋네."

아직 한밤중이었다. 그러나 밤공기를 즐기기에는 다른 이들에게 현재 상황은 좋지 못했다.

축제의 마지막 날이라 잠들지 못했던 밤, 그 밤을 태우려는 듯한 화려한 불기둥에 공작가 사람들은 잠들지 못했다. 가주와 소가주가 잠들지 못하는데, 그 식솔들이 잠들 수는 없는 일이었다.

"저, 저런 미친노, 놈이!"

공작가의 노집사는 뒷목이 뻐근해져 왔다. 그의 시야를 기사와 사병들이 가렸지만 부서진 와이번 조각상이 언뜻 보였다. 자랑스러운 세카 공작가의 수문장과 같은 존재였던 와이번 조각상.

파직, 파지직.

그 조각상이 잘게 잘게 부서지고 있었다. 그것도 한 사람에 의해서.

"아이구, 이렇게 손에만 쥐면 그냥 부서지네?"

웬 야행복을 입은 미친놈이 와이번 조각상의 부서진 조각을 손에 쥐고 하나씩 가루를 내며 히죽이고 있었다. 당연히 그 사람은 아치였다.

"이야, 아주 재밌네. 자근자근 밟는 게 기분 좋아."

퍽. 퍽.

아치가 발길질을 할 때마다 조각상들이 더 잘게 쪼개져 갔다. 아치는 개운함을 느꼈다.

딱 봐도 공작가 사람들은 뒷골이 당기는 표정이었다. 그간 고래왕 시켈러의 훈계 때문에 조용히 살아야 했던 아치는 그 표정만 보아도 날아갈 것 같았다.

-인간, 저 범고래 아주 야비해 보인다! 대단하다!

케일은 라온이 머릿속으로 건네는 말에 동의했다. 아치는 아주 제대로 싸가지가 없어 보였다.

공작가의 기사가 외쳤다. 단장은 아닌 것 같고 그다음 직급의 기사 같았다.

"네놈들은 누구냐? 이 무슨 천인공노할 짓이냐!"

"흥."

아치는 콧방귀를 꼈다. 그리고 당당하게 외쳤다.

"우린 비밀 단체다!"

그리 말하고는 혼자 낄낄댔다. 그 모습에도 기사는 섣불리 나서지 못했다. 현재 공작은 저택으로 오고 있는 중이었고 수호 기사 클로페와 기사단장은 호수에 가 있는 상태였다. 둘에게 전령은 보내두었다. 부단장인 그는 현장 명령권을 가지고 있었지만 쉽사리 나서지 못했다.

거대한 와이번 조각상을 한 번의 주먹질로 부수는 힘. 거기다가 그 힘에는 어떠한 마나나 오러의 힘도 없었다. 그저 순수한 신체의 힘이란 소리였다. 더불어 저 남자 뒤에 서 있는 또 다른 복면인 중 한 명에게서 강대한 마나가 느껴졌다.

당연히 그 복면인은 로잘린이었지만, 이를 알 길 없는 부단장은 대치 상태를 차라리 반겼다. 동시에 힐끗거리며 옆을 쳐다봤다.

황금색 갈기와 같은 머리칼을 지닌 남자. 다른 이들은 그저 공작의 손님으로 알지만 부단장은 그의 정체를 알고 있었다.

사자왕의 둘째 아들.

부단장은 강자인 그를 힐끗거리며 현 상황을 조심히 파악할 수밖에 없었다. 그때, 사자왕의 둘째 아들이 짓씹듯이 내뱉는 목소리가 들려왔다.

"……그 유명한 미친놈들이 저놈들이구나."

저 침입자들이 유명한 자들인가?

부단장의 표정이 심각해졌다. 이를 모른 채 사자왕 후계자 2순위인 남자는 외쳤다.

"네놈들이 지금 감히 누구 앞에서 그딴 말을 들먹이는 것이냐!"

사자족 에드리치는 아치, 로잘린, 파세톤을 향해 분노를 토해냈다. 하지만 겉모습과 달리 그의 속마음은 흥미진진했다.

'유명한 놈들을 여기서 볼 줄은 몰랐는데?'

저 조잡한 비밀 단체 복장. 그들은 분명 '암'의 마창사와 테이머가 이를 가는 대상이리라. 인어와 고래족 간의 싸움. 열손가락산 엘프 마을 습격. 그것들을 틀어버린 놈들일 것이 뻔했다. 안 그래도 현재 '암'은 저자들을 '윗선'에 보고한 상태였다.

제국의 꿍꿍이를 조사하느라 바쁜 '암'에게 일거리를 더 안겨준 저놈들은 꽤 골칫거리였다.

'그리고 강하군.'

사자족 에드리치는 마창사의 말대로 상대의 경지가 자신과 대등하거나 혹은 가늠할 수 없음을 눈치챘다. 그렇다고 수그러들 순 없었다. 자신은 대범하고 위엄 있는 차기 사자왕이니까.

"네놈들은 누구냐! 제대로 정체를 밝혀라!"

적수를 맞이한 사자족은 상대를 인정하며 그들의 정체를 물었다. 그때 케일이 손을 들었고, 아치가 이를 확인했다. 아치는 케일이 지시해 둔 대로 대답했다.

"너 같으면 말하겠냐? 누런 빗자루 머리야."

사자족 에드리치의 얼굴이 일그러졌다. 케일은 기분 좋게 곁에 있던 일행에게 지시했다.

"우리도 움직이자고."

케일의 몸이 점점 투명해져 갔다. 뒤돌아선 그의 등 뒤로 에드리치의 목소리가 들려왔다.

"감히 이 고귀한 황금색을 보고 그딴 소리를 하다니!"

"뭐래? 저 자식은 지가 집주인도 아닌데 왜 저리 설쳐?"

"이, 이-!"

아치의 대꾸에 에드리치는 말을 잇지 못했고 부단장은 멈칫하며 전열을 가다듬었다.

케일은 아치의 말 받아치는 솜씨에 감탄하며 다가오는 최한에게 말했다.

"아치처럼 저렇게 하는 게 좋아."

"……배우고 싶진 않습니다만."

"그렇긴 하지. 저런 놈은 한 명으로 족해."

과연 아치 한 명일까요? 그런 눈빛으로 최한이 케일을 쳐다봤으나, 케일은 바삐 움직였다.

그가 사라지는 것을 확인한 정문 쪽 일행은 다음 행동을 시작했다.

"쓸데없이 말하지 말고. 덤벼."

아치는 덤비라고 말한 것과 달리 먼저 달려들었다. 그 방향은 정확히 사자족 에드리치를 향했다. 뒤이어 로잘린과 파세톤은 공작가 기사들 쪽으로 움직였다.

케일은 그 상황 속에서 최한과 라온에게 단단히 일러두었다.

"잘 따라와. 내 옆에 있어."

다른 사자족 한 명과 나머지 '암' 단원들이 보이지 않았다. 그러니 최한과 라온이 옆에 단단히 붙어 있어야 자신과 고양이들이 안전했다.

-알았다, 인간! 난 늘 같이 다닐 거다!

라온의 흐뭇한 목소리가 들려왔지만 케일은 무시하며 공작가로

스며들었다.

사아아-

바람 소리가 들려왔다.

공작가 5층 복도 끝 방. 차기 공작 클로페 세카의 서재 바로 옆방에 서 있던 사자족 그로니카는 입을 열었다.

"……창문이 열린 곳이 있었던가?"

"네?"

공작가 기사는 무심코 되물었다가 안색이 달라졌다. 스릉. 암 단원들이 무기를 뽑아 들었다.

창문이 열린 곳은 없다.

공작가에 외부인이 침입했다는 소식이 들리자마자 이들은 곧바로 5층으로 들어오는 모든 입구를 봉쇄하거나, 혹은 문에 기사를 배치했다. 이곳은 바람이 불어선 안 되었다.

사아아-

다시 한번 바람이 불었다. 동시에 무기를 쥔 손에 힘이 들어갔다.

안개였다. 바람과 함께 안개가 복도 저 멀리에서부터 밀려왔다. 하얀 파도가 밤을 뚫고 빠르게 다가왔다.

"뒤로 물러서도록."

그로니카가 안개 속으로 돌진했다. 그녀의 손에는 채찍이 들려 있었다.

좌르르르.

황금 머리칼을 닮은 황금 채찍이 안개를 가르기 위해 휘둘렸다. 하지만 안개 속에서 작은 소리가 들려왔다.

냐아아옹.

고양이다.

그녀는 문득 이를 갈며 분노하던, 어린아이 모습을 한 추악한 노인네를 떠올렸다. 테이머. 그자가 말했었다.

'고양이들은 반드시 내가 죽인다.'

그녀가 참여한 '암' 전투단 회의에서 마창사가 보고했다.

'고양이가 두 마리 있습니다. 독에 능합니다.'

냐아아옹.

한 번 더 울음소리가 들려왔다. 그녀는 곧바로 채찍으로 안개를 갈랐다.

챙!

하지만 그 채찍을 막는 존재가 있었다. 채찍이 검에 튕겨 길을 잃었다. 그리고 안개 속에서 나타난 한 남자. 검은 야행복을 입은 남자는 검은 눈동자만을 드러내고 있었다. 하지만 검은 오러가 공기 중에 모습을 드러낸 채 그의 주위에 존재했다.

그로니카는 수하들을 향해 입을 열었다.

"독이다."

이제는 '암'도 이들에 대한 정보가 몇 개 있었다. 그녀는 채찍이 튕겨 나온 순간 그 정보 중 한 가지를 바로 떠올렸다.

"당신이 그 소드 마스터군."

복면 속 검은 눈동자가 눈웃음을 그렸다. 그때를 놓치지 않고 그로니카는 거세게 채찍을 휘둘렀다.

챙그랑-!

복도의 창문들이 부서졌다. 유리 조각들이 창밖으로 흩어졌다.

"유, 유리가 왜?"

"무슨 일이!"

공작가 저택 정문에 있던 이들은 깨지는 유리 소리에 당황했다. 그리고 5층에 일이 생겼음을 깨달았다.

그로니카는 독안개가 창밖으로 나가며 흩어지는 것을 보고는 목을 살짝 돌렸다.

"뭐 하는 거냐? 쫄았냐? 이 와이번 파리 새끼들 같은 놈들아! 누런 빗자루, 도망가냐? 크하하하! 잘 도망가라!"

창밖에서 침입자의 목소리가 들려왔다. 누런 빗자루. 그 말에 그녀는 피식 웃음을 흘리며 곧바로 최한에게 달려들었다.

"문을 지켜라."

수하들을 향한 짧은 지시와 함께 그녀의 채찍이 최한에게 짓쳐들어왔다.

촤르르르!

쾅!

검과 채찍이 부딪친 소리라기엔 상당히 커다란 충격음이 울려 퍼졌다. 유리가 깨진 창문틀이 흔들렸다. 그로니카는 짧은 단검을 쥐고서 채찍을 튕겨낸 최한에게 돌진했다.

최한의 공간 속으로 그녀의 검이 들어섰다. 두 사람의 눈동자가 부딪쳤다. 그 순간 그로니카는 침입자의 목소리를 처음으로 들었다.

"너무 약한데."

뭐?

그로니카의 눈동자가 흔들렸다. 순간 익숙한 목소리가 들려왔다.

"그로니카!"

이종사촌 에드리치가 5층 복도에 나타났다. 다른 기사들도 보였다. 얼굴을 맞았는지 흉물스러운 꼴로 에드리치는 다급히 전투에 끼어들었다.

'다 왔네.'

케일은 5층 복도 입구에서 이 광경을 투명화한 채 가만히 바라봤다.

-인간, 언제 하나?

라온의 들뜬 목소리가 들려왔다. 역시 용은 아직 암에 대한 복수심을 잊지 않았다. 케일은 천천히 발끝에 바람의 소리를 피워 올렸다.

"이런 미친! 너는 또 뭐야? 도대체 뭐냐고!"

짜증과 울분에 가득 찬 에드리치는 최한에게 주먹을 날렸다. 그 모습에 그로니카도 바로 합동 공격에 들어갔다. 위와 아래. 틈새를 노리는 둘의 협력은 준비한 것처럼 자연스러웠다.

그러나 상대는 최한이었다.

투둑. 툭.

아주 간단하게 주먹과 채찍이 막혔다. 그렇다고 두 사람은 멈추지 않았다.

그로니카의 단검이 바로 최한의 어깨를 향해, 에드리치의 발이 최한의 무릎을 향했다. 민첩하면서도 빠른 공격은 남들 눈에 제대로 보이지 않았다.

그때, 낯선 목소리가 들려왔다.

"부숴."

그로니카는 멈칫했다.

'……누구?'

생각을 끝맺기도 전이었다.

쏴아아-

갑자기 소나기가 내리는 것과 같은 소리가 귓가에 닿았다. 그녀는 눈동자를 돌렸다.

안개가 휘몰아치고 있었다. 붉은 안개가 서서히 휘몰아치며 커져 갔다.

"어딜 봐?"

섬뜩한 음성에 그로니카는 단검의 방향을 바꿨다.

채앵. 오러를 씌운 손과 단검이 부딪쳤다.

"커헉!"

"에드리치!"

복면인의 손아귀에 에드리치의 목이 잡혔다.

"가, 감히 왕이 될 몸을……! 이거 크흑, 놔!"

에드리치는 발버둥 쳤다. 그로니카는 자신의 가문을 위한 권력의 도구인 에드리치를 구하러 그에게 달려가려다가 멈췄다.

쏴아아아-

소리가 멈추지 않았다.

달려온다.

무언가가 달려온다. 그녀는 그렇게 느끼고 고개를 돌린 순간, 깨달았다.

낯선 목소리의 남자. 맞다. 이곳엔 한 사람이 더 있었다.

하얀 안개에 감싸인 사람이 일직선으로 빠르고 거침없이 달려왔다. 거대한 바람이 그와 함께였다. 안개가, 독이 그 바람 속으로 스며들었다. 흰색, 붉은색, 파란색, 검은색. 온갖 독안개들이 휘몰아쳤다.

'터진다.'

그녀의 머릿속에 떠오른 글자였다. 곧 그녀는 에드리치의 목을 잡은 이의 목소리를 들을 수 있었다.

"놔주지."

에드리치가 던져졌다.

"피해!"

그로니카의 말과 함께 바람이 터졌다.

콰아아앙-

거대한 독안개 소용돌이가 '암'을 덮쳤다.

창문틀이 부서져 터져 나갔다.

벽에 금이 갔다.

"커헉!"

에드리치는 정통으로 소용돌이와 부딪쳤다. 그는 독에 어느 정도 내성이 있었지만, 소용돌이 자체도 강했다. 그의 몸이 바닥으로 떨어졌다.

쿠웅!

하지만 곧바로 일어선 그는 꽤 멀쩡해 보였다.

"크헉!"

"어, 아, 앞이!"

단원들과 기사들이 독에 중독되어 뭐라 지껄였으나 사자족은 신경 쓰지 않았다. 그들은 곧바로 끝 방으로 향했다.

달칵.

그때, 문이 열리는 소리가 들려왔다.

"으으…… 으으."

문 앞에 서 있던 기사는 이미 독에 의해 일시적으로 마비된 상태였다.

"아."

그로니카는 허무한 탄식을 흘렸다.

최한이 그녀와 에드리치의 앞을 막았다. 그 뒤에 한 남자가 문고리를 돌리고 있었다. 투명화와 안개가 사라지자 발끝부터 서서히 모습을 드러내는 한 사람.

복면 너머로 보이는 남자의 눈동자는 사자족을 향해 웃고 있었다.

끼이이익-

문이 열리자 케일은 여유롭게 방 안으로 들어섰다.

달칵.

문이 닫혔고, 사자족은 최한의 검에 가로막혔다.

"일단 나부터 넘고."

최한은 즐겁게 말하며 검에 오러를 씌웠다. 본격적으로 싸운다는 뜻이었다.

냐아아옹.

냐아옹.

뒤이어 고양이들의 울음소리와 함께 다시 안개가 피어올랐다.

그러나 그런 상황과 상관없이 케일은 당황했다.

-……인간, 이상한데.

라온도 당황했다.

케일의 손에는 작은 상자가 들려 있었다. 사자족이 지키려고 했던 상자이자, 수호 기사 가문에게 비밀리에 넘기던 물건. 케일은 그 상자 안을 보고 난감해졌다.

안에 든 것은 왕관이었다.

그런데 그게 문제가 아니다.

─……인간, 이 물건에서 네 힘이 느껴진다. 가끔씩 내 앞발만큼 강해 보일 때! 그때 기운이 느껴진다! 인간, 저놈들이 네 걸 훔친 적이 있나? 아주 못된 놈들이다!

하얀색 왕관. 케일의 입이 열렸다.

"라온, 이 왕관 익숙하지 않아?"

─……응?

라온은 잠시 침묵하다가 놀라서 외쳤다. 저도 모르게 투명화도 풀고서 말해 버렸다.

"검은 늪!"

그래. 검은 늪에 있던 용 시체. 그 시체의 머리 위에 이 하얀색 왕관이 있었다.

케일은 그 왕관을 거머쥐는 순간, '지배하는 아우라', 사기 치기 좋은, 허세만 가득한 그 힘을 얻었다.

케일의 머릿속으로 짱돌이 아닌 다른 이의 목소리가 들려왔다. 익숙한 목소리였지만 동시에 오랜 기억 속의 목소리였다. 케일은 그 목소리가 했던 말을 떠올렸다.

'상대의 숨을, 호흡을 빼앗는 가장 쉬운 방법이 무엇인지 아는가?'

'그건 공포다.'

'잘 이용해 먹어라!'

'때로는 허수가 너를 살리기도 할 테니까. 으하하하하!'

지배하는 아우라의 힘을 전해주었던 전 주인의 목소리. 그 목소리가 오랜만에 말했다.

–저 왕관은 용의 피를 좋아한다.

그리고 침묵했다. 짱돌도 아무 말이 없었다. 케일은 라온을 바라봤다.

"왜 그러나, 인간?"

케일은 말했다.

"이거 버리자."

"뭐?"

"아니다. 버렸다가 저놈들이 이걸 주워서 계속 가지고 있으면 절대 안 되지."

검은 용은 케일이 비싸 보이는 것, 그것도 보석까지 박힌 왕관을 보며 얼굴을 찡그리는 것을 처음 보았다. 고개를 갸웃거리는 라온에게 케일은 단호히 말했다.

"부숴 버릴까."

뭘 줍고 마음에 안 들긴 처음이다.

그래서 라온은 당황했다. 짧은 앞발이 척하니 케일의 어깨 위에 올려졌다.

"인간, 이거면 사과파이가 몇천, 아니, 몇만 개다! 이 보석을 보아라!"

또 다른 짧은 앞발이 왕관의 보석을 가리켰지만, 찌푸린 케일의 미간은 펴질 줄을 몰랐다. 라온은 연신 고개를 갸웃거리며 말을 이었다.

"이건 네 기운이 흘러나오는 왕관이다! 분명 너한테 도움이 될 거다! 약한 너는 더 강해질 필요가 있다!"

강해질 필요는 얼어 죽을. 케일은 라온의 말에 눈가를 찡그린 채 투덜거렸다.

"필요 없어. 어차피 너, 내 옆에 있을 거 아냐?"

최한에 온, 홍에. 부려먹을 동료들이 더 많은데 굳이 강해져서 피 흘리며 싸울 필요가 있나?

케일은 라온이 아무 대답도 없이 조용하자, 검은 용을 쳐다봤다.

움찔. 검은 용은 케일의 시선에 멈칫하다가 외쳤다.

"당연히 있을 거다! 나 두고 가면 가만 안 둔다!"

참, 네 살 때나 여섯 살 때나 변함이 없다. 케일은 얼굴을 들이미는 라온을 밀어내며 일단 왕관이 담긴 상자를 닫아 제 품 안에 넣었다. 왕관은 만지지도 않았다.

'이건 짐덩이야.'

케일은 카로 왕국에서의 일까지 모두 처리하고 저택으로 돌아갔을 때, 이 왕관을 고룡 에르하벤에게 보여야겠다고 마음먹었다. 동시에 그는 한 가지 의문이 들었다.

'왜 이걸 '암'이 들고 있지?'

그러고 보니 검은 늪에서 죽은 마나를 담아갔던 놈들도 비밀 단체 놈들이다.

케일은 괜히 짜증이 났다. 한 가지 생각이 떠올랐기 때문이었다.

''암'이 정말로 후작에게 그냥 동물도 아니고 '용'을 그저 거래 대상으로 쉬이 넘겨주었을까?'

제국에다가 북 3국까지 연합한 놈들이 작은 로운 왕국 일개 귀족과의 친분이 중요했을까?

"인간, 얼굴을 왜 그리 찡그렸나? 눌린 사과파이 같다!"

케일은 라온의 말에 더 인상을 찡그리며 생각을 이어나갔다.

'혹시 비밀 단체는 나중에 후작이 용을 키워내면 뺏으려고 했던 게 아닐까?'

암이라면 충분히 그랬을 것 같다. 그리 생각하면 이 왕관도, 라온도 뭔가 아귀가 들어맞는 것 같았다. 케일은 짜증에 가득 차 중얼거렸다.

"……이것들, 나보다 나쁜 놈들 아냐?"

라온은 케일이 낮게 중얼거리는 말에 눈을 동그랗게 떴다.

"인간! 넌 얍삽하지만 근본은 아주 여리고 착하다! 자신을 나쁘게 여기지 마라!"

"하아."

케일은 태평한 소리나 내뱉는 라온을 보며 한숨을 삼켰다. 그는 자꾸 알짱대는 라온을 무시하며 문고리를 돌렸다.

달칵. 그 소리에 라온은 곧바로 투명화를 하다가 이어진 케일의 말에 놀랐다.

"이 방 날려 버려."

날리라고?

검은 용의 날개가 파닥였다.

"아니, 하지 마."

케일은 공작가를 날려 버리려다가 생각을 바꿨다. 세카 공작가 고용인들은 무슨 죄인가. 케일은 문을 거칠게 열었다. 그러자 난장판이 펼쳐졌다.

"커헉!"

최한의 칼등에 맞은 사자족 에드리치의 어깨가 뒤틀렸다. 그로니카는 곧바로 그 틈을 노려 최한에게 채찍을 휘둘렀지만 너덜너덜해진 채찍은 깔끔하게 잘려 나갔다.

툭.

채찍이 떨어지는 소리와 함께 비명 소리가 들려왔다.

"크헉!"

"아, 앞이 안 보여!"

기사 한 명이 방향을 잃고 주저앉았다. 그는 손을 뻗어 땅을 짚으려 했다.

"크으윽!"

"헉!"

기사는 사지가 마비되어 부들부들 떠는 동료의 몸에서 황급히 손을 뗐다. 그 사이로 웃음기 가득한 짐승의 울음소리가 들려왔다.

냐아아옹.

"으, 으으-"

기사는 황급히 입을 가렸다. 독을 마시고 싶지 않았다.

5층 복도는 안개로 자욱해 앞이 안 보였다. 하지만 케일에게는 알아서 안개가 길을 터줬다. 그의 곁으로 최한이 가볍게 내려섰다.

"오셨습니까?"

뒤이어 사자족 에드리치의 목소리가 들려왔다.

"당장 훔친 것을 내놔라! 너희 같은 조잡한 놈들이 가져갈 것이 아니다!"

에드리치와 그로니카 정도의 이들에게 안개는 중요치 않았다. 그들은 안개를 헤치고 케일과 최한 쪽으로 달려왔다. 에드리치는 안 맞은 곳이 없었고 그로니카는 왼쪽 어깨에 피가 흘러넘치고 있었다.

케일은 최한을 쳐다봤다.

"가벼웠습니다."

최한은 멀쩡하게 웃고 있었다.

이 미친놈. 역시 주인공감이다.

케일은 한숨을 내쉬며 달려오는 에드리치를 쳐다봤다. 두 사람은 눈이 마주쳤고 에드리치는 반사적으로 입을 열어 외쳤다.

"이 미친놈들! 우리가 누군지 모르나? 죽고 싶지 않다면 내놔라!"

자신의 조직에 자꾸 훼방을 놓는 놈들. 에드리치는 이들이 자신의 조직에 대해 제대로 알게 되면 절대 덤비지 못할 거라고 생각했다.

그때, 에드리치는 초승달처럼 휘는 상대의 눈꼬리를 볼 수 있었다.

"너야말로 죽고 싶은가 보구나."

담담한 목소리였다. 하지만 달려들던 에드리치의 걸음을 멈추게 하는 목소리였다. 그로니카도 움찔하며 멈췄다.

짐승의 촉이 말해주었다.

위험하다.

지금은 죽을지도 모른다.

그녀는 멈춰 서서 한 사람을 응시했다. 전투 상황 속에서 피 한 방울 없이, 태연하게 서 있는 남자. 최한도 그 남자에게로 고개를 돌렸다.

케일 헤니투스.

가끔씩 강한 카리스마가 느껴지던 사람이었다. 그런데 오늘, 지금

이 순간만큼 강한 아우라가 느껴진 적은 없었다.

'약한 사람이 어떻게?'

전장을 헤쳐 나간 것도, 죽음 위를 거니는 싸움을 한 것도 아닌 사람에게서 어떻게 이런 기운이 느껴질까.

최한은 의문을 삼키며 케일을 바라봤다. 그리고 케일은 머릿속이 시끄러웠다.

–인간! 너 왜…… 너 왜 강해 보이나! 내 앞다리, 아니, 날개 한 짝만 하다!

케일은 라온의 목소리를 무시하며 지배하는 아우라 힘을 아낌없이 사용했다. 그는 자신을 쳐다보는 사자족 두 명을 보며 입을 열었다.

"우리가 누군지 너희는 모르겠지?"

사자족이 멈칫했다. 에드리치는 자신이 한 말을 떠올렸다.

'이 미친놈들! 우리가 누군지 모르나? 죽고 싶지 않다면 내놔라!'

그는 침을 삼켰다. 눈앞의 복면인은 그분처럼 다가가기 힘들었다. 여유로운 남자와 달리 에드리치는 이상하게 손끝이 떨려왔다. 그는 마주 보고 있음에도 내려다보는 듯한 복면인의 시선과 더불어 태연한 목소리가 귓가에 박혔다.

"지금 누구 덕에 네 숨이 붙어 있다고 생각하지?"

케일은 답을 못 하는 사자족들에게 단정 짓듯이 말했다.

"모르는 것의 무서움을 모르는구나."

모르는 것.

맞다. 에드리치는 눈앞의 이들을 모른다. 그제야 지금의 상황이 확 와닿았다.

자신보다 강한 존재들. 자신이 아는 묘족 중 최고인 안개 묘족, 무엇보다도 정체를 알 수 없지만 자신들을 내려다보는 눈앞의 남자.

왜 네 숨이 붙어 있는가?

그리 물은 남자의 답을 에드리치는 서서히 깨달았다. 겁을 모르던 사자족 2순위 후계자의 표정이 달라졌다. 다시 눈이 마주친 그에게 복면인은 말했다.

"겁먹기는."

복면인은 웃고 있었다. 그는 여유롭게 뒤돌아섰지만 에드리치는 선뜻 그 등에 덤벼들 수 없었다. 그 등이 마치 태산과 같이 거대해 보였다.

최한은 5층 복도 끝 창문으로 향하는 케일을 가만히 바라봤다. 그를 지나쳐 가던 케일이 속삭이듯이 지시했다.

"저 누런 빗자루, 저 볏짚 같은 머리칼이나 잘라내 버려. 단발이 좋겠네."

"……네?"

위엄 서린 목소리에 최한은 되물었다가, 상당히 짜증과 불만이 가득한 케일의 눈동자와 마주쳤다.

"……알겠습니다. 다 하고 난 후, 뒤따르겠습니다."

최한은 비행 마법으로 멀어지는 케일에게 인사한 후, 사자족들에게 달려 나갔다.

케일은 죽이러 오듯 비장한 최한의 모습에 겁먹은 에드리치의 눈동자를 보는 것을 마지막으로, 저택에서 날아올랐다.

"으아아악! 내, 내 고귀한 머리칼이! 황금빛 머리칼이!"

미적 감각이 눈곱만큼도 없는 최한에 의해 더벅머리가 된 에드리치가 더 공포와 패닉에 가득 찬 비명을 질러댔다. 그 소리가 케일의 등 뒤로 들려왔다.

"인간, 이제 웃는다!"

케일은 라온의 말은 흘려들으며 박수를 쳤다.

짝짝짝.

그 소리는 거대한 소리에 묻혀 버렸다.

콰아앙!

범고래 아치의 주먹질과 파세톤의 칼질, 로잘린의 마법에 거대하고 높은 담이 무너져 내렸다.

"아주 훌륭한 동료들이야."

케일은 박수를 치며 아주 오랜 세월 역사를 이어온 세카 공작가의 높은 담이 무너지는 광경을 감상했다. 그리고 라온의 확성 마법에 입가를 대며 지시했다.

"철수."

공작가는 물론 귀족 가문이 있는 구역 전체를 울리는 목소리에 모두가 흠칫했다.

그 순간 아치는 그새 광장에서 돌아온 록 세카 공작이 뒤로 넘어가려는 모습을 보며 마지막 비웃음을 날렸다.

"이 담벼락이 천 년짜리인가? 오래되어서 그런가, 아주 자알 부서지네! 크하하하하!"

그리고 도망쳤다.

다른 이들도 마찬가지였다. 일행은 각자 숙지한 퇴로를 따라 빠른 속도로 세카 공작가에서 사라져 갔다.

잠시 뒤, '암'과 공작가를 믿고서 조금 느긋하게 돌아왔던 수호 기사 클로페의 얼굴이 일그러졌다.

"하루 사이에 이게 무슨 일이래?"

"내 말이. 공작가에 도둑이 들다니."

파에른 왕국민은 저 멀리 솟아오른 불기둥은 힐끔거리기만 할 뿐 계속 공작가 얘기만 떠들어댔다. 함께 대화를 하던 사람도 얼른 그 화제에 끼었다.

"그냥 도둑이 아니라던데?"

"그래?"

"내 사촌이 그 동네 귀족가에서 일하잖아. 그런데 공작가 담이랑 저택을 다 부쉈다고 하더군. 그게 도둑이겠어?"

"어이구, 큰일이네."

"그러니까! 거기다가 세카 공작가 와이번 상도 부쉈대!"

"그걸 어떻게 부술 수가 있어? 이거, 수호 기사 가문에 큰일이 났구먼."

잠자코 두 사람의 대화를 듣고 있던 또 다른 왕국민은 둘을 보며 퉁명스럽게 말했다.

"그게 문제여?"

그 말에 두 사람은 입을 꾹 다물었다. 세 사람의 시선이 신의 눈물 호수가 있는 쪽으로 향했다.

불기둥이 시야에 들어왔다.

곧 끌 거라던 불은 낮이 되어도 밤처럼 활활 타오르고 있었다. 그 거대한 크기에 멀리 있어도 추위가 느껴지지 않았다. 오히려 열기가 느껴지는 것처럼 손바닥에 땀이 차올랐다. 한 사람이 툭 던지듯 말했다.

"……안전한 건가."

여기, 수도가 안전한 게 맞을까?

불은 더 번지지 않았다. 그러나 불안했다.

추운 땅에서 불이 꺼지지 않았다.

처음 보는 정체를 알 수 없는 불기둥. 미지의 존재가 사람들을 불안하게 만들었다. 이는 수호 기사 클로페 역시 마찬가지였다.

"단장님!"

공작가도 돌보지 못하고 호숫가 불기둥을 지켜보던 클로페에게 수하가 달려왔다. 호숫가 동쪽 숲을 수색하라 지시를 내린 수하였다.

"무슨- 손에 그건 뭐지?"

무슨 일이냐고 물으려던 클로페는 안색을 굳히며 수하의 손에 들린 것을 쳐다봤다. 수하는 약간 애매모호한 표정으로 말했다.

"동쪽 숲 중앙에서 발견했습니다. 그, 단장님이 찾으시던 분의 흔적 같습니다만."

클로페는 수하가 건네는 옷을 받아 들었다.

흰 신관복. 어떠한 신의 문양도 없지만 고급스러우면서도 검소한 신관복이었다. 어디서나 구하려면 흔하게 구할 수 있었다. 그러나 클로페에게는 이 신관복이 다르게 다가왔다.

이 옷은 클로페도, 수하도 며칠 전에 보았던 것이었다.

백발 신관. 클로페가 호숫가에서 만난 그 신관이 입었던 옷이 틀림없었다.

수호 기사 클로페는 수하를 쳐다봤다.

“분명 며칠 전에는 동쪽 숲을 수색해도 없었던 것 같은데?”

“네. 오늘 갑자기 발견되었습니다.”

며칠 전만 해도 백발 신관이 사라졌던 동쪽 숲에서 이 옷을 발견하지 못했다. 클로페는 불기둥을 쳐다봤다가 신관복을 펼쳤다.

툭.

작은 종이가 한 장 떨어졌다. 클로페는 떨어진 종이를 내려다봤다.

신은 잊지 않으셨습니다.

수하의 목소리가 들려왔다.

“아, 그리고 쪽지에 있는 내용은 저만 봤습니다. 이상한 내용이더군요. 그래서 바로 들고 왔습니다.”

클로페는 종이를 천천히 주워 들었다. 쪽지의 내용은 아직 끝나지 않았다.

호수는 결국 흘러넘쳐 강이 됩니다.

클로페의 입이 열렸다.

“이상한 말이군. 너만 봤나?”

“네. 저만 봤습니다. 단장님께서 은밀히 찾으라 지시하셨던 것이 생각나서요. 참 이상한 내용이죠?”

"그러게. 여하튼 잘했어. 마저 수색해서 이상한 부분을 발견하면 바로 와서 보고하도록."

"네!"

수하는 클로페의 격려에 고개를 숙이며 다시 수색 장소로 이동했다. 클로페는 그 모습을 지켜보다가 종이를 한 곳으로 던졌다.

화르르르-

불기둥 속으로 쪽지는 사라졌다. 클로페는 곁을 지키는 심복에게만 들리도록 작게 말했다.

"죽여."

"……네."

심복은 저 멀리 뛰어가는 수하의 생명이 오늘로 마지막임을 깨달으며 클로페에게 고개를 숙여 보였다. 심복은 클로페가 왜 그를 죽이라 명했는지 모른다. 그저 그렇게 하라면 그렇게 하는 것뿐이었다.

클로페는 심복의 표정은 무시한 채 불기둥을 바라봤다.

쿵. 쿵. 쿵.

심장이 뛰었다.

'호수는 결국 흘러넘쳐 강이 됩니다.'

……그자는 우리 가문의 그 비밀을 어떻게 안 거지?

정말로 신의 사자였단 말인가.

클로페는 신의 마음을 이어받은 자가 자신이라 믿었다. 오로지 세카 가문의 후계자에게만 전해오는 파에른 땅의 진실을 알았으니까.

그는 며칠 전 백발 신관의 흔적을 쫓다 발견한 쪽지를 떠올렸다.

[새로운 전설만이 나타나 영광을 이어갈 뿐이다.]

그 주인공은 분명 자신일 것이라, 클로페는 믿었다. 그는 불기둥을 올려다봤다. 하늘에 닿을 듯한 불기둥. 왕국민들은 신의 분노라며 수군거렸지만 왕국 수뇌부들은 제국의 연금술을 의심하고 조사 중이었다.

[신은 잊지 않으셨습니다.]

수호 기사 클로페는 쪽지에 적힌 글귀를 떠올리며 마음을 다스리려 노력했다. 하지만 왠지 저 문구가 이제는 이렇게 읽혔다.

신은 분노를 잊지 않으셨습니다.

클로페는 불기둥을 지켜보다 눈을 감았다.

마음이 다스려지지 않았다.

케일은 눈을 떴다. 그는 현재 다시 로운 왕국으로 돌아왔다. 몇 번의 텔레포트 마법으로 이동해 온 그는 마지막으로 마차를 타고서 약속 장소에 도착했다.

달칵. 마차 문이 밖에서 열렸다.

"도련님, 야위셨습니다."

시종 론이 케일을 반겼다.

"오랜만이에요!"

지옥의 파수꾼을 조각했던 암살자 프리지아도 케일을 반겼다. 로잘린과 최한은 이미 짱돌 저택으로 돌아갔다.

라온은 여전히 함께였고.

냐아아옹.

냐아옹.

온과 홍도 함께였다.

셋과 더불어 론, 그리고 프리지아가 우두머리인 정보 길드, 지금쯤 안토니오 기예르 영지에 도착해 있을 부단장 힐스만까지. 이렇게 이번 일을 진행할 예정이었다.

케일은 서남부의 지배 세력인 기예르 공작가의 후계자 안토니오의 목을 죄러 왔다. 그는 론에게 물었다.

"준비됐지?"

론은 준비가 됐냐는 케일의 물음에 인자하게 답했다.

"음, 조금 문제가 생겼습니다."

"문제?"

어린아이 납치를 의뢰했던 기예르 가문의 가신. 그 귀족이 저지른 짓을 토대로 케일은 안토니오를 건드리려 했다. 그런데 문제라니.

케일의 표정이 굳었을 때, 론이 부드럽게 말했다.

"그 가신이 요즘 몰래 인신매매를 자행하고 있더군요. 제가 산책 겸 가서 봤습니다."

아.

케일은 문제가 뭔지 깨달았다.

과거 미수로 그쳤던 점을 토대로 상대를 압박해 잡아넣으려고 왔는데, 지금도 그 정신 나간 짓을 하고 있단다.

케일은 상당히 찡그린 얼굴로, 지옥의 파수꾼을 조각했던 프리지아에게 물었다.

"그래도 준비는 다 했겠지?"

프리지아 대신 론이 인자하게 답했다.

"네. 족칠 준비는 다 했습니다."

케일은 암살자 노인네의 살벌한 대답을 이번만큼은 살벌하다고 평하지 않았다.

"적절하게 준비했네."

역시 연륜은 어디 가는 게 아닌 듯, 론은 적절하게 준비를 잘 마쳐 놨다.

40장
역시 공자님은

40장
역시 공자님은

케일은 준비를 잘 마친 론과 프리지아를 마차에 태우고 기예르 영지로 향했다. 마차는 프리지아의 수하 중 한 명이 몰았다.

"자세히 설명해 봐."

케일이 두 사람을 응시했고 프리지아가 곧바로 입을 열었다.

"기예르 공작가에 오십여 년 전쯤 가신으로 들어간 남작 가문이 있습니다."

그 가문의 이름은 크리쉬.

"현 공작이 가주가 되기 전, 전 공작대에 다른 후계자들이 세력 확장을 위해 끌어들인 가문들 중 하나입니다."

안토니오의 할머니이자 현 공작인 소나타. 그녀가 그저 차순위 후계자에 불과했을 때. 기예르 영지에는 가신 가문이 몇 영입되었다. 크리쉬 가문도 그중 하나라고 했다.

"그래도 크리쉬 남작가면 학식으로 꽤 유명한 가문이지 않나?"

크리쉬 남작가는 이백여 년 전 왕실의 스승을 배출해 낸 가문으로 학식 면에서 명망 있는 가문이었다. 그랬기에 기에르 공작가는 영지도 뭣도 없는 가문을 품었다.

"도련님."

론이 케일의 물음에 부드러이 답해주었다.

"과거의 이야기가 현재가 되진 못합니다."

"하긴 그렇네."

케일은 수긍했다. 과거 학식이 있는 집안이었든 말든 지금 개차반이면 개차반인 것이다. 어린아이 납치까지 의뢰한 놈들이니, 제정신이 아님은 틀림없었다.

"도련님, 그저께 밤이었습니다."

케일은 론을 쳐다봤다. 아까부터 심각하게 인자한 척하는 것이 영 찜찜했다. 가짜지만 강력한 팔까지 얻은 론은 어째 요즘 들어 얼굴에 더 생기가 넘쳤다.

"늙어서 그런지 잠이 안 오더군요. 그래서 가볍게 기에르 영지 뒷골목으로 산책을 갔습니다."

……뒷골목이 산책하는 곳이니?

케일은 묻고 싶었지만 그 질문을 삼켰다.

"그런데 웬 아이들이 늦은 밤 마차를 몰고 빈민가 구석에 가지 않겠습니까?"

"아이?"

케일은 아이가 마차를 몰았다는 말에 의아하게 론을 쳐다봤다. 론은 부드러이 정정했다.

"30대쯤 되어 보이는 건장한 아이들이었습니다."

……언제 흉악한 건달 놈들이 아이들이 된 것일까.

케일은 침묵했고 론은 이어 말했다.

"어쨌든 늦은 밤 아이들이 돌아다니니, 신기해서 가봤지요. 물론 몰래요."

케일은 론을 존경스럽다는 듯 바라보는 프리지아를 모른 척했다.

"살금살금 그들을 따라가니, 빈민가와 상가 밀집구역을 나누는 경계선인 다리 근처의 집 몇 채로 향하더군요. 그래서 살펴보니, 그 집들 지하에 많은 이들이 잡혀 있었습니다."

따각따각. 가짜 팔에 달린 손가락이 구부러지며 관절 소리를 냈다. 론은 부드럽게 말했다.

"암살자도 하지 않는 아주 쳐 죽일 짓이더군요."

음.

케일은 오랜만에 암살자 론에게서 시선을 돌렸다.

"그래서?"

하지만 케일은 빠른 대화를 원했다. 론은 핵심만 말했다.

"그리고 어제저녁 크리쉬 가문의 집사가 그 집들 중 하나에 들어가는 것을 보았습니다. 낮에는 그 건물이 그저 빈민가 가족이 사는 평범한 집이 되더군요. 물론 해가 지면 빈민인 척하는 가족들이 직원이 되지만요."

프리지아가 이어 말했다.

"새벽까지 미행한 결과, 그 집사가 어떤 상인과 만나는 것을 확인했습니다."

그 상인은 노예를 거래하는 상단 소속일 확률이 높았다. 그녀는 빠르게 말을 이었다.

"현재 그 상인의 뒤를 수하가 밟고 있습니다. 상단의 정체에 대해서는 곧 1차 보고가 올 겁니다. 그때, 어렴풋하게나마 정체를 알 수 있을 것이고, 2차 보고 때면 확실히 파악이 다 되었을 겁니다."

톡톡.

케일은 마차 좌석 팔걸이를 두드리다가 론을 응시했다. 노인은 제가 모시는 도련님이 뭔가를 알아차렸음을 깨달았다. 케일은 느릿하게 입을 열었다.

"멀쩡한 사람들을 노예로 구매하는 불법 상단이라."

그러면 그 노예들은 어디로 갈까?

로운 왕국은 노예가 불법이다. 크리쉬 가문이 미치지 않고서야 왕국 내엔 노예들을 유통하지 않을 것이다.

노예가 필요한 곳이 어딜까? 상단을 통해 은밀하게 노예를 모아야만 하는 곳이 어딜까? 케일은 짐작이 갔다.

"……인생 종치고 싶은 것들이 종탑을 세운 건가."

"네?"

프리지아가 케일의 거친 말이 의아해 되물었지만, 케일은 손사래를 치며 입을 열었다.

"아마 상단은 제국 출신일 거다."

"……제국이요?"

프리지아의 얼굴이 심각해졌다.

왕국 내 사람을 노예로 판 것도 모자라 타국에 빼돌린 것은, 겁을 상실한 놈들만이 가능한 일이었다. 감히 남작 따위가 할 일이 아니었다.

그래서 케일은 물었다.

"크리쉬 남작가 단독으로 진행한 건가?"

"……저희 조사상으로 기예르 공작가는 상관이 없다고 합니다."

프리지아는 입술을 혀로 축이며 말을 이었다.

"크리쉬 남작가는 아무것도 없이 기예르 공작가 가신 가문으로 편입된 후, 그들이 밀던 이가 아닌 소나타 기예르가 현 공작이 되면서 언제 내쳐질지 모르는 처지가 되었다고 합니다. 그래서 어떻게든 세를 넓히려고 애썼다고 합니다."

"그러려면 돈이 필요했겠군."

케일은 한 가지를 더 물었다.

"크리쉬 가문은 거래 상단이 어디 출신인지 알고 있는 것 같나?"

"……그건 모르겠습니다."

프리지아는 제국으로 확신하는 듯한 케일의 모습에 조심스럽게 입을 열었다.

"공자님, 아직 상단에 대한 보고가 들어오지 않았으니 일단 정보를 받고 판단하는 것이 어떻겠습니까?"

케일은 어떠한 대답도 하지 않았다. 그저 한숨을 내쉬었다.

툭. 툭. 고양이 온과 홍이 계속 앞발로 케일의 허벅지를 두드렸다. 그놈들을 때려죽이자는 의사 표현이었다. 라온은 머릿속으로 케일에게 말했다.

–노예는…… 용서할 수 없다. 이유도 없이 잡혀 와 감금되는 것은 절대로 용서할 수 없는 일이다.

검은 용이 절대로 용납할 수 없는 짓을 크리쉬 가문이 해버리고 말았다. 어두운 동굴에서 4년을 보내야 했던 라온은 노예나 감금 등을 끔찍하게 여기며 증오했다.

"론."

"네, 도련님."

케일은 기예르 영지 성문을 보며 말했다.

"계획 변경이다."

이른 아침.

케일은 푹신하고 보드라운 침대 속에 파묻혀 깰 듯 말 듯한 기분을 즐기고 있었다. 그런 그의 어깨를 두드리는 손길이 있었다.

마치 고단한 부모의 따스한 손길 같은-

"음!"

케일은 눈을 번쩍 떴다.

"도련님, 일어나셨군요."

론이었다. 케일은 순간 오랜만에 놀라 이불 안에서 쪼그라들었다.

냐아아옹!

냐아옹!

고양이들이 비웃어댔다.

"인간, 일어나라! 늦잠 자면 안 된다!"

라온의 보챔까지. 아침부터 환장할 4중주를 들으며 케일은 몸을 일으켜 세웠다. 론이 차를 내밀었다.

"레몬차가 없더군요. 기예르 공작가도 참 별로인 것 같습니다."

케일은 그 말에 입꼬리를 씰룩이며 대번에 찻잔을 집어 들었다.

현재 케일 일행은 프리지아와 정보 길드를 제외하고는 모두 기예르 공작가에서 머물고 있었다.

어제 늦게 기예르 영지에 도착한 케일은 미리 와 있던 부단장 힐스만이 그의 도착을 공작가에 전한 덕에 별다른 어려움 없이 며칠 밤 기예르 공작가에 묵을 수 있게 되었다.

거대한 공작가에서 지나가는 귀족 하나 재워주지 못할 것도 없었다. 그것도 그냥 귀족도 아니고 왕세자의 최측근이자 제국 훈장까지 받은 놈이니 알아서 데려가려 했다.

"레몬차가 없다니 아쉽네."

케일은 잠긴 목소리로 즐겁게 아쉽다고 말하며 차를 머금었다.

"크윽!"

그리고 신음을 내뱉었다. 시종 론은 인자하게 말했다.

"기예르 영지는 쓴 차를 즐긴다고 합니다, 허허."

제길. 케일은 얼굴을 구기며 쓰디쓴 하루를 시작했다. 그는 번듯하게 차려입자마자 곧바로 방을 나섰다.

"공자님!"

부단장 힐스만이 문밖에서 대기하다가 케일을 따라왔다.

"크흐, 오늘따라 멋지십니다!"

힐스만은 오늘따라 더 귀족답게 꾸민 케일을 보며 감탄했다. 물론 화려하지 않고 적당하게 고급스러우면서도 차분한 것이, 누가 보아도 전도유망한 귀족 자제 같아 보였다.

"그래? 잘됐네."

하지만 힐스만은 잘됐다고 말하는 케일의 미소가 선해 보여 순간 멈칫했다. 순한 미소라니. 케일과 전혀 어울리지 않았다.

'크리쉬 남작 가문을 처단한다고 들었는데?'

힐스만은 시종 론에게 들었던 일의 중함과는 반대로 유독 순해 보이는 케일이 이상했다. 부단장은 아직 인신매매에 대해서는 몰랐다.

"어디지?"

하지만 케일의 물음에는 곧바로 답했다.

"이 시간에는 정원에 계신다고 합니다. 이른 아침 식사 뒤에 산책을 하신다고 합니다."

"정문 가는 길에 정원도 들르면 되겠군."

곧바로 케일은 정원으로 향했다. 힐스만은 그 뒤를 따르며 론을 쳐다봤다. 론은 그저 인자하게 웃으며 케일의 뒤를 따랐다. 힐스만은 곁에 고양이들이 보이지 않아 더 이상했지만 일단 정원으로 함께 향했다.

정원에 도착한 케일은 안토니오 기예르를 만날 수 있었다. 물론 우연인 척했다.

"오, 케일 공자. 편안한 밤 보냈습니까?"

"네, 덕분에 편안한 밤을 보냈습니다. 안토니오 공자께서 이 시간에 정원에 계신 줄은 몰랐군요."

기분 좋게 케일과 안토니오는 악수를 나눴다. 그 와중에 안토니오는 귀족다운 차림새에 흐트러짐 하나 없는 케일을 관찰했다.

케일 헤니투스. 왕세자의 최측근이자 수도 테러를 막은 사람이었고, 더불어 제국에서 훈장을 받을 정도로 대단한 일을 한 사람이었다.

그 사람이 어제 호위를 먼저 보내 지나가는 길이라며 며칠 묵어도 되는지 물어왔다. 덧붙여 한마디를 더 건넸다.

‘대화를 할 수 있겠지요?’

왕세자의 최측근 케일과, 다른 왕자의 최측근이자 왕국 서남부를 지탱하는 안토니오가 나눌 대화는 뻔했지만 중요했다.

지극히 탐욕적인 대화이리라.

안토니오는 케일도 역시나 다른 귀족들처럼 탐욕적이라는 것을 ‘대화’를 제의하는 모습에서 느꼈다. 그리고 그 대화는 오늘 밤 은밀히 행해질 터.

“당연히 할 수 있지요. 아침 식사는 하셨습니까?”

안토니오는 아무렇지도 않게 평화로운 대화 주제를 꺼냈다. 그는 귀족적인 미소와 함께 답하는 케일을 볼 수 있었다.

“안 했습니다.”

“이런, 아침도 안 드시고 산책하십니까? 속 쓰리실 텐데요.”

“괜찮습니다. 아침은 곧 먹으려고 합니다.”

케일은 우아하게 덧붙였다.

“유명한 술집이 있대서 거기서 아침을 먹으려고 합니다.”

“……네?”

안토니오는 잠시 당황했다. 그러거나 말거나 케일은 제 할 말을 했다.

“제가 술을 조금 좋아합니다. 술 중에서도 아침 술이 최고지요. 그럼 이만. 저는 얼른 가서 아침 스프로 맥주를 마시겠습니다! 하하!”

문득 안토니오는 은빛 공자 대신 케일이 원래 가지고 있던 별명을 떠올렸다.

망나니 케일.

안토니오는 귀족적으로 망나니짓을 하겠다고 선언하는 케일을 볼 수 있었다.

“오늘 할 일도 없겠다, 요양 중이니 하루 종일 술을 마실까 합니다. 아주 행복하군요.”

제국에서 고대의 힘을 쓰고 요양 중이라는 게 통상적으로 알려진 케일의 상태였고, 이번 기예르 영지 방문도 덜 추운 남쪽으로 향하는 길에 들른 것이라 전달받았다.

그런 이가 술을 먹는다니. 안토니오는 한참 만에 입을 열었다.

“……오늘 대화는 할 수 있겠습니까?”

“걱정 마십시오. 술을 딱 걸치고 대화를 하면 말이 술술 술처럼 나오더군요. 그럼 이만 가보겠습니다.”

마지막까지 정중하고 예의 바르게 헛소리를 지껄이며 돌아서는 케일이었다. 그의 뒤를 하얗게 질린 힐스만과 여유로운 론이 따랐다.

“……종잡을 수가 없군.”

케일을 쳐다보는 안토니오의 표정은 복잡했다. 하지만 그 눈빛엔 실망감이 조금 서려 있었다.

자신이 세운 잣대에서 상대가 얼마나 귀족다운가를 판단하여 그 사람에 대해 정의하는 안토니오. 그에게서 케일은 조금 덜 귀족다운 자가 되었다.

“괜찮을까요?”

부단장 힐스만은 이를 걱정하며 케일에게 물었지만, 케일은 듣지도 않았다. 그는 술집으로 들어서자마자 3층으로 올라갔다. 그러고는 창가 근처 테이블에 앉아 흘러가는 강물을 쳐다보다가 고개를 돌렸다.

“주문하시겠습니까?”

종업원이 케일의 시선에 조심스럽게 물었다. 누가 보아도 귀족다운 차림새에 외모와 분위기도 최소 백작가를 떠올리게 하는 품위를 지닌 이였다. 그러니 종업원은 자연히 조심스러워질 수밖에 없었다.

케일은 메뉴판도 보지 않은 채 입을 열었다.

"다."

강력한 한마디였다.

"네?"

되묻는 종업원에게 케일은 주문했다.

"술 종류별로 한 병씩. 안주는 제일 비싼 걸로."

그가 고상하게 주문하는 모습을 보며 힐스만은 눈을 껌벅였다. 종업원이 얼떨떨한 얼굴로 떠나가자 케일은 저를 쳐다보는 힐스만에게 퉁명스럽게 말했다.

"뭘 봐?"

케일의 예상과 달리, 힐스만은 이내 환하게 웃었다.

"역시 공자님은 변함이 없으십니다! 그래요, 최한도 없고! 술을 왕창 마십시다! 하하하하!"

케일이 고개를 가로저었으나, 힐스만은 술병 뚜껑을 따며 흥을 돋웠다. 케일은 그러거나 말거나 창밖으로 시선을 돌렸다.

기예르 영지에 흐르는 강.

이 술집은 빈민가와 빈민가가 아닌 곳을 가르는 강을 바로 코앞에 두고 있었다. 그 덕에 강가에 세워진 다리가 아주 잘 보였다.

저 다리를 지난 건너편은 빈민가였다.

케일은 다리 건너편 허름한 집 열 채를 찬찬히 지켜보았다. 왕국민들이 납치되어 감금된 집들이었다.

—……저 집들 부순다! 박살 낸다!

라온의 살벌한 목소리를 들으며 케일은 힐스만이 술을 채운 잔 대신 술병을 통째로 집어 들었다.

"고, 공자님."

힐스만은 당황했다.

탁!

하지만 그는 빈 술병이 탁자 위에 놓이는 소리에 정신을 차렸다. 어느새 케일의 얼굴은 벌게져 있었다. 케일은 빨갛게 된 얼굴을 그대로 둔 채, 또 다른 술병을 집어 들었다.

얼굴만 붉어질 뿐 술에 취하지 않는 케일은 저를 쳐다보는 힐스만에게 술병을 내밀었다. 힐스만은 과거 술병을 던지던 케일이 떠올라 흠칫했다가 이내 차분히 술병을 받아 들었다.

케일은 아무 말 없이 정말로 하루 종일 먹고 마셔댔다.

그리고 해가 지기 시작했을 때.

"힐스만."

"네, 공자님."

호위인 힐스만은 한두 잔만 마시고 술은 더 이상 입에 대지 않았다. 그는 하루 종일 술을 마신 케일을 보며 역시 케일의 망나니 경력이 거짓이 아니라 생각했다. 그는 자신을 부른 케일을 응시했다.

케일은 다시 입을 열었다.

"론."

"네."

조용히 있던 론이 일어서며 답했다.

케일은 저를 쳐다보는 두 사람에게서 시선을 돌렸다. 그는 빈 술병을 쓰다듬으며 노을이 지는 밖을 쳐다봤다. 타는 불처럼 붉은 하늘 아래, 다리 위에 서서 신호를 보내는 프리지아가 있었다.

결국 상단은 케일의 예상대로 제국에서 온 놈들이었다.

끼이익.

케일은 의자에서 일어서며 말했다.

"나 오늘 방패 쓴다."

"네? 갑자기요?"

취하셨나?

부단장 힐스만은 은빛 방패라면 치를 떠는 케일이 취한 줄 알고 심각하게 앞으로의 작전에 대해 생각했다. 하지만 케일은 미소를 그리며 덧붙였다.

"밀어버려야 하거든."

집 열 채를 말이야.

"밀어요? 뭘요?"

힐스만이 어벙하게 되물었지만 케일은 가벼이 무시하며 술집을 빠져나왔다.

3층에서부터 술집 입구까지. 앞만 보고 걸어가는 케일을 향한 여러 시선들이 있었다. 그중 대부분은 기예르 영지민으로, 하루 종일 술을 마시고도 멀쩡하게 걸어가는 케일을 신기하다는 듯 쳐다봤다.

힐스만도 그 엄청난 주량에 감탄하다가 이내 케일의 손에 빈 술병이 들려 있음을 보고 경기할 듯 놀라며 그 뒤를 따랐다.

"고, 공자님!"

"왜?"

"일단 수, 술병은 내려놓으시고……!"

"아."

까먹었다.

손에 술병이 들려 있다는 걸 까먹었다.

휙. 케일이 술병을 들어 올렸다.

"허엇!"

힐스만은 불과 2년 전이 떠올랐다. 영지 안의 모든 깡패란 깡패에게 술병을 집어 던지던 그 망나니. 힐스만은 그 뒤처리를 맡아서 해본 적이 있었다.

"……취했냐?"

"네?"

케일은 갑자기 두 손을 드는 힐스만을 찡그린 채로 쳐다보다가 술병을 론에게 건넸다.

"론."

"네."

론에게 건넨 술병은 곧 사라졌고, 케일은 술집을 나섰다. 론은 값을 치르고는 그 뒤를 여유로이 따랐다. 물론 멍하니 서 있는 부단장도 챙겼다.

"론 씨, 공자님이 지금 뭘 밀어버리려고 하십니까?"

론의 능력을 알고 난 후, 힐스만은 론에게 전보다 더 깍듯이 대했다. 은둔 고수. 그게 힐스만이 본 론의 진면목이었다.

"글쎄요."

시종은 인자하게 답해주었다.

"아마 집들을 때려 부수지 않을까요?"

"……네?"

"자, 갑시다."

힐스만은 황급히 론과 함께 케일을 쫓아갔다. 그는 술이 확 깬 얼굴로 다리 중앙에 서 있는 케일의 옆에 딱 붙어 섰다.

'……공자님은 스케일이 크신 분이니까!'

힐스만은 여태껏 케일이 간단히 움직인다면서 때려 부순 것들의 전력을 알고 있었다. 그렇기에 앞으로 상상 이상의 스케일로 일이 벌어진다면, 어찌 대처해야 할지 고민에 빠졌다. 그에게로 케일의 목소리가 들려왔다.

"부단장."

"네, 공자님."

힐스만은 흐르는 강물을 내려다보는 케일을 바라봤다. 노을이 비쳐 붉어진 강과 붉은 하늘. 그 사이에 선 붉은 머리칼의 케일은 꽤 잘 어울렸다.

하루가 저물어가는 다리 위에는 지나가는 사람이 적었다.

사실 빈민가와 상가를 나누는 이 다리를 지나가는 이들은 극히 드물었다. 힐스만은 가까이 있어야 들릴 정도로 작은 케일의 목소리를 들을 수 있었다.

"다리 건너로 보이는 빈민가에 가끔씩 한 귀족 가문의 집사가 찾아가 음식들을 나눠준다는군."

뜬금없는 이야기였지만, 부단장은 그 대화에 스며들며 편히 답했다.

"좋은 집사군요."

"그래. 그리고 그 집사는 서남부 왕국민들을 잡아와 노예로 만들어 팔아버리는 가문의 일꾼이지."

"네?"

케일은 다리 건너편, 빈민가를 쳐다봤다.

"방금 그 집사가 빈민가로 향했다. 지하에 납치한 영지민들이 감금되어 있는 집 열 채가 있는 방향으로 향했지."

밀어버려야 하거든.

부단장 힐스만은 케일이 밀어버린다는 게 무엇인지 서서히 깨달았다.

"힐스만."

"네."

"어떻게 생각하지?"

케일은 힐스만의 대답을 기다렸고, 기사는 곧 답했다.

"기사는 불의를 보면 참지 않습니다."

케일이 그를 쳐다보자 힐스만은 한마디를 더 덧붙였다.

"물론 주군과 관련된 일이면 불의도 참습니다."

"덧붙인 말도 기사도인가?"

"아뇨. 제 생각입니다."

기사는 불의를 보면 참지 않아야 하지만, 주군과 관련되면 불의도 참는다.

참 비겁하게 보일 수 있는 말이지만, 그 말이 기사 힐스만의 신념이었다. '우리'가 먼저인 헤니투스 백작가의 부단장에 오른 힐스만의 신념은 케일에게 나쁘지 않게 받아들여졌다.

케일은 기대고 있던 다리 난간에서 몸을 떼며 말했다.

"그럼 이제 참지 말자고."

"네!"

케일은 다리 건너편 상가 쪽을 쳐다봤다. 프리지아가 수신호를 보내왔다.

은밀히 케일의 뒤를 따라오던 이들 중 몇 명이 제 주인에게로 갔다는 신호였다. 그 주인은 당연히 안토니오 기예르였다. 안토니오가 케일의 뒤에 사람을 붙이지 않을 리 없었다. 그걸 알기에 케일은 대놓고 움직이기로 했다.

케일의 걸음이 허름한 집으로 향했다. 다리를 건너면 바로 보이는 집. 그 집부터 시작해 지그재그로 이어지는 집 열 채.

케일은 첫 번째 집 앞에 섰다.

"누구신지?"

집 마당에 있던 평범해 보이는 중년. 그 중년인은 귀족으로 보이는 케일과 기사의 등장에 긴장한 듯 조심스럽게 말을 건넸다. 그러면서도 술에 취한 듯 벌겋게 물든 케일의 얼굴에, 취한 귀족에게 잘못 걸렸구나 싶은 낭패감도 언뜻 표정에 드러냈다가 숨겼다.

그 중년인에게 케일이 물었다.

"너 혼자 사느냐?"

"네? 아닙니다. 가족과 삽니다."

"그래?"

케일은 히죽 웃으며 말했다.

"가족들 다 데리고 나오도록."

"네?"

"10초 준다."

십. 구.

케일은 숫자를 세었다. 중년인은 그 모습에 당황하다가 케일이 잠시 숫자 세는 것을 멈추고 내뱉은 말에 황급히 움직여야 했다.

"귀족 말이 우습나 보군."

그 말에 중년인은 대번에 집 안으로 들어갔다.

다리 건너편 상가 건물에서는 이 모습이 모두 보였다. 주변 빈민가 사람들은 얼른 집 안으로 들어서며 낡은 창문과 문을 걸어 잠갔다.

어디서 미친 귀족이 나와 핍박하는구나.

다들 그렇게 느낄 법했다. 당장 가족을 데리고 나오는 중년인도 그랬다. 그는 아내와 아들 둘, 딸을 데리고 나왔다.

"공자님, 이렇게 저희 가족입니다."

바들바들 떨며 말하는 중년인과 그 가족들은 애처로워 보였다. 동시에 케일의 머릿속으로 검은 용의 목소리가 들려왔다.

–지하에 사람 있다. 많다. 애들도 있다.

검은 용의 목소리는 살벌했다.

–다들 말랐다. 굶은 것 같다. 더럽다. 못 씻은 것 같다.

라온은 음울하게 말했다.

–……조금 전까지 젊은 사람들이 지하 사람들 때렸다. 다 때려 부수고 싶다.

케일은 중년인이 자식이라 소개한 아들 둘과 딸을 쳐다봤다. 그 시선에 그들은 귀족이 무섭다는 듯 고개를 숙였다.

케일은 중년인에게 물었다.

"이렇게 다섯이 다인가?"

중년인은 잠시 멈칫했지만 납작 엎드릴 듯한 자세로 외쳤다.

"네! 공자님께서 말씀하신 대로 가족을 모두 데리고 왔습니다!"

–가족 아니다. 분명 방금 전까지 집 안에서 지들끼리 대장, 부대

장 이랬다. 거짓말까지 한다! 나쁘다! 아주 나쁘다!

라온이 알아서 거짓말 탐지기가 되어주었다. 케일은 별다른 반응 없이 중년인을 내려다봤다. 그 시선에 허리를 숙이고 있던 중년인은 슬쩍 고개를 들었다가 당황했다.

웃고 있었다.

술에 취한 것 같은 미친 귀족이 히죽이며 웃고 있었다.

'잘못 걸렸나?'

중년인은 저 멀리 크리쉬 남작가 집사가 보였다. 그는 알아서 하라는 듯 고개를 가로저어 보였다. 그때 귀족의 목소리가 들려왔다.

"그러면 가족들이 모두 나왔으니 집에는 아무도 없겠군."

중년인은 집에 노예들이 있었지만 모르는 척하며, 어떻게 하면 이 술 취한 귀족의 비위를 맞춰줄 수 있을까 고민했다. 그러나 귀족은, 케일은 중년인의 상상 이상이었다.

"집이 낡았어. 아주 허름해."

툭. 케일은 호숫가에 돌을 던지듯 말했다.

"그러니 밀어버려야겠어."

"……네?"

중년인은 진심으로 헛소리를 들었나 싶었다. 하지만 눈앞의 귀족은 진심이었다.

"왜? 새집 줄 테니, 부수면 안 되나?"

"아니, 그게."

귀족 뒤에 가만히 있던 기사가 앞으로 나섰다. 기사는 말이 없었다. 그저 달칵, 달칵, 검집을 매만져 대며 노골적으로 중년인을 응시할 뿐이었다.

'미친. 무슨 이런 경우가!'

중년인은 기가 찼다. 허름한 집이라도 상가 다리 바로 건너편이라 빈민가치고는 좋은 집이었다. 그 집을 갑자기 부순다니.

그때, 귀족이 말했다.

"5초 뒤에 부순다."

인신매매범은 환장할 노릇이었다. 그렇다고 사람이 있으니 집을 부수지 말라고 할 수도 없었다. 지하실 노예들은 집이 무너지면 자연히 죽을 터.

"5."

귀족은 숫자를 셌다.

"4."

저 멀리 크리쉬 남작가 집사는 고개를 돌렸다.

"3."

저 노예들은 버리자는 소리였다.

"2."

그런데 중년인은 문득 의문이 들었다.

이 젊은 귀족은 어떻게 집을 부순다는 거지?

기사가 한 명뿐인데?

"1."

그 의문의 답은 곧장 나왔다.

"땡."

케일은 끝을 알렸다. 그의 머릿속으로 검은 용의 목소리가 들려왔다.

–지하실 입구와 지하실에 실드 쳤다.

"하, 하하–"

케일이 웃기 시작했다. 그 모습에 인신매매 조직이 의아해할 때였다.

우우우웅–

순간 공간이 울리는 소리가 들려왔다. 그와 동시에 귀족은 손을 앞으로 펼쳤다.

파아앗!

날개가 나타났다. 더불어 거대한 방패도 모습을 드러냈다.

"……어?"

방패에 달린 날개가 집을 감쌌다. 마치 다른 이들에게 보이지 않도록 만들려는 듯 집을 꽁꽁 감쌌다.

은빛 방패. 수도와 먼 서남부였지만, 중년인은, 특히 지켜보던 남작가 집사는 저 방패가 익숙했다.

"……설마?"

집사는 한 사람을 떠올렸다.

떠오르는 왕국의 인재. 무력, 지력이 특출한 인재가 아닌 그 마음가짐으로 인재라 칭해지는 귀족 자제. 제국과 가까운 기예르 영지라서 그 이름이 더 금방 떠올랐다.

"……케일 헤니투스?"

집사는 그 이름을 내뱉는 순간, 숨을 삼켰다.

스윽.

서늘한 칼이 그의 등 뒤에 닿았다.

"우리 도련님 이름을 함부로 말하면 안 되지요."

복면을 쓴 론의 단검이 집사의 등 뒤를 슬쩍 눌렀다.

'잘못됐다.'

집사는 그제야 무언가 잘못되었음을 깨달았다. 그 깨달음은 곧 확신이 되었다.

"고, 공자님, 정말로 저, 저희 집을 부수시려는 겁니까?"

중년인이 하얗게 질린 얼굴로 케일을 보며 말하다가 이내 입을 다물었다.

케일의 눈동자가 중년인을 응시하고 있었다. 저건 취한 사람의 눈빛이 아니다. 그간 귀족의 벌게진 얼굴에 신경 쓰느라 눈동자를 제대로 보지 못했다.

중년인은 차가운 눈동자와 하나둘 집 틈새로 쳐다보는 빈민가 사람들, 웅성거리며 구경하는 영지민들의 눈빛까지 느끼며 할 말을 잃었다.

그때서야 케일은 정말 집을 부술 거냐고 묻는 중년인에게 답해주었다.

"5초 지났잖아."

5초가 지났다.

거대한 방패가 아래로 향하기 시작했다.

-내 마법도 보탠다!

라온의 마법까지 보태진 은빛 방패. 그 방패가 은빛 날개로 감싸인 집에 떨어졌다.

콰직.

처음에는 지붕이 조금 부서지는 소리였다. 하지만 이내 그 소리는 점점 커져갔다.

쿠우웅-

땅이 울렸다.

그리고 집이 무너졌다.

"아."

중년인은 땅의 울림에 비틀거리다가 주저앉았다. 거대한 바람과 함께 흩날리는 먼지에 멍한 표정을 지었다. 반투명한 날개와 방패 사이로 폭삭 주저앉은 집이 보였다.

'노예 새끼들이!'

팔아야 할 것들이 저 무너진 집 아래에 깔렸다. 조잡한 지하실이니, 분명 깔려 죽었을 터. 집이 무너지는 소리 때문인지, 노예들의 비명조차 들리지 않았다.

'어떡하지? 뭐 이런 개같은 경우가 다 있지?'

인신매매범들의 얼굴이 일그러졌을 때였다.

"케일 공자!"

다리 건너편에서 말을 탄 안토니오 기예르가 기사들을 대동한 채 이쪽으로 오고 있었다. 케일은 여전히 부서지지 않는 방패를 그대로 둔 채, 안토니오를 쳐다봤다.

말을 멈춰 세운 안토니오는 말에서 내려 케일 앞으로 빠르게 다가왔다. 그의 얼굴은 일그러져 있었다.

"지금 이게 무슨 짓입니까?"

안토니오는 볼일이 있어 공작가 밖을 나왔다가 케일이 술에 취해 빈민가의 집을 부수려 한다는 소리에 황급히 달려왔다. 그는 그래도 케일이 제대로 된 인간인 줄 알았는데, 역시나 망나니 소문은 거짓이 아닌 모양이었다.

봐라, 지금도 집을 부수고 표정이 태연하지 않은가?

"생각보다 빨리 왔군요."

안토니오의 입에서 탄식이 흘러나왔다.

"하! 공자, 지금 무슨 짓을 한 건지 알고 있습니까?"

"무슨 짓이긴요. 집을 부쉈지요."

"지금 그게 말이라고-!"

"인신매매범 집이지요."

순간 안토니오는 입을 다물었다. 다리까지 구경 나왔던 영지민들도, 주위에 있던 기사들도, 심지어 인신매매범 본인들조차도 입을 다물었다.

하지만 케일은 그런 정적에 조금도 신경 쓰지 않았다.

파아앗-

그의 은빛 방패가 떠올라 다음 집 위로 향했다. 케일은 방패가 떠나간, 무너진 집으로 다가갔다.

-여기다. 인간, 여기다!

케일은 무너진 집 한 곳에 멈춰 섰다. 그는 잔해물들을 치웠다. 묵묵히 잔해물들을 치우는 그의 곁으로 힐스만이 다가왔다.

"힐스만, 이 기둥 치워."

"네."

큰 기둥이 힐스만에 의해 치워졌다. 곧 케일은 바닥에 붙은 문을 발견했다.

유일하게 흠집 하나 없이 안전한 문. 케일은 허리를 숙여 그 문의 문고리를 잡아 들어 올렸다.

끼이이익.

낡은 소리와 함께 케일은 좁은 지하에서 조금의 틈도 없이 웅크린 채로 있는 사람들을 볼 수 있었다. 삐쩍 곯은 얼굴과 동시에, 지금의 상황을 받아들이지 못하는 눈동자들이 수십 쌍이었다.

케일은 그들을 보며 말했다.

"이제 살았습니다."

그는 숙였던 허리를 펴 안토니오를 쳐다봤다. 그제야 안토니오는 케일의 눈동자가 선명한 빛을 띠고 있음을 깨달았다.

"안토니오 공자."

방패가 다음 집 위에서 날개를 펼쳤다.

"으, 으아악!"

그간 상황을 지켜보던 인신매매범들이 숨어 있던 집에서 도망쳐 나오기 시작했다. 케일은 그런 그들을 가리키며 안토니오에게 말했다.

"데려온 기사들 좀 빌립시다."

"아."

안토니오는 탄성과 함께 도망치는 이들 쪽으로 기사를 보냈다. 그리고 기사 한 명은 영주성으로 급히 움직였다. 동시에 케일이 수신호를 보냈고, 프리지아와 수하들이 나머지 집들로 움직이기 시작했다.

냐아아옹.

흘려듣기 쉬운 고양이 울음소리와 함께 온과 홍이 함께 움직였다. 웬만한 퇴로는 온과 홍이 독안개로 다 막을 것이다. 마지막으로 론은 복면을 쓴 채 크리쉬 남작가 집사의 목을 쥐고서 손을 흔들어 보였다.

'이 살벌한 노인네.'

케일은 고개를 가로저으며 머릿속에 울리는 라온의 말을 들었다.

–아쉽다. 아직 한 채만 부쉈는데, 벌써 올 줄 몰랐다.

그러게. 열 채 다 부쉈을 때 오지.

하지만 케일은 입을 열었다.

"하나 더."

–진짜? 알았다! 지하실에 실드 쳐놨다! 납치된 사람들은 안전하다! 위대한 실드니까!

쿠우웅–

집이 하나 더 무너졌다. 안토니오가 일찍 와 이제 굳이 더 집을 부술 필요가 없었지만 케일은 부쉈다.

짜증이 났으니까.

지하실에서 올려다보던 그 생기 없는 얼굴들이 생각나서 집이라도 부수고 싶었다.

파아앗–

케일의 손에서 뻗어 나온 은빛 선이 사그라졌다. 은빛 방패도 서서히 사라졌다.

사아아–

무너진 잔해 더미에서부터 바람이 밀려왔다.

"쿨럭."

케일은 얕은 기침과 함께 조금 흘러내리는 피를 닦아냈다.

'이 정도쯤이야.'

부서지지 않는 방패에 라온의 마법까지 더해진 채였기에, 몸에 무리가 크게 가지도 않았다. 비틀거리지도 않고, 피를 토해내지도 않고.

'그런데 어째 방패의 힘이 점점 강해져 가는 것 같은데.'

케일은 그저 작은 기침과 조금 흘러내리는 피에 만족하며, 심장의 활력으로 쌩쌩한 몸을 느꼈다. 라온이 살벌한 표정으로 날개를 파닥이고 있었으나, 그는 당연히 보이지 않았으므로 아주 건강한 상태에서 태연하게 고개를 돌렸다.

"……케일 공자."

안토니오 기에르와 시선이 부딪쳤다. 그는 굳어 있었다. 케일은 그에게 말을 건넸다.

"대화를 할까요?"

물론 대화 주제도, 시작도 끝도. 모든 건 케일이 정하는 대화였다.

안토니오 기에르는 주위를 둘러보았다.

저 멀리 영지 병사들이 빠르게 다가오고 있었다. 다리 건너편 상가에 있는, 빼꼼 고개를 내민 영지민들도 보였다. 무엇보다도 집에 숨어 있지만 귀는 열려 있을 빈민가 사람들이 있었다.

"공자님!"

영지 경비대장과 행정관이 허겁지겁 안토니오에게로 다가왔다. 케일은 안토니오에게 쪽지를 내밀었다. 그 안에 총 열 채의 집 위치가 표시되어 있었다.

"인신매매범들이 사람들을 잡아둔 집입니다."

"……고맙습니다, 케일 공자."

안토니오는 저를 똑바로 응시하는 케일의 모습에 확신했다.

이 사람은 술에 조금도 취하지 않았다. 맨정신으로 모든 일을 계획하에 행했음을 깨달을 수 있었다.

케일이 문서를 한 장 더 내밀었다.

"……이 문장은-"

문서 위에 새겨진 문장. 그것은 가신 가문 중 하나인 크리쉬 남작가의 문양이었다. 안토니오의 표정이 심각해졌다. 그때, 그는 부단장 힐스만에게 끌려오는 한 사람을 보았다.

"크리쉬 남작가의 집사입니다."

"……케일 공자."

안토니오는 침음처럼 케일의 이름을 불렀다. 그의 머릿속에는 지금 끔찍한 상상이 펼쳐졌다. 현실이 될 가능성이 다분히 높은 상상이었다.

"안토니오 공자."

케일은 안토니오 가까이 다가갔다. 그는 저를 응시하는 안토니오의 굳어진 얼굴을 보며 입을 열었다.

"나는 말을 빙빙 돌려서 하는 재주가 없습니다."

왠지 모르게 안토니오는 입안이 말라왔다. 순해 보이던, 술을 먹겠다던 그 한심해 보이는 귀족은 더는 눈앞에 없었다. 왕세자의 최측근이라 평해지는 케일 헤니투스만이 존재했다.

"일부러 조용히 해결하지 않았습니다."

케일은 안토니오에게, 기예르 공작가에게 명확히 뜻을 전했다. 일부러 일을 크게 벌였다고. 그 속뜻을 알려주었다.

만약에 케일이 미리 정보를 공작가에 전해주었다면 기예르 공작가가 알아서 은밀히 모든 일을 해결했을 것이다. 그게 기예르 공작가에게는 이득이었다. 기예르 영주성이 있는 중심 도시에서 이런 일이 벌어졌다는 것을 외부에 숨길 수 있었을 테고, 가신 가문의 추악한 행동도 숨길 수 있었을 테니까.

그러나 케일이 이렇게 행동함으로써 이제는 내부적으로 해결하는 것이 불가능했다.

'왜?'

안토니오는 케일의 행동에 의문이 들었다. 정보를 가진 케일이 이 사건을 비밀로 하는 것을 조건으로 공작가에 거래를 제안했다면, 기예르 공작가는 당연히 모두 받아들일 수밖에 없었을 것이다.

안토니오는 자신의 의문에 답하듯 케일의 입이 천천히 열리는 것을 볼 수 있었다.

케일은 일부러 조용히 해결하지 않았다.

그 이유는.

"서남부가 필요해서 말이죠."

왕세자. 순간 그 단어가 안토니오의 머릿속에 떠올랐다. 하지만 케일은 그 의문에 답해주지 않았다.

"지금은 바쁘실 테니, 나중에 대화를 해보도록 하죠."

케일은 안토니오를 지나쳐 느긋하게 영주성으로 돌아갔다. 안토니오는 사람들의 시선을 받으며 멀어지는 케일을 응시하다가 이내 한숨과 함께 고개를 돌렸다.

"기사 몇 명은 당장 나와 함께 크리쉬 남작가로 간다!"

일단 안토니오는 갑작스럽게 태풍처럼 휘몰아치는 일부터 해결해야 했다.

걸음을 옮기던 케일은 슬쩍 옆에 선 론에게 물었다.

"안 따라오지?"

"네, 안토니오 공자님은 해결에 집중하시는 것 같습니다."

안토니오가 권위주의에 귀족 자격론이 심해서 그렇지, 기본은 된 놈이란 말이야.

케일은 안토니오에 대한 평을 내리며 일부러 사람들에게 자신을 보라는 듯 천천히 영주성으로 향했다. 이래야 소문이 더 나지 않겠는가.

케일은 이번 일로 서남부 세력이 조금 수그러들기를 바랐다. 봄이 되면 북부가 정신없을 터인데, 남부라도 조용해야 했다.

동남부야, 툰카 대장군이 있는 위퍼 왕국과 닿아 있어 다른 데 시선 팔 틈이 별로 없을 것이다. 언제 툰카가 미친 짓을 할지 몰라 긴장 상태일 테니까.

'……툰카 이놈도 요즘 조용한 게 이상하단 말이야.'

제국과의 전쟁 뒤 툰카는 조용해졌다. 그게 이상했으나 케일은 일단 그쪽으론 신경을 끌 수밖에 없었다.

"배고프네."

배가 고팠으니까. 심장의 활력이 움직인 뒤라 배가 고파왔다. 케일은 조금 걸음을 서둘렀다.

"도련님, 오늘 저녁은 든든하게 드시지요."

"뭐, 그래야지. 이럴 때 비크로스가 있어야 하는데 말이야."

론의 말에 대충 나오는 대로 답하던 케일은 이어지는 목소리에 론을 쳐다봤다.

"도련님, 저는 도련님이 참 자랑스럽고 대견합니다."

케일의 표정이 이상해졌다. 론의 인자한 얼굴과 극명하게 대비를 이뤘다.

케일은 아까 복면을 쓰고서 남작가 집사 목을 움켜쥐고 즐거워하던 론을 잊지 않았다. 근래 들어 가장 생기 넘치던 모습이었다. 누가 보면 회춘한 줄 알 것이다.

'무서운 노인네.'

케일은 슬그머니 론에게서 반걸음 떨어져 황급히 영주성으로 향했다. 론은 자신과 멀어지는 케일을 쳐다보다가 이내 뒤따라 걸으며 작게 혼잣말을 내뱉었다.

"변함이 없구먼."

다 큰 강아지, 아니, 호랑이가 된 도련님은 여전히 표정을 숨길 줄 몰랐다.

냐아아옹.

냐아옹.

론은 슬그머니 다가와 품으로 안기는 고양이 두 마리를 데리고 케일의 뒤를 따랐다.

한밤중. 안토니오 기에르는 복도를 걸어가며 창밖을 내다봤다.

공작가와 영주성. 해가 진 그곳에 횃불을 들고 돌아다니는 이들이 많았다. 그는 바삐 움직이는 이들을 보며 할머니 소나타 공작을 떠올렸다.

'케일 헤니투스. 그리고 그자 뒤의 왕세자가 원하는 것이 무엇인지 알아오거라.'

그는 오랜만에 할머니의 얼굴에 서린 분노를 느꼈다. 그 분노는 스스로를 향한 것이었다.

케일의 호위 기사가 보내온 자료와 더불어 크리쉬 남작가를 급습해 알아낸 정보들은 공작의 뒷골을 당기게 만들었다. 안토니오 역시도 비슷한 심정이었다.

'미친놈.'

귀족이 노예장사를 하다니. 아직 자세한 자료는 얻지 못했으나, 그것만으로도 기에르 공작가에게는 수치스러운 일이었다. 더욱이 영지민들이 이 광경을 보았다.

앞으로 있을 왕실의 처사, 잃어버릴지 모를 영지민들의 신뢰, 귀족들의 평판. 모든 것들이 안토니오의 머리를 복잡하게 만들었다.

하지만 그 모든 것들보다 현재 만나야 되는 사람, 케일 헤니투스. 그자가 지금 당장 넘어야 할 산이었다. 물론 케일 헤니투스가 왕세자의 뜻이니, 실질적으로 넘어야 할 산은 왕세자였다.

현재 로운 왕국 왕위 계승권자들 중 가장 유력한 알베르 1왕자. 그가 이번 일을 그냥 넘어갈 리 없었다.

'케일 헤니투스도 귀족이야. 그자도 이번 건수로 우리 공작가의 약점을 손에 쥐려고 하겠지.'

안토니오는 그간 귀족이라는 탈을 쓴 수많은 탐욕스러운 자들을 보아왔다. 제 곁으로 다가온 이들이 모두 그러한 자들뿐이었다. 그래서 책잡히지 않기 위해 늘 귀족다우려 노력했다. 그리고 사람들을 나눴다. 그래야 대하기 수월하니까.

"음."

안토니오는 응접실 앞에서 잠시 목을 가다듬었다. 그 행동에 케일 헤니투스의 호위 기사가 고개를 숙여 보였다.

안토니오는 문을 가리켰고 힐스만은 조심스럽게 문을 두드렸다.

"공자님, 안토니오 공자님께서 오셨습니다."

-들어오시라고 해.

문 너머로 들려오는 목소리에 안토니오는 문을 열려는 호위 기사의 움직임을 멈춰 세우며 문고리를 잡았다.

"내가 알아서 들어가도록 하지."

안토니오는 스스로 문을 열었다. 본인 집에 있는 응접실에 들어가는 것인데 긴장이 되기는 처음이었다. 이게 약점 잡힌 기분일까.

'뭐라고 약점을 잡아 우릴 이용해 먹을지 궁금하군.'

과연 케일 헤니투스는 안토니오 그에게 무엇을 요구할까.

그것이 궁금했다. 물론 그래 봤자 결국 왕세자의 힘을 위한 권력을 탐하는 것뿐이리라. 그랬기에 언제 긴장했냐는 듯, 문 안으로 들어서는 걸음은 거침이 없었다.

끼이이이-

안토니오는 문을 열자 창밖을 보고 있는 케일 헤니투스의 뒷모습을 보았다. 기에르 공작가의 후계자 안토니오는 실로 오랜만에 누군가의 뒷모습을 보는 듯했다. 짜증과 답답함이 밀려왔다.

"안토니오 공자."

케일이 그를 부르며 천천히 뒤돌아섰다. 그리고 아무렇지 않게 물었다.

"사람들은 괜찮습니까?"

응접실로 들어서던 안토니오의 걸음이 멈췄다. 그는 케일을 응시했고, 케일은 제 질문을 안토니오가 이해 못한 듯하자 제대로 다시 물었다.

"납치되었던 왕국민들은 괜찮습니까?"

"……이런 질문을 할 줄은 몰랐는데."

"예?"

케일은 제 질문에 답하기는커녕 혼자서 중얼거리는 안토니오를 탐탁지 않은 눈빛으로 쳐다봤다. 그 눈빛에 안토니오는 실소를 흘리며 응접실 문을 닫았다.

"모두 무사히 다 구했습니다."

"다행이군요."

안토니오는 자신의 말에 슬쩍 미소를 그렸다가 지우는 케일을 볼 수 있었다. 그 모습에 안토니오는 기분이 묘해졌다.

영지민들에 대해 먼저 물은 것도 기에르 공작가를 무릎 꿇리기 위한 수작의 일종일까. 아니면 진심일까?

'앞으로 대화를 들어보면 알겠지.'

케일 헤니투스가 할 대화를 들어보면 모두 알게 되리라. 안토니오는 현재 한시가 급하고 일이 많았지만 여유를 잃지 않았다. 그는 느긋하게 소파에 앉아 케일에게 맞은편을 가리켰다.

그러나 케일은 그의 맞은편에 앉지 않았다.

"영지 일로 바쁘실 테니, 짧게 하죠."

케일은 굳이 할 것 없이 대화를 길게 하고 싶지 않았다.

"빙빙 돌려서 말하는 재주가 없다고 말씀을 드렸으니, 그대로 말하겠습니다."

"무엇을 말씀하실지 궁금하군요."

무엇을 요구할까.

안토니오는 소파에 기댔지만 등에 긴장을 풀지 않은 채 케일을 쳐다봤다. 케일은 품에서 서류를 꺼내 탁자 위에 올려놓았다.

탁!

두꺼운 종이 뭉치였다.

'이게 요구 사항인가?'

안토니오가 문득 생각했을 때였다.

"크리쉬 남작가가 과거 어린아이 납치를 암살 길드에 의뢰한 정황과 증거가 담긴 문서입니다."

안토니오의 표정이 굳었다.

노예장사가 끝이 아니었다. 하나가 더 있었다.

결국 케일 헤니투스는 가진 패가 두 개였고 이제야 하나를 더 드러냈음을, 안토니오는 뒤늦게 깨달았다. 그는 자신을 보며 미소를 그리는 케일을 볼 수 있었다.

"이건 영지민들 앞에서 말하지 않았습니다. 저만 알지요."

안토니오는 손으로 눈가를 쓸어내렸다. 하루 사이에 막대한 피로감이 덮쳐왔다.

"……빙빙 돌려서 말하는 재주는 나도 없습니다. 시간도 없고."

그는 케일에게 본론을 먼저 물었다.

"원하는 게 무엇입니까?"

탁!

하지만 그 물음에 대한 답보다 먼저, 서류가 하나 더 탁자 위에 던져졌다. 안토니오의 눈길이 그 서류에 닿았다.

"크리쉬 남작이 노예를 거래한 상단 정보입니다."

"음."

안토니오는 침음을 흘렸다.

케일을 그저 여러 의로운 행동으로 유명해진 이로만 알았건만, 그의 생각보다 케일은 치밀했다. 방금 전 사건이 터져 아직 공작가에서도 알아내지 못한 정보를 가진 케일. 그에게 안토니오는 끌려다닐 수밖에 없었다.

그리고 이어진 말에 안토니오는 머릿속이 순간 하얘졌다.

"제국 출신 상단입니다."

안토니오는 눈을 감았다.

'……미친 인간!'

크리쉬 남작에 대한 욕이 절로 나왔다. 왕국민을 노예로 만든 것도 모자라, 노예를 판 상단이 제국의 상단이란다. 영지 간에 영지민들 이사도 쉬이 허락해 주지 않는 판국에, 왕국의 사람을 타국으로 빼돌렸다. 이게 알려지면 기예르 공작가는 큰일이었다.

안토니오는 이를 자신에게 먼저 알려준 케일에게 순간 고마움마저 일었다. 동시에 숨이 막혀왔다. 약점이 잡혀도 제대로 잡혔다.

'안토니오, 귀족이란 자들은 결국 제 욕심을 위해 서로에게 칼을 겨누지. 그러니까 너도 칼을 들 줄 알아야 한다.'

할머니의 말씀이 머릿속에 떠올랐다.

지금 칼끝이 목에 닿았다. 그런 상황이었다.

"안토니오 공자."

안토니오는 눈을 떴다. 케일 헤니투스가 보였다.

"서남부의 문을 지키세요."

뭐라고?

생각지도 못했던 이야기가 흘러나왔다. 그는 탁자에 기대 자신을 내려다보는 케일의 시선을 피하지 못했다.

"이번처럼 제국 상단이 함부로 넘어와 로운 왕국에서 나쁜 짓을 못 하도록."

케일이 기예르 공작가에 원하는 것은 단 하나였다.

"나쁜 쥐새끼는 하나도 넘어오지 못하게."

북쪽에서 전쟁이 벌어질 동안, 제국이 로운 왕국을 넘볼 수 없게.

"수문장인 기에르 공작가가 문을 잘 지켜주십시오."

안토니오는 조금의 흔들림도 없는 케일의 눈빛에 손끝이 살짝 저려왔다.

"그게 내 본론입니다."

케일의 요구는 기에르 공작가가 당연히 해야 할 일을 제대로 하는 것이었다.

안토니오는 저도 모르게 침을 삼켰다.

당연한 일을 해달라는 것뿐인데, 귀족으로서 당연히 해야 할 일인데.

안토니오는 이상하게 그 말이 크게 다가왔다. 지금껏 진심으로 이 당연한 것을 바라는 귀족은 처음 보았다.

술. 망나니. 탐욕. 여러 글자들이 그의 머릿속에 나타났다가 사라졌다. 그는 자신이 케일에 대해 잘못 판단했음을 깨달았다.

이 사람은 다르다. 권력을, 탐욕을 원하는 것이 아니다. 귀족의 탈을 쓴 가짜가 아니다.

"……케일 공자-"

"그리고."

하지만 케일의 말은 끝나지 않았다.

"그리고, 왕국이 원할 때."

아직 왕세자가 원하는 바가 남아 있었다.

"그 문을 열어주십시오."

4국 1종족 연합은 제국을 가만두지 않을 것이다.

"이건 우리가 바라는 겁니다."

그리고 케일은 입을 닫았다.

귀족.

안토니오는 케일을 보며 '진짜 귀족'이란 단어를 떠올렸다. 진짜 귀족이 되길 원하는 안토니오는 빈주먹을 꽉 쥐었다.

응접실에는 정적이 내려앉았다.

안토니오는 자신의 꽉 쥔 주먹을 내려다보다가 펼쳤다. 텅 빈 손바닥이 보였다. 그는 스스로에 대해 한 가지를 깨달았다.

단지 대화를 청했을 뿐인데, 어찌하여 케일 헤니투스가 거래를 청할 것이라, 권력을 탐할 것이라 생각했을까.

안토니오는 자신의 텅 빈 손바닥에 가면이 보이는 듯했다. 귀족이라는 이름의 가면. 자신도 귀족의 탈을 가지고 있었다. 그의 입이 열렸다.

"문을 연다는 게 무슨 의미입니까?"

의미를 묻는 안토니오에게서 긴장감이 드러났다.

왕국이 원할 때 제국으로 향하는 문을 열어라.

잘못 알아들으면 상당히 위험한 발언이었다. 특출한 것 없는 로운 왕국이 제국을 향해 칼을 들이민다는 것으로 들릴 수 있었다.

"안토니오 공자."

하지만 오히려 케일은 그에게 되물었다.

"제국과 전쟁이라도 하자고, 그게 왕세자 저하의 뜻일까 봐 걱정되는 겁니까?"

맞다. 왕세자가 원하는 욕망이 혹여나 제국이나 타국과의 전쟁일까 봐. 그것이 걱정되었다. 안토니오는 상대방의 슬쩍 올라간 입꼬리를 보았다.

"난 분명히 말했습니다."

케일은 자신이 했던 말을 한 번 더 내뱉었다.

"왕국이 원할 때라고요."

왕세자가 아니라, 왕국이 원할 때. 그 둘 사이에는 꽤 큰 차이가 담겨 있었다.

안토니오는 그 차이를 그제야 깨달았다. 케일은 그가 깨달은 것 같자, 한마디를 더 덧붙였다.

"왕국을 위해 일하는 기에르 공작가라면 이 말뜻을 알겠지요?"

왕국을 위해.

안토니오는 그 말이 마음속에 훅 들어왔다. 동시에 그의 표정이 심각해졌다.

왕국 전체가 제국으로 향하는 문을 열지도 모를 상황. 그건 제국에서 로운 왕국이 그냥 넘어갈 수 없을 만큼의 큰 잘못을 저질렀음을 의미했다.

왕국 전체에는 왕가와 귀족, 백성, 모두가 담겨 있으니까.

'……제국이 무슨 짓을 한 건가?'

제국과 가장 가까운 서남부를 지배하는 기에르 공작가. 그 공작가의 후계자임에도 안토니오는 제국이 할 만한 짓이 무엇인지 도통 감이 잡히지 않았다. 그게 더 심각한 일임을 깨달은 그의 입이 곧바로 케일을 불렀다.

"케일 공자—"

"스스로 알아내세요."

제국이 무슨 짓을 저질렀냐고 물으려던 안토니오는 선을 그어버리는 대답에 입을 닫아야 했다. 딱히 반박할 수 없는 말이었다.

현재 약점이 잡힌 상태라, 안 그래도 상대가 요구하는 것은 웬만하면 군말 없이 해야 할 상황이었다. 거기다가 왕국과 관련된 제국 일이라면 기예르 공작가 스스로 알아내는 것이 맞았다.

직접 조사하거나, 아니면.

"……왕세자 저하께 여쭤보겠습니다."

공작가 위인 왕가에 물어보아야 한다.

안토니오는 자신의 대답을 당연하게 여기는 케일을 보며 은밀히 제국에 대해 조사하고 서남부 방어책을 한 번 더 점검해야겠다 마음먹었다.

그 반응이 케일이 원한 반응이었다.

긴장감을 가진다. 더불어 은밀히 제국을 주시한다. 동시에 권력이 아닌 왕국 전체에서 벌어지는 흐름에 관심을 가진다.

왕국 한 지역의 권력을 쥔 귀족가가 이런 태도를 취하면 케일 입장에서는 이득이었다. 케일은 기대고 있던 탁자에서 몸을 떼며 안토니오와 마주했다.

"그럼 생각해 보시고 올바른 결정을 하시길 바랍니다."

케일은 더 대화하는 것도 귀찮았다. 뭐든 요구는 짧게 말하는 편이 좋았다. 물론 협박도 잊지 않았다.

"건넨 자료들은 복사본입니다. 원본은 제 손에 있으니, 약점이 잡힌 입장이라는 거 잊지 말고 결정을 하셨으면 좋겠군요."

"하."

안토니오는 실소를 흘렸다. 그 행동에 케일은 인상을 찡그렸다. 협박을 했는데, 그 상대가 웃는다.

'……이상한데.'

분명히 제대로 알아들은 것 같은데, 안토니오는 고뇌는커녕 말끔한 얼굴에 시원한 미소를 그렸다.

'왜 웃지?'

케일이 의문을 가졌을 때, 안토니오는 반대로 시원한 기분을 느꼈다.

'할머니 말씀이 모두 맞는 건 아니었어.'

상대의 큰 약점을 쥐고서 요구하는 것이 왕국을 위한 일뿐인 귀족은 제대로 된 귀족이었다. 그런 귀족을 만난 것에 안토니오는 무언가 머릿속에 막혀 있던 것이 트인 기분이었다.

"케일 공자는 귀족이군요."

"당연한 말씀을."

케일은 그래도 안토니오에게 자신의 말이 제대로 먹혔음을 파악할 수 있었다.

'안토니오의 기준을 넘었나 보군.'

사람을 나누는 안토니오에게 '귀족'이란 말을 들었으면, 그럭저럭 그에게 좋게 평가되었다는 소리였다.

'이러면 나머진 왕세자가 알아서 하겠지.'

케일이 가진 자료를 왕세자에게 넘기면, 왕세자는 알아서 안토니오의 목줄을 쥐고 그가 제대로 움직일 수 있게 조종할 것이다.

케일은 자신의 계획대로 흘러가자 마음이 흡족해졌다. 그러나 계획보다 조금 틀어진 것이 있었다.

"바쁘실 테니, 그럼 이만 가보겠습니다."

응접실을 나가려는 케일에게 안토니오의 목소리가 들려왔다.

"고맙습니다, 케일 공자."

"……네?"

케일은 놀라서 되돌아봤다.

"여러모로, 고맙군요."

말끔하게 웃어 보이는 안토니오에게서 알 수 없는 활기가 느껴졌다. 케일은 예상과 달리 기분이 좋아 보이는 안토니오를 보며 이상하게 기분이 안 좋아졌다.

'……제대로 협박해서 뭘 뜯어낼 걸 그랬나?'

대범한 귀족 행세를 한답시고, 기에르 공작가에게는 자잘한 재물을 요구하지 않았다. 괜한 아쉬움이 찾아왔지만, 케일은 웃는 안토니오에게 슬쩍 억지 미소를 지어 보이곤 응접실을 벗어났다.

일단 오늘 해야 할 일은 대충 끝났다.

물론 하나가 남아 있었다. 그러나 그 일은 오늘이 아닌, 그다음 날. 12시가 지난 새벽이 되어서야 처리할 수 있었다.

손님방 중 가장 큰 방. 케일은 자신에게 배정된 침실의 푹신한 침대에 기대어 영상통신구를 쳐다봤다.

-연결했다!

지이잉.

영상통신구 위로 화면이 나타났고 라온은 온과 홍이 있는 구석으로 날아갔다. 옹기종기 모여 있는 세 아이들 앞에는 먹을 것들이 한가득이었다.

케일은 조용히 고기를 씹어 뜯는 라온을 쳐다보다가 영상통신 화면으로 시선을 돌렸다.

–케일 공자.

당연히 왕세자 알베르의 얼굴이 나타났다.

마지막 남은 일은 왕세자에게 보고하는 일이었다. 모름지기 선 난장판 후 보고 아니겠는가.

왕세자 알베르의 얼굴은 찌푸려져 있었다.

케일은 침대에 기댄 자신의 건방짐을 마음에 들어 하지 않을 알베르를 이해했다. 본인은 새벽까지 일을 하다가 간신히 짬을 내어 영상통신을 했는데 귀족 자제 나부랭이는 침대에 편히 있으니 얼마나 화가 나겠는가.

배부르고 등 따신 케일은 그 정도 왕세자의 속상함은 이해했다. 그렇기에 먼저 입을 열었다.

"저하–"

그런데 그 말을 끊고 알베르의 목소리가 침실 안에 울려 퍼졌다. 알베르는 잔뜩 찡그린 얼굴로 고뇌에 가득 찬 목소리를 내었다.

–자네는 정말 이 왕국의 별이 아니라, 빛이네.

……뭐야.

케일의 표정이 굳어졌다. 그러거나 말거나 알베르는 오랜만에 혀에 기름칠을 해댔다.

–자네라는 빛이 있다면 이 로운 땅 위의 어둠도 두렵지 않을 걸세. 자넨 떠오르는 별이 아니라, 정말 이 왕국의 가장 빛나는 별이야.

……왜 이래?

배부르고 등 따신데, 기분이 안 좋아졌다.

"저하, 일어날까요?"

케일은 기대고 있던 침대 등받이에서 일어나 똑바로 앉으려 했다.

–아니야, 그럴 필요 없네. 내 모두 들었어.

알베르는 언제 고뇌했냐는 듯 화사한 미소를 듬뿍 그려 보였다. 누가 보면 어디 꽃밭에 구경 온 줄 알았을 것이다. 그러나 알베르는 꽃밭보다 더 좋은 데에 온 심경이었다.

–기에르 영지에서 인신매매범들을 잡는다고 피를 토하며 쓰러질 뻔했다지?

"……그렇긴 그렇습니다만."

그렇다고 피를 토하거나 쓰러질 뻔하진 않았는데. 그냥 조금 피를 흘린 정도인데.

–엄청난 카리스마로 인신매매범들을 잡아내고, 그들의 건물을 은빛 방패로 부수고, 잡혀 있던 왕국민들을 구했다지?

"……그렇죠?"

그렇긴 그런데.

조금 과장된 것 같은데.

–일부러 술을 주문해 위장한 상태로, 음식점 창가에서 인신매매범들의 동태를 살피다가 홀로 기사 한 명만 대동한 채 당당히 맞섰고?

"……그만하죠?"

결국 케일이 인상을 찡그렸고, 알베르는 음흉한 미소를 그렸다. 그는 피곤에 가득 차 보이는 얼굴과 달리 아주 상쾌해 보였다. 그 모습에 케일은 왕세자 알베르에게 자세한 보고는 필요 없음을 깨달았다.

"대충 소식이 다 전해졌나 보군요."

왕가 소속 정보원이 기에르 영지에 있을 줄은 알았다. 왕세자는 서툰 사람이 아니니까. 다만 조금 과장되었다 해도 상당히 사실에 근접한 정보가 이렇게 빨리 왕세자에게 전해질 줄은 몰랐다.

–그래. 정보원을 통해 지금 영지 내에서 퍼지고 있는 소문을 들었지.

알베르 입에서 나온 이야기 그대로, 기예르 영지엔 빠르게 소문이 퍼지고 있었다. 공작가에서 막을 방도가 없는 게 소문이라는 존재였다.

그리고 그 소문을 들은 왕세자 알베르가 이번 일에 대해 평했다.

–좋게 미친놈.

알베르는 제 말에 히죽 웃어 보이는 케일의 꼴이 탐탁지 않았다. 소문 외 정보를 통해 듣기로는, 피를 토한 건 아니지만 피가 섞인 기침을 했다고 들었다. 그러니 저리 침대에 누워 있는 것이리라.

그러면 좀 자다가 아침에 보고해도 될 것을. 쓸데없이 성실해서 이 새벽까지 기다리고 있었다.

알베르는 그래서 이놈이 싫어도 가장 편했다. 자신과 비슷했으니까.

–보고할 게 뭐지?

그는 아픈 놈을 오래 붙들고 있을 만큼 고약한 심성도 아니었다. 더욱이 곧 카로 왕국 경매장에 가서 자신 대신 일해야 할 녀석이었다.

"간단한 보고입니다. 서류는 곧 보내 드릴 건데, 크리쉬 남작가와 거래한 상단이 제국 출신이고, 크리쉬 남작가가 과거 어린아이 납치를 암살 길드에 의뢰한 증거가 있습니다."

알베르는 순간 두통이 밀려왔다.

–그게 간단한 보곤가?

"네. 곧 기예르 공작가에서 연락을 할 겁니다. 목줄 채웠으니, 그 목줄 쥐고 이용해 먹으시면 됩니다."

–……갑자기 피곤해지는군.

케일은 그 말과 달리 활기가 넘치려고 하는 알베르를 떨떠름한 얼굴로 응시했다. 가만히 보면 왕세자는 누구 부려먹을 때 가장 행복해 보였다.

–제대로 목줄 쥐고 흔들어보지.

"네. 왕국의 별인 저하이시니 무슨 일이든 그 혜안으로 잘 해내실 겁니다."

케일은 다 말하고 나서 기묘함을 느꼈다. 그리고 곧 이유를 깨달았다. 본론이 다 끝나고 자신이 아부를 했음에도 알베르가 영상통신구를 끊지 않았다. 케일은 왕세자가 할 말이 있나 싶어 표정이 굳어졌다.

'일 시킬 건가?'

케일은 왕세자에게 기예르 공작가 뒤처리를 맡겨 꽤 흡족했던 기분이 서서히 가라앉았다. 그때, 왕세자의 목소리가 들려왔다.

–푹 자라.

뚝.

영상통신이 끊겼다.

왕세자는 아주 먹기 싫은 음식을 먹어야만 하는 것 같은 얼굴을 마지막으로 영상통신을 끝내 버렸다.

'찜찜한데?'

케일은 얼른 영상통신구를 저 멀리 치워 버렸다. 그리고는 라온에게 한 가지를 부탁하며 침대에 드러누웠다.

"라온."

"왜 그러나, 인간? 왕세자 말대로 푹 자라!"

"어, 잘 거야. 그리고 당분간 왕세자 영상통신 신호 오면 무시해."

"알았다!"

케일은 목 끝까지 이불을 덮어주는 라온의 앞발을 보며 당분간 왕세자의 연락을 씹어야겠다고 다짐했다. 그는 다시 한번 결심했다.

'올해 안으로, 아니, 내년 안으로 북쪽, 제국 다 치워 버리고 별장에서 쉬자.'

정말 소박한 소망과 함께 케일은 잠에 빠져들었다. 그런 그를 두고 한쪽 구석에서 평균 9세들은 대화를 나눴다.

"카로 왕국은 저번에 사막만 구경했다! 이번에는 다 본다!"

"여행은 참 좋은 것 같은데!"

온은 조용히 케이크를 먹어 치우며 동생들의 대화를 가만히 경청했다. 라온과 홍은 다음 여행지에 대한 설렘을 감추지 못했다.

"우리 집도 좋지만 여행도 좋다!"

"맞는데! 계속 이렇게 다 같이 여행 다니니까 좋은데!"

"맞다! 동대륙도 궁금하다. 다 가보자! 우리는 위대해서 할 수 있다!"

케일이 들으면 경악할 이야기들이 펼쳐졌다. 온은 힐끗 잠든 케일을 쳐다봤다가 고개를 절레절레 가로저었다. 하지만 그녀는 동생들의 바람을 꼭 들어주고 싶었기에 꾹 입을 다물었다.

온의 침묵 속에서 홍과 라온의 전 세계 여행기가 펼쳐졌다.

그날 밤 케일은 악몽을 꿨다.

"공자님, 얼굴이 안 좋으신데요?"

"악몽 꿨어."

케일은 지독한 악몽이 떠올라 저도 모르게 몸서리를 쳤다. 주렁주렁 짐덩이 같은 놈들을 데리고 세계 일주를 하던 꿈은 실로 끔찍했다.

심장의 활력은 정신적인 대미지를 극복해 주지 못했고, 실로 오랜만에 케일은 창백했다.

"……공자님."

오랜만에 케일을 만나러 온 이는 창백한 케일을 보며 조심스럽게 말했다.

"파에른 수도가 악몽이던데요."

플린 상단의 서자 빌로스. 그는 오랜만에 만난 케일이 자신의 말에 슬쩍 미소를 그렸다가 지우는 것을 볼 수 있었다.

파에른 왕국 수도 바고. 그곳에 위치한 전설의 장소, 신의 눈물 호수.

그 호수는 아직도 불을 끄지 못했고, 수도 안에선 신의 분노니, 신의 계시니 하며 말들이 많았다. 불 때문에 다친 이도, 피해를 본 이도 없건만, 불안감은 파에른 왕국 수도를 더욱더 잠식해 갔다.

빌로스는 그 일이 케일의 소행이 아닐까 반쯤 확신 중이었다.

"아직도 불 안 껐대?"

그리고 지금 내뱉는 말에 확신했다.

케일 헤니투스 공자가 또 큰일을 벌였구나!

"공자님, 도대체 무슨 일을 하신 겁니까?"

"왜?"

케일이 태연히 답하는 모습에 빌로스는 답답해져 왔다.

"북쪽이 난리입니다, 난리요. 완전히 난장판입니다!"

"잘됐네."

"허, 참."

빌로스는 처음으로 케일 앞에서 대놓고 탄식을 흘렸다. 케일은 이를 가볍게 무시하며 마차에 올라탔다.

"빌로스, 일단 카로 왕국으로 바로 가지."

경매장에 가서 경매 대신 사람을 낚아 와야 했다.

물론 덤으로 돈도.

41장
작은 목적

41장
작은 목적

그러나 케일 일행은 바로 카로 왕국으로 갈 수 없었다.

"왜 그리 일찍 떠나려는 겁니까?"

말끔한 미소가 케일에게 들이닥쳤다. 안토니오 기예르가 마차를 향해 다가오고 있었다. 그 모습을 응시하는 케일의 표정은 좋지 못했다.

'두 분 사이가 안 좋으신 건가?'

이를 지켜보던 플린 상단 서자 빌로스는 이내 둘의 사이가 좋을 수가 없음을 깨달았다.

서로 다른 왕자의 최측근이라 불리는 사람들이었다. 더불어 케일이 기예르 공작가의 인신매매 현장을 적발하여 영지에 혼돈을 불러일으켰고, 그 영향으로 기예르 공작가가 왕가와 동남부의 압박을 받게 만들었다.

'……이상하네?'

빌로스는 자신의 생각에서 이상함을 발견했다.

'왜 동남부만 압박하지?'

서북부와 동북부는 조용했다. 중앙이야 왕세자가 굉장히 분노하며 직접 조사단을 파견하였고 그 까닭에 중앙 귀족들이 몸을 사릴 정도라고 들었다.

그런데 다른 곳은 동남부와 달리 왜 조용할까?

'……그렇군.'

이내 답이 나왔다.

동북부는 원래 공후작가가 없었다. 그렇기에 우두머리가 없는 상태였다. 하지만 암묵적으로 헤니투스 백작가의 눈치를 봤다.

반면에 서북부는 스텐 후작가가 권력을 움켜쥔 상황이었다. 그리고 스텐 후작가의 가주 테일러 스텐은 왕세자 사람이었다.

빌로스는 문득 서북부 뒷세계 상권을 장악한 큰아버지 오데우스가 했던 말을 떠올렸다. 모고르 제국과 파에른 왕국에 은신처를 만들 때, 오데우스는 흔쾌히 빌로스에게 제집을 내어주며 흘러가듯이 말했다.

'케일 공자와 관련된 일이면 해야지. 서북부에서 살아남으려면 말이야.'

예사로 들었던 말이 갑자기 훅 치고 들어왔다. 빌로스는 몇 번 케일과 일했지만 그가 한 모든 일과 인맥을 전부 알지는 못했다.

'……이렇게 잘 모르고 누군가와 일한 적이 있던가?'

문득 든 생각에 빌로스는 등이 섬뜩하니 시려왔다. 그때, 그는 다가오는 안토니오 기예르를 쳐다보던 케일이 작게 중얼거리는 목소리를 들을 수 있었다.

"……귀찮네."

진심으로 케일의 귀찮아하는 마음이 느껴졌다. 그제야 빌로스의 표정이 조금 달라졌다. 이건 정적을 만나 거추장스러운 상황이 되었다고 느끼는 귀찮음이 아니라, 자다가 깨웠을 때 내뱉는 짜증과 비슷했다. 그리고 다가온 안토니오의 행동도 빌로스의 생각과 달랐다.

케일과 안토니오. 둘은 사이가 나쁠 것이다.

빌로스는 그리 생각했다. 그랬건만, 보이는 광경은 조금 달랐다.

"케일 공자, 뒤처리는 모두 확인하고 가야 하지 않겠습니까?"

안토니오가 마차 근처로 오자마자 내뱉은 말에 케일은 예의상 마차에서 내려 마주 섰다.

"기예르 공작가에서 하신 일이니, 잘하셨겠지요. 내가 확인할 필요가 있겠습니까?"

"……그렇군요. 그렇게 믿고 있군요."

안토니오는 잘 해결할 것이라 믿고 있는 케일을 보며 묘한 마음이 일었다. 그때 그의 등 뒤로 목소리가 들려왔다.

"우린 잠시 문을 걸어 잠글 걸세."

안토니오는 뒤돌아섰다. 동시에 자리에 있던 모든 이들이 허리를 숙였다. 케일도 고개를 숙였다.

소나타 기예르. 현 공작이 케일에게로 다가왔다. 케일은 그녀가 다가오며 건넨 말을 떠올렸다.

'우린 잠시 문을 걸어 잠글 걸세.'

왕세자와 기예르 공작가는 노예를 가져간 상단이 제국 출신임은 숨기기로 했다. 물론 제국 상단을 잡아들이는 순간 어떻게든 말이 퍼지겠지만, 현재는 최대한 소문이 퍼지는 것을 막고 있었다.

총 세 번.

크리쉬 남작가가 노예 거래를 한 횟수였다. 그 시기는 알베르의 위치가 공고해졌을 때와 겹쳤다.

기예르 공작가에서 미는 왕자 대신 왕세자 알베르가 강해지니, 크리쉬 남작가는 대안으로 돈을 모아 권력을 쥐는 쪽을 택했다.

왕세자는 이 모든 사실을 알고 난 후, 케일 앞에서는 큰 감정 변화를 보이지 않았지만 깊은 분노에 휩싸였다. 그는 현재 은밀히 다른 곳에서 또 다른 노예 거래가 있는지 조사 중이었다. 때문에 제국 상단의 일은 비밀에 부쳐졌다.

그렇다고 해서 왕국민들이 제국에 노예로 팔려 나갈 만큼 허술한 국경 경비를 했던 기예르 공작가의 죄는 사라지지 않았다.

결국 왕세자와 거래를 한 소나타 기예르 공작은 한 가지 결단을 내렸고, 이를 손자 안토니오를 제외한 다른 이들 앞에서 처음 내뱉었다.

문을 걸어 잠근다.

이는 케일이 바라는 조건, 수문장으로서 문을 단단히 걸어 잠그는 것을 뜻함과 동시에 하나가 더 있었다. 기예르 공작은 나머지 하나도 덧붙여 내뱉었다.

"그리고 당분간 기예르 공작가는 모든 대외 활동을 멈추고 밖에 있던 가솔과 가신들을 불러들일 걸세."

모든 대외 활동을 멈춘다.

식구들을 불러들인다.

이 말에 빌로스를 비롯한 다른 이들의 표정이 굳어졌다. 공작이 한 말의 의미를 알아챘기 때문이다.

대외 활동이라고 했지만, 공작가의 대외 활동은 결국 권력을 더 쟁취하는 일이었다. 그리고 그걸 하는 이들은 중앙 정계 곳곳에 퍼진 공작가의 사람을 뜻했다.

공작은 그것을 그만둔다고 선언했다. 그 말은 기예르 공작가가 중앙 권력을 손에서 놓는다는 선포나 다름없었다. '당분간'이라는 단서 조항이 붙었으나, 그래도 큰 사건이었다.

노예 거래.

큰 죄는 맞다. 그러나 기예르 공작가급에서 이 정도로 심각하게 다룰 일은 아니었다. 가신 가문이 한 짓이니 그저 몰랐다고 하면 될 일이었다. 원칙상으로는 그러면 안 되지만, 현실 권력 관계라는 게, 귀족 사회라는 게 그랬다.

'그런데 왜?'

타인들은 의문을 드러냈지만 소나타 공작도 안토니오도, 심지어 케일도 태연했다. 하지만 소나타 공작의 이어진 말에 더 큰 술렁임이 일어났다.

"또한 올해 안으로 안토니오에게 공작위를 넘겨줄 생각이야."

"할머니!"

안토니오가 놀라 소나타 공작을 불렀지만 그녀는 태연했다. 아니, 냉정한 상태였다.

'이건 내가 잘못한 일이야.'

후에 제국 상단의 존재가 드러나면 기예르 공작가는 한 번 더 흔들릴 것이다. 그러니 지금 자신이 책임을 지는 명목으로 물러서면 그나마 뒷말이 줄어들 터.

또한 크리쉬 남작가엔 작위 몰수와 지독한 벌을 주어, 다시는 그

가문 사람들이 세상에 모습을 드러내지 않게 할 작정이었다.

그렇게 해도 공작은 불안했다.

무엇보다 소나타 공작은 왕국의 문에 틈새가 생긴 것을 몰랐다. 자신이 권력을 쟁취하는 것이 살아남는 방법이라 생각했건만, 판단 착오였다. 권력 따지다가, 집 문이 뚫렸다. 이건 말도 안 되는 일이다.

그녀는 제 손자 안토니오를 응시했다. 늘 손자에게 일러두었다.

'귀족들은 탐욕스러운 자들뿐이다. 거기서 살아남으려면 다른 이들에게 칼을 들이밀 줄 알아야 돼. 어떠한 틈도 보이지 않고, 늘 그들을 판단하고 이용해야 한다.'

가혹한 말이지만, 손자는 그 말에 따로 반박을 하지 않았다. 그리고 늘 깔끔한 모습과 권위적인 귀족의 모습을 보여주었다. 그러나 그녀는 손자의 마음속을 눈치채고 있었다.

권위적이지만, 귀족이라는 이름에 자부심을 가진 손자 안토니오.

'가주님, 문을 걸어 잠가야 한다고 생각합니다.'

권력을 놓고 내실을 다지자고, 안토니오가 먼저 제안했다. 그녀는 이제 손자에게 자리를 넘기고, 그가 서남부의 단단한 문이 될 수 있게 지원해야 할 차례가 왔음을 깨달았다.

"……할머니."

다시 한번 손자가 자신을 부르자, 그녀는 단호히 말했다.

"난 지금 가주로서 말하는 중이다. 호칭 똑바로 하도록."

"……네, 가주님."

안토니오는 단호한 공작의 모습에 결정이 났음을 깨달았다. 소나타가 저럴 때는 더 이상 변화의 여지가 없음을 뜻했다. 그는 케일에게 다가가는 할머니의 뒷모습을 가만히 바라봤다. 이번 일로 부쩍

상심하고 자책하는 할머니의 모습에 마음이 아팠다.

그러나 그녀가 케일에게 건네는 말을 듣는 순간, 안토니오는 실소를 흘렸다. 공작은 무너지지 않았음을 깨달았기 때문이다.

"이 공작가에서 술을 가장 잘 마시는 사람이 누군지 아나?"

케일은 당황했다.

문을 걸어 잠글 거라곤 생각했지만 공작 본인이 직접 나와 갑자기 자숙을 선포하지 않나, 더불어 안토니오에게 공작위를 올해 안에 준다고 선포하지 않나. 그리고 뜬금없이 웬 술 얘긴가?

일단 케일은 물으니 답했다.

"……잘 모르겠습니다만."

소나타 공작의 얼굴 위로 주름진 미소가 걸렸다.

"나일세."

"……네?"

"내가 제일 잘 마신다고. 다음에 식사하면서 한잔하지."

그녀의 말에 빌로스가 감탄을 흘렸다.

소나타 공작은 웬만한 사람과는 사석에서 만나지도 않았다. 믿을 사람이 없어서란 이유였다. 그런 사람이 작위도 직책도 없는 이에게 밥을 먹자니.

'도대체 이번엔 공자님이 무슨 일을 하셨길래!'

철천지원수가 되어야 정상일 케일과 기예르 공작가 사이가 너무나도 좋아 보였다. 빌로스가 감탄을 담아 케일을 쳐다봤지만 케일은 지금 상황이 썩 마음에 들지 않았다.

'이 공작은 또 왜 이래?'

케일은 기예르 공작가 사람과 밥 한 끼 하고 싶은 마음이 전혀 없었다. 케일은 적당히 예의를 차린 부드러운 미소를 그리며 밥 한 끼 하자는 공작에게 답했다.

"언젠가 연이 닿는다면, 좋은 술 들고 오겠습니다."

연이 닿는다면. 그 말은 그냥 안 온다는 소리였다. 그러나 소나타 공작은 자신과 친분을 쌓을 기회가 왔음에도 조급해하지 않고 의연한 모습에 감탄했다.

'확실히 만만한 녀석이 아니야.'

왕세자는 문을 열어야 할 순간이 오면 사람을 보내 알리겠다고 했다. 그녀는 그 사람이 분명 케일 헤니투스일 것이라 믿었다.

"그래. 다음에 꼭 보도록 하지."

노인의 눈이 반짝거리며 다음을 기약했고, 케일은 슬그머니 시선을 회피하며 살짝 고개를 숙였다.

'다음은 무슨.'

케일은 그럴 생각이 전혀 없었다.

안토니오는 케일과 할머니의 모습을 보며 미소를 그렸다. 할머니가 케일 헤니투스를 진짜 귀족으로 인정하였음을, 오로지 그만이 눈치챘다.

"그럼 저는 이만 가보겠습니다."

케일은 공작에게 인사를 한 후, 마차에 올라타려 했다. 그러다가 문득 떠오른 생각에 뒤돌아서며 공작에게 물었다.

"공작님, 다들 안전합니까?"

정확한 대상을 지칭하지 않았지만, 소나타는 대번에 알아챘다.

"그래, 안전하네. 건강해지고 있고."

납치되었던 왕국민들 이야기였다.

"다행이군요."

소나타는 자신에게 보였던 케일의 부드러운 미소와 달리 약간 씰룩이듯 올라갔다가 내려가는 입꼬리를 보며, 이게 케일의 진짜 미소임을 깨달았다.

'괜찮은 아이야.'

생각보다 더 괜찮은 아이였다. 이번에 대화를 나눈 왕세자도 생각보다 훨씬 올바른 이였고.

그녀는 이왕 권력을 놓는다면 다음 권력을 쥘 때를 준비해야 한다고 여겼다.

'왕세자, 케일과의 연락은 모두 안토니오에게 맡겨야겠어.'

소나타가 케일을 보는 눈빛이 더 깊어졌으나, 케일은 더는 붙잡지 않는 공작가의 모습에 안도의 한숨을 내쉬었다.

잠시 뒤, 케일은 거추장스러운 인사를 모두 마치고 기예르 공작가를 떠날 수 있었다.

함께 마차에 타고 있던 빌로스는 일련의 광경을 지켜보며 케일이 '재물'에 있어서도 대단하지만, 다른 부분에서도 능력이 뛰어나다는 것을 알 수 있었다. 그래서 이번 카로 왕국에 대한 기대감이 마음속에 차올랐다.

그 순간, 그는 케일이 마차 좌석에 드러눕는 것을 볼 수 있었다.

"하, 피곤해."

만사가 귀찮은 얼굴엔 짜증이 가득했다.

냐아아옹.

은빛 고양이가 베개를 물어다 케일의 곁에 놓았다. 케일은 베개를 머리맡에 놓고는 좌석에 누웠다.

그 모습을 가만히 지켜보던 빌로스는 눈을 잠시 감았다가 떴다. 케일 공자는 도통 알 수가 없는 사람이었다.

"잔다. 말 시키지 마."

빌로스는 케일의 지시에 고개를 끄덕이며 입을 다물었다.

'누가 이 꼴을 보고 은빛 공자라고 할까.'

그는 기에르 영지에서, 서남부에서 정의로운 귀족이 되어가는 케일을 떠올리며 저 한없이 게을러 보이는 공자를 외면했다.

"안녕하십니까? 오랜만입니다."

검은 로브에서 내비게이션과 같은 목소리가 흘러나왔다.

"어. 오랜만이다."

케일이 대충 설렁설렁 손을 흔들며 인사를 받아주었다. 그러자 검은 로브의 네크로맨서 메리가 케일 일행의 마차 안으로 올라탔다.

카로 왕국의 남부. 최대 규모의 경매장이 있고, 도시 전체가 경매를 위해 존재하는 베거스시.

"공자, 오랜만이에요!"

알베르의 이모인 다크엘프 타샤도 뒤따라 마차에 올라섰다. 마차엔 기에르 영지에서 함께 출발했던 빌로스가 보이지 않았다. 그는 베거스시에 도착하자마자 마차에서 내려 플린 상단 베거스 지점으로 이동한 상태였다.

타샤는 빈 좌석에 앉으며 어색한 미소를 그렸다.

"음, 베거스시가 화려한 도시기는 하죠?"

"그렇지, 뭐."

덤덤하게 답하는 케일과 달리 타샤는 묘한 표정으로 마차 한 귀퉁이를 쳐다봤다.

2월에 열리는 신년 경매 시즌을 기념하여 베거스시는 화려하게 치장했다. 안 그래도 화려한 도시가 붉고 푸른빛들로 가득 차 시선을 둘 곳이 너무나도 많았다.

베거스시는 바드도, 연극도, 경매와 도박도. 온갖 볼거리와 즐길거리가 넘쳐나는 유흥의 도시였다. 타샤는 그런 도시를 보며 태연한 케일은 예상했었지만, 다른 광경은 예상 밖이었다.

"우아! 저 빛나는 조각품 갖고 싶다!"

"저 모자 예쁜데!"

"저 망토 두르고 다니면 멋질 것 같은데!"

검은 용과 고양이 두 마리가 창밖을 내다보며 정신을 못 차리고 있었다. 그들 품에는 저금통이 들려 있었다. 꼬맹이들은 연신 저금통을 만지며 '갖고 싶다'를 연발하고 있었다.

휙. 라온의 고개가 케일과 타샤, 메리 쪽으로 향했다. 타샤가 멈칫했을 때 검은 용이 케일에게 말했다.

"인간! 나 저금통에 돈 많다! 나 사고 싶은 거 다 산다!"

번쩍이는 것들과 신기한 것들로 가득한 베거스시는 6살 라온의 마음을 사로잡아 버렸다. 온과 홍의 마음도 마찬가지였다. 고양이들도 라온을 따라 케일을 쳐다봤다. 당장 케일이 허락하면 부단장 힐스만을 데리고 나가 물건들을 살 기세였다.

다크엘프 타샤는 이를 멍하니 쳐다보다가 케일의 목소리에 눈을 크게 떴다.

"사 줄게."

마차 안에 정적이 감돌았다.

"뭐, 뭐라고 했나?"

라온이 말을 더듬었다. 반면에 케일은 태연히 말했다.

"갖고 싶은 거 다 사 준다고. 다 사."

어린애들이 갖고 싶어 하는 게 비싸봤자 얼마나 비싸겠나.

"그, 그래도 되나?"

"나, 나 많이 살 건데!"

"……이상한데!"

세 아이들은 혼란스러워하면서도 슬금슬금 케일의 곁을 둘러쌌다. 그러거나 말거나 타샤는 멍하니 있다 메리의 기계적인 목소리를 들을 수 있었다.

"역시 공자님은 선량하고 따뜻하십니다."

맞는 말에 타샤는 고개를 끄덕이면서도 기분이 이상했다.

"인간, 최고다! 역시 우리 인간이 좋다!"

"용돈도 올려줄게. 20실버로."

"이, 이, 이 착한 인간!"

라온이 칭찬을 쏟아내기 시작했지만 케일은 대충 흘려들었다. 애들이 사 달라고 해봤자 뭐 얼마나 사 달라고 하겠는가. 곧 있으면 그는 수백억을 벌 텐데.

케일의 마법 주머니에는 붉은 목걸이와 검은색 보석이 자리를 차지하고 있었다.

"공자님, 그럼 숙소 먼저 가는 겁니까?"

타샤가 신난 아이들을 따스히 바라보다가, 케일에게로 따스한 시선을 옮겼다. 케일은 그 시선에 가차 없이 답했다.

"어. 그러고 나서 가볍게 산책을 가려고."

"산책이요?"

"그래."

"어디로요?"

"도박장."

"……네?"

황금 나무 모양의 거대한 건물.

최대 규모의 합법적 도박장.

매년 네 번, 그 도박장의 최상층에서는 VIP 경매가 열린다. 그곳에 올 두 명에게 물건을 아주 비싼 값에 산뜻하게 팔아버리는 것이 케일의 작은 목적이었다.

-인간, 이, 이것들은 뭔가!

냐아아옹.

냐아옹!

산책을 나왔다.

도박장으로.

케일은 1층의 화려한 분수대와 마법 도박 장치, 더불어 한쪽 편에 놓인 테이블들을 보며 유유히 걸음을 내디뎠다.

-이, 인간! 방금 봤나? 동화 한 개를 넣었는데 마법 장치가 금화를 내놓는다!

투명화한 6살 용의 눈이 바삐 1층 곳곳을 훑어보고 있었다.

분명 동화 한 개를 넣어 수많은 금화를 만들어주는 마법은 없다. 마법이든 연금술이든 무엇을 하나 희생해 그에 상응하는 대가를 얻는다. 마나를 사용하여 불을 얻고, 바람을 얻고. 이런 식으로 말이다.

검은 용은 수많은 과일 그림을 맞춰야 하는 저 마법 도박 기구의 본질을 대번에 파악했다. 2년 동안 세상 경험을 한 똑똑한 용은 케일에게 깨달은 바를 심각하게 말했다.

-인간, 저 마법 장치들을 털 생각은 없나?

"어이구."

케일은 기가 찼다. 동시에 감탄했다.

'확실히 용은 다르네.'

라온은 저 슬롯머신과 비슷한 도박 마법 장치를 사용해 보자는 게 아니라, 저 마법 장치를 가져가서 분해해 보고 싶다고 한다. 케일은 내심 흡족한 마음이 일었지만 모른 척 되물었다.

"왜?"

워낙 시끄러운 곳이라 작은 고양이 한 마리를 품에 안은 케일의 목소리에 신경 쓰는 이는 없었다. 당연히 홍을 품에 안고 따라오는 부단장 힐스만과 그 뒤의 빌로스만이 의아해하며 혼잣말을 하는 그를 쳐다보았을 뿐이었다. 케일이야, 그 둘한테 조금도 신경 쓰지 않고 있었다.

-왜긴 왜인가! 작동 원리를 파악해야 한다. 그것도 모르나?

호오.

-그래서 여기 돈 다 내가 가진다! 내 저금통에 있는 1실버로 모두 다 털어먹는다!

케일의 얼굴이 떨떠름해졌다.

역시 용은 대단했다. 케일보다 생각이 한층 더 실용적이었다. 케일은 진지하게 라온의 의견에 관해 고민했지만 이내 1동화, 카로 왕국 화폐 단위로 1카운드를 기계적으로 마법 장치에 넣는 사람들을 보며 시선을 돌렸다.

체념, 기대, 간절함, 집착, 절망감. 온갖 감정들이 뒤섞여 모인 돈은 뺏고 싶지 않았다. 이왕 빼앗는다면 그래도 될 만한 놈들의 돈을 뺏는 게 좋지 않겠나?

"공자님, 저기 올라갑니다."

빌로스가 살짝 한쪽을 가리켰다. 케일의 눈동자가 1층의 가장 안쪽을 향했다.

금으로 겉을 감싼 거대한 나무 모양의 건물. 황금이 열리는 나무라고 하여 황금 나무라 불리는 이곳은 카로 왕국이 승인한 합법적 도박장이었다.

누구나 1은화, 10카운드를 내면 입장이 가능했고, 1층에 들어서면 가장 안쪽까지 일직선으로 분수대가 놓여 있었다. 일정 간격으로 놓인 다양한 모양의 분수대들을 지나면, 황금 문으로 장식된 통로가 하나 존재했다.

그곳은 황금 나무의 열매라 일컫는, 상층으로 가는 통로였다. 지금 그 통로로 한 사람이 안내를 받으며 걸어가고 있었다.

케일이 찾던 두 사람 중 한 명으로, 그가 모고르 제국에 있을 당시 빌로스에게 시켜 초대장을 보내게 한 사람이었다. 그 사람은 근엄한 표정을 짓고 있는, 50대 정도 되어 보이는 중년인이었다.

그러나 근엄한 표정과 달리 썩 좋은 느낌을 주는 인간은 아니었다.

'비리로 덕지덕지 치장된 정치인? 아니면 권력자?'

딱 그 정도 느낌을 주는 인간이었다.

태연한 케일과 달리 빌로스는 탄성을 흘리며, 열린 황금 문으로 발을 내딛는 중년인을 뚫어질 듯 바라보고 있었다.

"……정말로 저 상단주가 올 줄은 몰랐습니다."

중년인은 상단주였다.

모고르 제국 다섯 손가락 안에 드는 상단. 싱텐 상단.

상술도 뛰어나지만 그보다 정치력이 훨씬 뛰어나 십여 년 사이 제국 내에서 급격하게 성장한 상단이었다.

그 상단의 주인인 플라빈 싱텐. 빌로스는 그가 케일이 익명으로 보낸 초대장에 반응해 이곳에 온 것도 놀라웠지만, 더 놀라운 사실에 숨을 들이마셨다.

'불의 결정이 정말로 공자님 손에 있구나.'

케일의 명으로 초대장을 쓴 장본인이 빌로스였다. 그렇기에 그는 케일이 무엇을 미끼로 두 사람을 불러냈는지 알고 있었다.

불의 결정. 싱텐 상단이 소유하고 있다고 알려진 보석이자 목걸이였다.

오래전 용암에서 발견된 신비의 보석. 어떠한 불도 이 보석을 흠집 낼 수 없었고, 이후 마탑을 설계했던 드워프 장인이 맡아 아름다운 목걸이로 만들었다고 한다.

그걸 십여 년 전 싱텐 상단이 이곳 베거스 황금 나무 경매장에서 소유하게 된 것으로 알려져 있었다.

'그런데 그걸 어떻게 공자님이 갖고 계시지?'

빌로스는 도대체 어떻게 된 연유인지 알 수가 없었다. 그렇지만 그는 케일의 수완에 감탄했다. 어쨌든 그 목걸이를 현재 케일이 가지고 있단 소리 아닌가?

'그렇다면 밤의 환희도 진짜로 가지고 계시겠군.'

또 다른 인물을 불러낼 미끼인 보석, 밤의 환희.

빌로스는 큰 건이라던 케일의 말을 떠올리며 마르는 입술을 혀로 축였다. 통통한 얼굴에 깊은 기대감이 드러났다.

'최소 200억이다.'

불의 결정만 해도 십여 년 전에 공식 경매 낙찰가가 150억이었다. 물론 경매와 달리, 비밀리에 치러질 거래이니 이 금액에서 조금 더 얻거나 혹은 덜 얻는 정도일 터. 이 또한, 싱텐 상단이 이 목걸이를 원한다는 전제하였지만, 여기까지 상단주가 온 것을 보면 상대는 저 보석을 원한다는 뜻이었다.

빌로스는 슬그머니 케일에게 속삭였다. 그 목소리는 상당히 들떠 있었다.

"공자님, 150억은 버시겠군요."

"뭔 소리야?"

"네?"

그는 황당해하는 케일의 표정을 볼 수 있었다. 정말로 케일은 황당했다.

150억이라니.

"빌로스."

"네, 공자님."

중요한 이야기를 하려는 듯 진지해진 케일의 모습에 빌로스는 자세를 똑바로 하며 이어질 이야기를 기다렸다.

"나는 경매에서 물건들이 왜 몇십억, 나아가 백억을 넘기면서 낙찰되는지 이해가 잘 안 돼."

케일은 VIP 경매에서 낙찰되는 보석과 예술품의 가격을 선뜻 이해할 수 없었다.

"하지만 그만한 가치가 있으니 높은 가격에 낙찰되겠지."

그 가치는 순수한 예술적 가치일 수도 있었고, 투자 혹은 그 외의 이유일 수도 있었다. 그리고 케일은 그 가치를 존중할 생각이 충분했다. 그래서 이번 거래 물품들에 대한 가격 책정은 그 경매가에서 시작했다.

케일의 입에서 불의 결정의 최종 가치가 흘러나왔다.

"300."

"네?"

케일이 내뱉은 숫자에 빌로스는 잠시 머릿속이 멍했다.

'내가 제대로 들은 게 맞을까?'

왜 그리 비싼 가격에 낙찰되는지 이해할 수 없다더니, 케일의 입에서 튀어나온 가격은 두 배였다. 그것도 그냥 두 배가 아니다.

300억.

케일은 분명 300억을 언급했다.

카로 왕국이 경매에서 사용하는 화폐 단위는 카로 왕국의 화폐인 카운드였다. 상업이 발달한 나라이니만큼 카로 왕국의 300억 카운드는 로운 왕국으로 오면 350억쯤 될 것이다.

'헛소리를 할 분도 아니고!'

빌로스는 답답함이 목 끝까지 치밀어 올랐다.

케일은 헛소리를 할 사람이 아니다. 헐렁한 것 같아도 계산이나 자신의 이득에는 합리적인 편이었다. 그런 이의 입에서 나온 가격은 당연히 실현 가능한 가격일 터.

"……공자님."

"어."

"늘 곁에 있겠습니다."

빌로스는 충성스러운 무장의 표정으로 케일을 뚫어질 듯 쳐다봤다. 케일은 당연히 코웃음을 치며 아부를 대충 넘겼다.

빌로스는 그 모습에 그가 앞으로 어떻게 거래를 진행할지 더 궁금증이 일었다. 하지만 선뜻 묻지 못했다. 그가 본 케일은 필요한 일이면 말해주는 사람이었고 곁에 있으면 자연히 알 수 있게 해주었다.

'그래도 이번엔 궁금한데, 물어볼까? 물어도 쉬이 가르쳐 줄 분도 아닌데.'

빌로스의 생각은 정확했다. 케일은 이번만큼은 빌로스가 물어도 설명해 줄 수 없었다.

케일이 론과 프리지아를 통해 알아낸 노예 거래 상단 정보는 꽤 상세했다.

1차 보고로 들은 상단 이름은 케일이 처음 듣는 상단이었다. 하지만 그 이후 이어진 보고로 그 상단의 진짜 주인을 알아낼 수 있었다.

현재 론이 이 황금 나무 도박장에 없는 것도, 굳이 타샤가 이 무리에 합류한 것도 그 주인을 알아내고 난 후 결정된 일이었다.

케일은 집 두 채를 부숴 버리고 난 새벽, 영상통신으로 알베르 왕세자에게 1차 보고를 했다. 그리고 그 후 받은 2차 정보 또한 왕세자에게 알려주었다. 카로 왕국에서 펼쳐질 이번 거래 수익의 3은 왕세자의 몫이었으니까. 물론 안토니오의 목줄을 쥐여줌으로써, 케일은 약속대로 수익을 5 대 5에서 7 대 3으로 바꿔 7을 얻을 수 있게 되었다. 그는 왕세자가 한 말을 떠올렸다.

'그 상단의 뒷배가 싱텐 상단이란 말이지?'

노예 거래를 했던 상단의 뒷배가 싱텐 상단이었다. 불의 결정을 거래할 곳도 싱텐 상단. 참 공교롭게도 이렇게 엮였다.

'자네 정보통은 참 대단해.'

당연히 대단했다.

자그마치 정보 길드를 이끄는 이가 론이었고, 더불어 원래 제국과의 국경선이 존재하는 서남부에서 활동하던 암살 길드원들이 프리지아와 그녀의 동료들이었다.

그들은 노예 거래 상단 직원이 제국의 국경선에 존재하는 싱텐 상단 지부에 방문해 거액의 어음을 들고 나오는 정황을 파악했다. 이를 바탕으로 그 지부를 심층 조사했고, 결국 지부장이 전령새를 통해 보내는 비밀 서신을 빼돌려 정보를 알아냈다.

'정보통들을 나한테 소개시켜 줄 생각 없나?'

'없습니다, 저하.'

당연히 론과 정보 길드원들의 존재가 제대로 세상에 드러난 적이 없었기에, 수월하게 진행 가능했던 일이었다.

'저하, 어떻게 할까요?'

케일이 싱텐 상단주와의 거래를 앞두고 새로이 얻은 노예 거래 관련 정보를 어떻게 처리할지 물었고, 도리어 왕세자는 되물었다.

'어떻게 했으면 하지?'

'원래대로 하죠.'

'원래대로?'

케일은 원래 계획이 좋다고 판단했다.

'보석을 팔아서 싱텐 상단에서 돈을 벌고, 저하는 계획대로 수사를 진행하셔서 상단을 잡아들이는 거죠.'

'……돈은 악착같이 뜯어내고, 상단은 잡아서 다 족치고?'

'맞습니다.'

'훌륭하군. 그렇게 하도록 하지.'

왕세자의 허락이 떨어졌으니 이제 케일 마음대로 하면 되는 일이었다.

"저, 공자님."

케일은 조심스럽게 저를 쳐다보는 빌로스를 내려다봤다.

"그, 어떻게 그렇게 파실지 너무 궁금해서요. 작은 힌트라도 얻을 수 없을까요?"

-나도, 나도 궁금하다! 300억이라니! 인간, 넌 위대, 아니, 위대한 건 나지만 너도 대단하다!

라온의 우렁찬 목소리가 머릿속을 뒤흔들었다. 케일은 충격받은 듯 시끄러운 여섯 살 때문에 머리가 울려 미간을 찌푸렸다. 그 행동에 조심스레 물었던 빌로스가 멈칫했다. 괜히 물었나 싶었다.

케일은 라온과 빌로스뿐만 아니라 이 둘만큼 궁금해하는 힐스만, 온, 홍 주변을 훑어보았다. 시끄러운 도박 장치 소리가 계속 울렸다. 케일 일행 곁에 다른 사람들은 없었다. 그제야 그의 입이 열렸다.

"싱텐 상단이 어떻게 그 자리까지 왔는지 생각해 봐. 그게 답이니까."

집중해 듣고 있던 빌로스의 표정이 애매해졌다. 반면에 케일은 미소를 그렸다.

싱텐 상단이 어떻게 그 자리에 왔냐고?

싱텐 상단은 십여 년 전부터 급격하게 성장한 상단으로, 제국 내에서 황실과의 사이가 가장 좋은 상단이었다. 정치력도 상당히 뛰어난 상단으로 평가받았다.

빌로스도 아는 사실이고 케일도 아는 사실이었다. 덧붙여 케일은 여기에 하나를 더 알고 있었다.

'그리고 불의 결정은 교황의 비밀 장소에서 나왔지.'

십여 년 전부터 싱텐 상단이 소유했다고 '대외적으로' 알려져 있지만, 케일이 발견한 이 목걸이는 교황의 것이었다. 그 말이 무엇이겠나?

'싱텐 상단이 교황에게 바쳤거나, 교황이 구해 오라 지시해서 싱텐 쪽에서 구해 왔거나.'

둘 중 하나였다. 그리고 그 정보가 싱텐 상단주의 마음을 불안감으로 날뛰게 만들 것이다.

이는 현재 태양신 교단과 제국의 상황이 모든 걸 말해주었다.

'싱텐 상단이 정치를 잘한다더니, 교단, 제국 양쪽에 다 발을 걸쳤어.'

그게 이제부터 악재가 되리라.

케일은 황금 문으로 사라진 상단주가 낚싯줄에 낚여 펄떡이는 모습을 떠올렸다. 그냥 자동적으로 그런 모습이 그려졌다.

또한, 케일은 돈만 악착같이 뜯어낼 생각은 없었다. 결코 약점을 그냥 넘겨줄 순 없는 일. 거기다가 싱텐 상단은 약점이 두 개다.

교황에게 바친 이 목걸이와 노예 거래 정황.

약점이 되어버린 이 두 가지로 싱텐 상단이 어떻게 십여 년 전부터 급격하게 성장했는지 충분히 예상 가능했다.

연금술 종탑에서 빈민가와 고아인 아이들을 실험체로 쓰는 것을 멈췄을 때, 그때부터 또 다른 실험체를 제공한 공급책 중 하나가 싱텐 상단이리라. 그래서 성장했을 것이다.

케일의 머릿속으로 라온의 목소리가 들려왔다. 여전히 감탄 중이었다.

–인간, 나도 그 정도 모을 거다! 인간, 너는 어디에 그 돈을 쓸 건가? 나 사과파이 사 달라!

그깟 사과파이쯤이야.

케일은 대충 고개를 끄덕였다. 물론, 이미 이번에 벌 돈의 일부를 어떻게 쓸지 정해두긴 했다.

케일은 론과 프리지아를 통해 모은 싱텐 상단 관련 정보를 원본을 제외하고 따로 두 개의 복사본을 더 만들었다.

하나는 왕세자에게 줄 정보가 담긴 복사본. 또 다른 하나는 제국에 숨어서 세력을 모으고 있을 두 사람, 주정뱅이 연금술사와 묘족 기사 렉스 경에게 넘겨줄 복사본이었다. 물론 제국의 두 사람에게는 지금이 아닌 나중에 넘겨줄 예정이었다.

'탈탈 털어야지.'

케일은 싱텐 상단을 차근차근 탈탈 털어버릴 작정이었다. 그래야 기예르 영지 빈민가에서 지하실 문을 열었을 때 보았던 그 절망 어린 얼굴들을 잊을 수 없더라도, 잊을 수 있을 것만 같은 기분이 들 것 같았다.

'돈도 벌고. 아주 좋아.'

꽤 마음에 드는 계획이었다.

—……인간, 갑자기 왜 사기 칠 때처럼 웃나? 나 사과파이 하나면 된다!

케일은 라온의 말은 가볍게 흘려들으며 빌로스가 가리키는 또 다른 사람을 쳐다봤다.

"……아무래도 그분이 보낸 사람 같습니다."

또 다른 보석 밤의 환희가 불러낸 미끼.

케일의 시선에 한 사람이 잡혔다.

평범한 신관복을 입은 평신관. 그는 치료차 온 듯 치료 도구들을 바리바리 들고서 황금 문 안으로 황급히 사라졌다. 신관복에는 태양신 교단 문양이 있었다.

카로 왕국은 서대륙에서 두 번째로 태양신 신도가 많은 왕국이다. 물론 제국에 비하면 그 수가 많지는 않다.

밤의 환희는 카로 왕국 베거스시 태양신 신전에서 보관하고 있다고 알려진 보석이었다. 참으로 숭고한 의미가 담긴 보석이기도 했다.

'그걸 주교는 자신의 직위를 위해 교황한테 바쳤단 말이지.'

두 번째로 낚을 놈은 카로 왕국 태양신 교단 주교였다. 카로 왕국 태양신 교단을 대표한다고 볼 수 있으며, 앞으로 교황이 될 것으로 가장 유력한 이였다.

이제 이 사람은 앞으로 반쪽짜리 성자 잭의 앞길을 밝혀줄 불빛이자 든든한 지원군이 될 것이다. 물론 자의는 아니겠지만.

어쩔 수 없었다. 다음 태양신 교단의 교황은 잭의 자리니까.

–인간! 무슨 사기를 칠 거길래, 아주 심하게 그렇게 웃나?

케일은 활기찬 도시에 와서 그런지 절로 흥이 났다. 흥이 났으니 슬슬 움직여야 하지 않을까.

신년을 기념해 2월에 열리는 VIP 경매는 총 3일에 걸쳐 황금 나무 도박장 최상층에서 비밀리에 진행된다. 하지만 열리는 날짜와 방문한 사람까지 파악 가능한 경매라 비밀 경매라고 보기도 힘들었다. 물론 경매장 안에서는 모두 가면을 쓰지만, 베거스시 방문 기록으로 다 파악이 가능했다.

그럼에도 비밀 경매라고 불리는 이유는 경매 전까진 경매 물품을 알 수 없기 때문이었다.

황금 나무 관계자들은 비밀 경매에서 나오는 물건에 대해 절대로 말하지 않았다. 죽음의 신관 앞에서 경매 물품 보안에 관한 죽음의 맹세를 했기 때문이다.

'그래도 소문은 돌게 마련이지.'

비밀 경매 전 서대륙에 진귀한 물품이 발견되면, 그리고 발견 직후 소재 파악이 힘들면 사람들은 비밀 경매부터 떠올린다. 그 덕에 VIP들은 물론 지켜보는 일반인들에게도 이 경매에 등장할 물건들에 대한 무성한 소문들이 늘 전해졌다.

그래서 케일은 싱텐 상단주와 태양신 카로 왕국 주교에게만 정보를 하나 보냈다.

"힐스만."

까딱까딱. 케일이 손가락으로 부르는 모습에 힐스만은 대번에 케일 앞에 섰다.

'삼백억이라니. 삼백, 삼……!'

빠릿빠릿한 행동과 달리 힐스만의 머릿속에는 케일이 내뱉은 숫자뿐이었다.

'백작님께 보고해야 하나?'

엄청난 돈 크기에, 데르트 헤니투스 백작에게 이번 일을 보고해야 하는 것인지 고민되었다. 그 전까지만 해도 예사로 생각했건만, 이건 부자 영지에서도 큰 금액이었다. 그때 그의 귓가로 케일의 목소리가 들려왔다.

"힐스만."

"네, 네?"

딴생각을 했단 것을 여실히 드러내는 얼빠진 반응이었다. 하지만 케일은 이런 모습을 그렇게 책잡지 않는 주군이었다. 물론 아직 주군의 맹세를 하지 않아, 힐스만 마음속에서만 주군이었다.

"이번 건은 영지엔 말하지 말도록. 만약을 대비해 모으는 돈이니까."

만약이라고? 그저 비상금으로 두기에는 큰돈이 아닌가?

힐스만 마음속에 의문이 차오를 때였다.

"자네는 올해 무슨 일이 벌어질지 짐작하고 있지 않은가?"

"아."

힐스만은 작게 탄성을 흘렸다.

올해 벌어질 일. 케일이 하는 일을 모두 알 순 없지만, 그의 뒤를 따르다 보면 몇 가지가 보였다. 그중 제국과 북 3국의 일은 대강이라도 짐작이 되었다. 특히, 그 '암'이라는 놈들도.

힐스만은 그제야 만약이 무엇인지 이해했다. 동시에 케일의 마음을 짐작했다.

'만약 나중에 전쟁이 터져 영지에, 왕국에 위급한 일이 생기면 그 때 쓸 돈으로 모아두시려는 거구나!'

이제야 왜 그리 큰 금액이 필요한지도 이해되었다.

영지, 나아가 왕국의 평화를 위한 돈이다. 그런 돈이니, 적은 돈으론 턱도 없을 터.

힐스만은 역시 은빛 공자님답다는 생각이 들었다. 또한 이런 건 힐스만이 '단장이 되는' 길을 택했다면 얻을 수 없는 경험이었다.

'잘 택했어.'

케일을 따라다니기로 한 일, 강해지기로 한 일. 힐스만은 그 모든 것이 만족스러웠다.

"네, 공자님. 당연히 보고 안 합니다."

씩씩한 힐스만의 대답에 온이 고개를 절레절레 가로저었다. 온은 슬쩍 케일을 쳐다봤다. 케일은 그 대답을 당연하다는 듯 여기고 있었다. 그 당연하다는 반응에 힐스만이 찡한 기분을 느낄 때, 케일은 온이 예상한 '만약'을 대비하고 있었다.

'전쟁 터지기 전에 바짝 벌어놔야 나중에 먹고살기 편하지.'

그는 전쟁이 끝나면 인생에 '일'이라는 글자를 지우고 '백수'라는 글자를 새길 생각이었다. 그러려면 지금 벌어야 한다. 케일은 굳세게 다짐했다.

반면에 빌로스는 힐스만과 케일의 대화를 들으며 이상한 예감이 들었다.

'……공자께선 그저 돈 모으는 게 좋아서 돈을 모으고 계셨던 게 아니란 말인가?'

두 사람의 대화는 빌로스의 생각보다 더 큰 미래와 대의를 담고 있는 것 같았다.

'모고르 제국의 일은 알지만. 그것 말고도 뭔가 더 큰일이 있나?'

상인의 촉이 말해주었다.

곧 기회 혹은 재난이 온다고.

이리저리 탐색하듯 움직이던 빌로스의 눈동자가 케일과 마주쳤다. 빌로스는 저를 빤히 보고 있던 눈빛에 멈칫했다.

"빌로스, 내가 왜 북쪽에 갔을까? 답을 찾아봐. 그러면 돈이 보일 테니까."

빌로스는 케일이 하는 말을 듣는 순간, 머릿속에 번쩍하고 빛이 보이는 듯했다. 희미한 빛이었지만 그는 어떻게 행동해야 할지 깨달았다.

"공자님, 늘 필요한 일 있으시면 저를 찾아주십시오."

대놓고 아부의 미소를 지어 보이는 빌로스의 모습은 그가 택한 선택을 의미했다. 하지만 케일은 그러려니 넘기며 온과 홍을 내려다봤다.

아기 고양이였던 2년 전에 비해 부쩍 성장한 두 아이는 무엇을 해야 할지 안다는 듯 입을 벌리며 작은 송곳니를 드러냈다.

"온, 홍. 론 불러와."

냐아아옹.

홍이 입꼬리를 씰룩이며 울어댔다. 뭔가 재밌는 일을 시킬 것 같았기 때문이었다.

그 예상은 맞았다.

그날 밤.

홍은 케일의 품에 안겨 지붕 아래를 내려다봤다. 케일은 잘 먹고 잘 자란 데다가 부집사 한스의 철저한 관리까지 받아 보드라운 홍의 긴 털을 쓰다듬었다.

"참, 싱텐 상단주도 어지간히 급했나 봐. 그렇지, 빌로스?"

"네, 네."

빌로스는 케일의 물음에 급히 답하면서도 서늘해지는 기분을 느꼈다.

그는 케일을 따라 지붕 아래를 내려다봤다. 물론 그는 주저앉아서 밧줄에 매달려 있는 상태였다.

반면에 케일은 바람의 소리를 발끝에 매단 채 여유롭게 지붕 꼭대기에 서 있었다.

'공자님은 힘을 숨기고 계셨구나!'

공자가 가진 힘은 고대의 힘이라는 방패뿐만이 아니었다. 평범한 이라면 가파른 지붕 꼭대기 뾰쪽한 곳에 서 있는 것조차 힘들고 간이 떨릴 것이다. 빌로스 자신도 힐스만이 업어다 주지 않았나.

'내가 공자님에 대해 너무 몰랐어.'

빌로스는 케일의 과거를 떠올렸다.

망나니로 유명했던 케일 헤니투스. 그가 망나니인 척했다는 것은 알고 있다. 하지만 그 사실이 이제야 새삼 크게 다가왔다.

'그래, 진짜 망나니라면 이렇게 서대륙에 대해 잘 알까?'

케일은 서대륙 내 나라와 유명한 지명, 유력 인물에 대해 대부분 알았다. 로운 왕국 동북부 구석에 있는 영지에서 이 정도 알려면 공부를 해야 했다.

'그간 몰래 공부를 하셨구나.'

더불어 여러 물리적인 힘도 기르시고. 이쯤 되자 빌로스는 서자로 살아오며 힘을 모으던 자신보다 케일이 더 커 보였다.

'도대체 무엇을 내다보고 계신 걸까?'

빌로스는 돈을 떠나 한 인간으로서 촉이 왔다.

그간의 무수한 기록이 말해주었다. 스스로를 감추던 이가 진면목을 세상에 조금씩 드러내기 시작했을 때, 세상은 바뀐다.

빌로스는 매달린 밧줄을 꾹 쥐며 케일을 따라 시선을 옮겼다.

'……또 숨겨둔 힘이 단지 본인만의 힘만 있는 게 아니었어.'

싱텐 상단주가 있는 것으로 파악된 저택. 그 저택을 기이한 안개가 둘러싸고 있었다. 케일이 묘족을 데리고 다니는 것은 알았지만 그 묘족이 안개까지 다룰 줄은 몰랐다.

'그리고 은밀한 정보 단체와 강자들을 데리고 계신 줄도 몰랐지.'

복면을 쓴 정보 단체 단원들. 그들은 지금 케일의 명에 따라 움직이고 있었다. 상인으로서 개인 정보 요원을 두고 있는 빌로스였지만, 그렇게 은밀한 정보 요원은 처음 보았다.

'싱텐 상단주에게 은밀히 접근이 가능하다니! 그 정도면 거의 최상급 암살자일 거야.'

빌로스는 도통 그 사람이 누군지, 감이 잡히지 않았다.

아마 빌로스는 그 사람이 어제까지만 해도 그에게 레몬 꿀차를 타다 주던 론임을 알면 경기할 듯 놀랄 것이다. 하지만 여기, 빌로스보다 더 놀랄 사람이 하나 있었다.

케일이 내려다보던 집의 주인, 플라빈 싱텐. 싱텐 상단을 이 자리까지 끌어올린 장본인이자, 제국 최고, 나아가 서대륙 최고 상단을 꿈꾸는 남자. 그는 술잔을 테이블에 두드리며 얼굴을 구기고 있었다.

"……어떻게 안 거지?"

딱. 딱. 딱.

나무 술잔이 나무 테이블에 부딪칠 때마다 울리는 둔탁한 소리도 플라빈 싱텐의 생각을 막지 못했다.

'불의 결정이라니!'

제국에 줄을 댈지, 교황에게 줄을 댈지 고민하던 때. 둘 다 하면 되지, 라는 안일한 생각으로 교황과 닿았던 끈 중 하나가 불의 결정이었다.

다시없을 청렴한 신관인 척했던 교황은 욕심이, 특히 물욕이 상당했다. 그 당시 상단주는 교황이 원하는 불의 결정을 바치고 태양신 교단과 돈독해질 수 있었다.

당연히 제국 몰래 한 짓이었다.

'그게 내 발목을 잡을 줄이야!'

플라빈 싱텐의 시선이 테이블 한구석으로 향했다. 펼쳐진 초대장이 보였다.

이번 경매장에 불의 결정이 나타날 겁니다.

가장 먼저 보고 싶다면 초대장에 적힌 날짜, 그 장소에 계세요.

"……미친 새끼. 어떤 새끼인지 잡히기만 해봐."

플라빈은 이를 갈며 분노를 참지 못했다.

이 일 때문에 안 그래도 바쁜 와중에 카로 왕국 경매장에 와야 했다. 또, 제국에 들키면 안 되는 일이라 대놓고 많은 사람들을 데리고 오지도 못했다. 그가 키우던 암살 길드도 데리고 나오지 못했다.

'황태자 눈이 매서우니, 길드 애들 하나 데려오는 것도 어렵고.'

지난해 말, 연금술 종탑 부탑주 살인 미수와 태양궁 일부 붕괴 사건 후 황태자 아딘은 제국 내 은밀한 단체에 대한 촉각을 곤두세우고 있었다.

그런 상태에서 플라빈은 자신의 암살 길드를 대동하고 국경을 넘는 위험한 짓을 할 수 없었다. 자신의 무기를 이런 때에 드러낼 순 없는 노릇이었다.

'……그래도 내가 위험할 일은 없겠지?'

암살 길드 부길드장과 상급 익스퍼트 검사 둘을 호위로 데려왔다. 소드 마스터가 오지 않는 이상, 목숨이 위험해질 일은 없었다.

딱. 딱. 딱.

술잔을 두드리는 소리가 규칙적으로 이어졌다.

'일단은 초대장을 보낸 미친놈을 잡고, 불의 결정이 정말로 그놈에게 있다면 빼앗는다.'

약점을 남겨둘 수 없었다.

딱. 딱.

탕.

딱-

"……음?"

이질적인 소리가 들려왔다. 플라빈 상단주는 술잔을 내려놓았다.

탕.

무언가 창문을 두드렸다. 고개를 돌렸다. 커튼으로 반만 가린 창문이 보였다. 그제야 플라빈은 이상한 광경을 눈치챘다.

"……안개?"

건조한 기후를 지닌 카로 왕국. 비도 내리지 않는 한밤중에 갑자기 나타난 짙은 안개가 플라빈의 눈을 사로잡았다. 그의 손바닥에 살짝 땀이 맺혔다.

안개가 붉었다.

저건 정상적인 안개가 아니었다.

끼이익. 방문이 열렸다.

"상단주님."

암살 길드 부길드장이었다.

"확인해."

상단주의 지시에 암살자는 곧바로 창가로 향했다. 지켜보는 플라빈의 곁에 검사들이 섰다. 플라빈은 곧바로 해독 포션을 손에 쥐며 실드 마법이 새겨진 마법 물품을 꺼내 들었다.

탕.

또다시 창문을 두드리는 소리가 들렸다. 검사들은 검 손잡이를 쥐었다. 암살자는 한 손엔 단검을 들고서 커튼을 순식간에 걷어냈다.

촤르르르-

커튼이 걷어졌고, 그곳엔 아무도 없었다.

"음."

상단주는 침음을 흘렸다. 반면에 암살자는 아무도 없는 테라스에 남겨진 물건을 발견했다. 그러나 이 물건은 탕탕거리며 창문에 부딪쳤던 소리의 정체는 아니었다. 소리를 낸 물체는 무엇인지 전혀 알 수 없었다.

발견한 물건은 작은 초대장이었다. 그 초대장은 곧 암살자의 손바닥 위에 놓인 채로 상단주 앞에 나타났다.

초대장에는 짧은 글이 적혀 있었다.

랑-3번

VIP 경매장 좌석 번호였다. 상단주는 눈에서 불빛이라도 쏟아낼 듯한 시선으로 암살자와 호위들을 응시했다.

"도대체 네놈들은 뭘 한 거지?"

안개가 퍼질 동안, 그리고 누군가 침투해서 이런 초대장을 놔두고 갈 동안, 호위와 암살자는 한 것이 없었다. 그러나 화를 내려던 상단주의 표정은 이어진 상급 익스퍼트의 말에 굳어졌다.

"상단주님, 죄송합니다. 안개를 보자마자 뛰어오긴 했는데 아무런 기척도 느끼지 못했습니다. 분명히 말씀드린 대로 호위 중이었는데."

이곳으로 오기 전 상단주 호위를 어떻게 진행할지 미리 얘기를 해두었다. 상단주도 확인한 사항이었고. 그는 이들이 해이해져 그 내용대로 호위를 진행하지 않았을 것이라 판단해 화를 냈다.

그런데 현실은 달랐다. 암살자도 조용히 말했다.

"상단주님……. 지금까지 저는 어떠한 인기척도 느끼지 못했습니다. 안개를 보고, 탕 소리만 들었습니다."

그제야 플라빈 상단주는 사태를 깨달았다.

부길드장과 상급 익스퍼트 두 명이 조금의 기척도 느끼지 못할 정도의 강자. 그 강자가 놓아두고 간 초대장.

꿀꺽. 상단주는 침을 삼켰다. 온몸에 소름이 돋아났다. 그는 초대장에 적힌 좌석표를 뚫어지게 쳐다봤다.

VIP 경매가 시작되는 첫날. 그는 이 초대장에 적힌 곳으로 반드시 가야 할 이유가 하나 더 생겼다.

그건 두려움이었다.

"다녀왔습니다."

복면을 쓴 론이 음성 변조를 한 채 보고했다. 케일은 내려다보던 저택에서 시선을 돌렸다.

"가자."

붉은 안개가 사라진 저택은 조용했다. 케일은 그 적막 속에서 싱텐 상단주가 스스로의 처지를 깨닫길 바라며 숙소로 돌아갔다.

다음 날. 케일은 새로이 구입한 마법 주머니를 들고서 황금 나무로 향했다. 당연히 삼백억을 담을, 텅 빈 마법 주머니였다.

황금 나무 최상층. 베거스시에서 가장 높은 이곳은 마치 곧 막을 올릴 연극무대를 기다리는 듯 조용하면서도 그 아래 깔린 수군거림이 존재했다.

달칵.

싱텐 상단주 플라빈은 '랑' 3번의 문을 열었다.

VIP 경매가 열리는 경매장은 1~5열까지 좌석이 있었다. 그리고 그 안에서도 VIP는 존재했다.

랑. 경매가 펼쳐지는 단상은 물론 좌석들까지 모두 내려다보이는 테라스. 총 8개의 테라스가 경매장 안에 존재했고 이를 '랑'이라 불렀다. 경매장을 한눈에 파악 가능하고, 무엇보다도 테라스 안에는 방음 마법이 설치되어 있으며 다른 곳보다 본인 정체를 숨기기 용이했다.

그중 3번 테라스에 플라빈 싱텐이 화려한 보석이 달린 가면으로 얼굴을 가린 채 들어섰다.

좌르르륵. 플라빈은 테라스에 쳐진 커튼을 걷었다. 그는 갑작스럽게 랑 3번 자리를 구해야 했으나, 제국에서 다섯 손가락 안에 꼽히는 싱텐 상단주에게 원래 주어진 자리는 테라스 1~8번 중 하나였다. 그 안에서 번호는 무의미했다.

"상단주님, 차를 내어올까요?"

플라빈은 저를 부르는 소리에 뒤돌아섰다. 경매장 안에 경매 참가자들은 시종을 한 명씩 대동할 수 있었다. 기사나 마법사를 대동할 순 없었다. 그래서 플라빈은 암살 길드 부길드장을 시종으로 데려왔다.

"됐어."

플라빈은 고급 소파에 앉지도 않고 테라스 주위를 둘러보았다.

'4번 테라스일까? 그놈. 불의 결정을 가지고 있을 미친놈이 어디에 있을까?'

플라빈의 관심은 오로지 그 하나뿐이었다.

테라스는 두 개씩 붙어 있었다. 물론 당연히 두 테라스 사이에는 두꺼운 벽이 존재해 서로를 확인하기 힘들었다.

플라빈은 혀로 입술을 축였다.

'어떻게 만난단 소리야?'

저쪽에서 어떻게 접촉해 올지 짐작이 되지 않았다. 그는 암살자에게 물었다.

"4번은 플린 상단이라고?"

"네. 플린 상단 후계 2순위로 불리는 빌로스라고 합니다."

1부터 8까지. 싱텐 상단주는 모든 정보력을 동원해 각 테라스를 채울 인물들을 파악했다.

'……플린 상단 후계자가 그 미친놈일까?'

플라빈이 손에 넣은 정보를 바탕으로 보면 서자 빌로스는 아직 애송이였다. 무엇보다도 그는 제국에서 교황청 근처에는 가지도 않았으며 교단과의 접점이 없었다.

'내가 몰랐던 걸 수도 있지만.'

자신이 플린 상단을 얕보는 걸 수도 있었지만 다년간 쌓아온 감이 말해주었다.

플린 상단은 아니다. 그 정도 수준의 놈들은 아니다.

확신에 가까운 감이었다. 조금 더 음습하고 파악하기 힘든 존재. 그게 그 미친놈의 정체일 것 같았다.

"곧 시작입니다. 일단 앉으시는 게 어떨까요?"

"그러지."

암살자의 말에 플라빈은 자신이 과하게 초조하게 굴었음을 인지

했다. 화려한 가면 아래에는 긴장 어린 얼굴이 그려져 있었다.

'플린 상단 후계자는 이미 4번 테라스에 들어갔다고 했어.'

플라빈은 제일 마지막으로 랑 테라스에 입장했다. 그의 입장을 마지막으로 황금 나무 경매장 측은 테라스로 향하는 입구 문을 닫았다. 그 입구 앞을 뛰어난 검사들이 지킨다고 했다.

'그래 봤자 그 미친놈보다는 약할 텐데.'

플라빈은 자신을 협박하는 놈이 보기 싫으면서도 보고 싶었다.

'이게 끌려다니는 입장인 건가.'

상단주는 지난밤 이후 목표를 바꿨다. 이전에는 상대 정체를 밝히고 목걸이를 빼앗는 것이었다면 이제는 '거래'로 그 목적을 바꿨다.

합당한 거래. 서로에게 이득이 된다면 이 만남도 썩 나쁘지 않을 터. 상단주는 그간 쌓은 노하우를 이럴 때 써야 하지 않겠냐고 마음을 다독였다. 물론 그는 상대의 머릿속에 '합당한 거래'라는 단어가 없음을 미처 파악하지 못했다.

두둥-

북이 울리는 소리가 났다.

"시작합니다."

"그래."

암살자의 말에 플라빈은 자세를 바로 하며 태연하게 경매장 무대를 위에서 내려다봤다.

북소리에 맞춰 경매를 진행할 진행자가 나타났다. 경매사 역시 화려한 가면을 쓴 채 확성 마법 장치에 대고 말했다.

"반갑습니다. 신년 기념 VIP 경매를 찾아주셔서 진심으로 감사합니다."

말 내용과 달리 경매사는 전혀 저자세가 아니었다. 그는 당당한 태도로, 나올 물품들에 대한 간단한 설명과 함께 기대감을 불러일으켰다.

"저희 VIP 경매는 총 3일 동안 날마다 가장 최고의 물건을 하나씩 내놓는 것으로 유명하죠."

경매사는 이번 VIP 경매의 테마, 주제를 알렸다.

"이번 경매의 주제는 '수인'입니다. 아! 물론 저희는 생명체를 경매에 올리지 않습니다. 노예와 같은 그런 야만적인 짓은 경계하죠. 하하!"

암살자는 슬쩍 플라빈의 눈치를 살폈다. 저기서 야만적이라고 말하는 노예 거래로 이 자리까지 오른 이가 플라빈 싱텐이었다. 그러나 태연한 상단주의 모습에 암살자는 경매사의 말을 모른 척했다.

"그러면 첫 번째 물품부터 공개하겠습니다!"

무대 위로 첫 번째 물품이 올라왔고 사람들은 경매의 시작을 기념하는 박수를 쳤다.

짝짝짝-

플라빈은 박수를 치지 않고 그저 내려다보았다.

짝짝짝-

탁.

박수 사이로 다른 소리가 들려왔다.

플라빈 싱텐의 몸이 굳었다. 암살자는 품의 단도를 손에 쥐고는 곧바로 플라빈 뒤에 섰다.

방금 들렸던 아주 작은 소리. 그 소리는 테라스 난간에서 들려왔다. 마치 누군가 테라스 난간을 밟고 테라스 안쪽으로 넘어오는 듯한 소리였다.

"시작가는 1억 카운드입니다!"

호쾌한 경매사의 목소리가 들린 순간이었다.

촤르르륵.

커튼이 닫혔다. 플라빈은 사람은 보이지 않고 저절로 닫히는 커튼에서 시선을 떼지 못했다.

달칵.

뒤이어 테라스 안쪽 문에 잠금 장치가 걸렸다. 침입자는 보이지도 않았다. 플라빈은 품 안의 실드 마법 장치를 움켜쥐었다.

"실드를 펼칠 필요는 없을 텐데."

아무도 없는 공간 속에서 목소리가 들려왔다.

'젊다.'

젊은 남자의 목소리였다.

마법 장치를 쥔 플라빈의 손끝이 잘게 떨렸다. 그러거나 말거나 남자의 목소리는 이어서 들려왔다.

"시종으로 암살자라니. 너무 살벌한 거 아닌가? 단검은 집어넣어 둬."

"흐읍."

플라빈은 등 뒤에서 암살자의 긴장 어린 한숨을 들을 수 있었다. 상단주와 암살자. 두 사람의 머릿속에 함께 떠오른 글자가 있었다.

강자. 보이지 않는 남자는 강자다.

덜컹. 플라빈이 앉은 소파 앞의 테이블이 움직였다. 그 테이블을 보던 플라빈의 눈동자가 커졌다.

"뭘 그리 놀라?"

아무도 없던 공간에서 한 남자가 나타났다. 팔짱을 낀 채로 테이블에 걸터앉아 있는 백발의 남자. 백발만큼 하얀 가면을 쓴 그의 서늘한 푸른 눈동자가 플라빈을 응시하고 있었다.

'……빌어먹을. 최소 상급 마법사야.'

상단주는 상대가 사용한 것이 투명화 마법임을 깨닫자 목이 타기 시작했다. 하지만 그 긴장감은 부길드장인 암살자만 하지 않았다.

'마법사에 전사다.'

단검을 꺼내던 자신의 행동을 알아차린 것. 그것만으로도 이 사람이 무술에 일가견이 있음을 의미했다. 최소 상급 마법사에 무투가라니. 거기다가 은신에 붉은 안개까지 떠올리자 암살자는 머리가 아파왔다.

그러나 눈앞의 침입자, 케일은 그저 라온이 이야기하는 대로 말했을 뿐이었다.

-인간, 나 위대하지 않나?

실드 마법 장치, 시종의 정체, 단검. 모두 라온이 알아서 설명해주었다. 이런 유익한 용 같으니라고.

케일은 갈수록 척척 알아서 행동하는 라온에 대한 흐뭇함을 미뤄두고 플라빈에게 미소를 그려 보였다. 눈과 코, 광대까지만 가린 하얀 가면인지라 웃는 입꼬리가 그대로 드러났다.

"어, 어떻게 여길-"

케일은 저를 보자마자 플라빈이 처음 내뱉은 말이 아주 평범한 헛소리라는 사실에 고개를 가로저었다.

중요한 건 그게 아니었다.

케일은 품에서 목걸이를 꺼냈다. 촤르르륵. 손에서 흘러나온 목걸이가 케일의 검지에 걸쳐 흔들리고 있었다.

플라빈의 눈동자가 불의 결정에 박혀 떨어질 줄을 몰랐다. 그때 그의 귓가로 백발 남자의 목소리가 들려왔다.

"300."

그 말에 정신을 차린 플라빈이 팔걸이를 잡으며 얼굴을 일그러뜨렸다.

"네놈은 누구냐? 누구길래 감히 나에게 이딴 짓을!"

"어휴."

케일의 입에서 한숨이 흘러나왔다.

"진부하네."

"뭐?"

케일은 진부한 반응을 들어줄 생각 따위는 눈곱만큼도 없었다. 그렇기에 제 할 말을 했다.

"300억."

화를 내려던 플라빈의 움직임이 멈칫했다.

300. 300억.

그는 그제야 케일이 하는 말을 이해했다. 그러자 곧바로 황당함이 튀어나왔다.

"무슨, 그런 미친 소릴!"

"그럼 황태자에게 가?"

아주 거만하고 시건방짐이 하늘을 찌를 듯한, 짜증이 가득 담긴 목소리였다. 그런데 쉽게 다가가기 힘든 분위기를 풍겼다.

플라빈은 화를 내려다가도 테이블에 앉아 그를 내려다보는 상대의 시선에 숨이 턱 막혀왔다. 케일은 대충 지배하는 아우라를 플라빈과 암살자에게 쓰며 입을 열었다.

"플라빈 싱텐."

플라빈은 장난감 돌리듯 불의 결정을 빙빙 돌리는 남자를 그저 쳐다봐야만 했다. 무슨 말이 나올지 알 수 없었으니까.

"제국과 태양신 교단. 어느 곳의 역사가 더 길지?"

갑작스러운 물음이었다. 하지만 누구나 답할 수 있는 물음이었다.

당연히 태양신 교단. 그곳이 더 오래되었다. 제국보다 신이 더 오래 존재했으니까. 당연한 문제였다.

더불어 플라빈의 표정이 변했다. 그런 그에게로 하얀 가면의 남자는 담담히 말을 이었다.

"오래 살아남는 데에는 이유가 있는 법이야."

제국보다 오래 버텨온 태양신 교단. 제국의 기틀이 마련되기 전부터 태양신 교단은 서대륙에 뿌리를 내려왔다.

플라빈은 사라졌던 수많은 종교들과 왕국들을 떠올렸다. 그는 얼마 전만 해도 그것들과 태양신 교단을 같은 선상에 놓았다. 그래서 제국의 편을 들었고, 불의 결정을 손에 넣어 교단과의 끈을 끊어내버릴 생각이었다.

그런데 지금 이 눈앞의 사람을 보자 이상한 생각이 들었다.

꼭. 저자는 지금 꼭 태양신 교단이 끝나지 않았다고 말하는 것 같지 않은가?

마치, 제국보다 더 오래 살아남을 것처럼 말하지 않는가?

플라빈의 얼굴 위로 단순한 분노와 초조함, 그것들 대신 다른 것이 자리하기 시작했다. 의문과 더불어 기회를 노리는 장사꾼의 눈빛이었다.

"플라빈 싱텐, 정치를 잘한다지?"

맞다.

플라빈은 남자의 물음에 속으로 수긍했다. 그나마 잘하는 게 정치였다.

"그러면 잘 알 거야. 제국에 드리운 악재들이 무엇을 의미하는지 말이야."

플라빈의 얼굴 위로 또 다른 감정이 스쳐 지나갔다.

케일은 그 모습을 보며 실소를 삼켰다. 아마 지금 플라빈의 머릿속에선 태양궁 기둥이 부러진 일과 부탑주 암살 미수 사건이 떠오를 것이다.

예상대로 플라빈은 그 일을 떠올리고 있었다. 제국은 두 사건의 내용을 숨겼으나, 그 모든 일들이 황궁에서 일하던 하인과 하녀, 그리고 기사가 펼친 일임은 암암리에 퍼져 있었다.

'설마?'

설마 그 일의 범인이 태양신 교단과 관련되어 있나?

태양신 교단은 오랫동안 사람들을 황궁에 심어둘 정도로 치밀했단 말인가?

그 생각을 한 순간이었다. 한 가지가 더 퍼뜩 떠올랐다.

'왜 연금술 부탑주를 건드린 거지? 설마, 노예 거래를 아는 건가? 내가 한 짓도?'

플라빈의 눈동자가 살짝 흔들렸다.

–저 상인, 눈 흔들린다.

라온의 신호에 케일은 최대한 의미심장해 보이는 미소를 그렸다.

"싱텐 상단주, 잘 생각해 봐."

플라빈은 그 말대로 생각했다.

'이 사람은 누굴까?'

미친놈이라 불리던 자가 어느새 그 호칭이 '이 사람'이 되었다. 플라빈은 그 차이를 스스로 깨닫지 못하고 있었다. 대신 그에게 웃음기 섞인 목소리가 들려왔다.

"내가 누군지."

하얀 가면의 사람은 자신이 누군지 잘 생각해 보라고 했다. 그러나 플라빈은 도통 감이 잡히지 않았다. 백발에 파에른 왕국이 순간 떠올랐으나 그쪽은 태양신 교단과 상관없었다.

하지만 이어진 말에 플라빈은 한 가지를 깨달았다.

"내가 왜 굳이 너를 찾아왔는지."

이 사람이 왜 굳이 자신을 찾아왔을까?

단순히 목걸이를 빌미로 협박할 사람으론 보이지 않았다. 상대는 더 큰일을 하려는 사람만이 가지는 분위기를 지닌 자였다.

"내가 말한 돈이 단순히 이 목걸이 따위의 값인지. 잘 생각해 봐."

300억.

순간 머릿속이 번뜩였다. 플라빈은 300억의 가치가 무엇인지 깨달았다. 태양신 교단과의 끈을 다시 공고히 할 돈. 그 가치였다.

제국인가, 태양신 교단인가. 아니면 둘 다인가.

'아니지. 상단 미래도 걸렸다.'

이자가, 이자와 함께하는 이들이 노예 거래 정황을 다른 왕국에 퍼뜨린다면?

당장 여기 이 카로 왕국에서 퍼뜨린다면?

상대는 제국도 아직 잡지 못한 자들이었다. 플라빈 자신이 이들이 밝히는 정보들을 덮을 수 있을까?

기회와 위기. 모든 것들이 한꺼번에 물밀듯이 밀려왔다.

그때.

"뭘 고민하지? 네 방식대로 해."

한심해하는 말투였다. 케일은 플라빈에게 한 가지 사실을 더 알려주었다.

"살아남는 게 강자야."

플라빈의 머릿속 뿌연 안개가 사라졌다.

툭.

플라빈은 테이블 위로 떨어진 마법 주머니를 응시했다. 백발의 남자는 점점 투명해져 갔다.

촤르르륵. 커튼이 걷혔고, 더 이상 다른 소리는 들리지 않았다.

플라빈은 한참 동안 의자에 앉아 고민에 빠졌다. 그리고 고민의 끝에, 그는 마법 주머니를 손에 쥐었다.

"다섯 번째 물품입니다!"

달칵.

경매사의 말을 뒤로하고 플라빈 싱텐은 테라스를 나갔다. 그 순간 4번 테라스에 있던 빌로스는 시종으로 온 론을 제외하고는 아무도 보이지 않았건만 입을 열었다.

툭. 툭.

어깨를 두드리는 손길에 저절로 입이 열렸다.

"1번 테라스에 평신관이 있습니다."

케일은 미소를 그렸다.

경매 마지막 날, 케일은 두 사람만의 경매를 할 생각이었다.

밤의 환희. 그것의 값은 케일이 정하지 않는다.

'주는 대로 받아먹어야지.'

급한 놈이 알아서 할 테니까.

VIP 경매 둘째 날. 빌로스는 지금 자신이 무엇을 하고 있는 건가 싶었다.

"오, 오늘은 쉬십니까?"

"어. 쓰읍, 아. 흘렸네."

케일은 입가에 묻은 소스를 대충 닦아냈다. 이놈의 닭꼬치는 지역마다 다 먹어보는 것 같다는 생각을 하며 장난감 가게 앞에 섰다.

냐아아옹!

"그래, 그래. 장난감 가게부터 가자고."

베거스시에서 가장 상가들이 밀집된 남쪽 거리. 그곳에는 하루에도 수많은 관광객들이 오갔다. 빌로스는 부단장 힐스만을 힐끗거렸다. 그는 텅 빈 마법 주머니를 들고서 케일 뒤에서 대기하고 있었다.

'저 인간이 저럴 사람이 아닌데.'

부단장 힐스만. 단장 자리를 노리던, 꽤 딱딱하고 권위적인 인간이었다. 그런 인간이 지금 묘족 애들 선물이랑 기념품 담으려고 마법 주머니를 들고 대기 중이라니, 기가 찼다.

힐스만과 빌로스의 시선이 부딪쳤다. 힐스만은 흐릿한 미소를 지어 보였다. 그 미소에서 왜 독특한 상사를 모시는 직원의 애달픔이 보이는 걸까.

두 부하들의 애달픔을 모른 채, 케일은 남쪽 거리에서 첫 번째로 들어갈 가게인 장난감 가게 문고리를 잡았다.

VIP 경매 둘째 날. 특별히 할 것도 없었다. 어제 싱텐 상단주에게 건넨 마법 주머니 안에 그가 어떻게 행동해야 하는지 적은 쪽지를 넣어두었다. 그러니 싱텐 상단주가 알아서 행동할 터. 그 부분은 신경을 덜 써도 되었다.

'메리와 타샤도 상단주 뒤에서 움직이고 있을 테니까.'

그렇다고 수인을 테마로 한 VIP 경매 따위는 보고 싶지 않았다. 살아 있는 수인이 아니라면, 수인의 무엇을 판단 말인가?

'인간이 제일 잔인하단 말이지.'

유명한 수인이 썼던 무기나 물건들도 있었지만 대부분은 아름답거나 특이한 면을 지닌 수인의 흔적이었다. 쉽게 말해 백사자 수인의 하얀 털가죽이나, 고래족의 아름다운 푸른 머릿결로 만든 장신구 같은 것들이었다.

그런 장소에 묘족 애들을 데리고 갈 수는 없지 않은가?

케일은 괜히 미간을 찌푸리며 문고리를 잡아당겼다.

탁!

그때, 고양이 앞발이 케일의 손등을 후려쳤다. 케일은 조금 아팠다.

냐아아옹!

온이었다.

'왜 이래?'

홍도 아니고 온이 이러는 건 처음이라 케일이 의아하게 쳐다봤다.

그는 온의 눈빛이 이상함을 깨달았다. 그를 바라보는 온의 눈동자에서 한심함과 안타까움이 느껴졌다.

12살에게 이런 눈빛을 받으니, 케일은 기분이 이상해졌다. 그는 홍에게로 시선을 돌렸다. 홍은 그저 좋은지 귀를 팔랑이며 장난감 가게를 구경했다.

케일은 라온의 목소리가 들려왔다.

–인간, 뭐 하나? 살 거 있으면 얼른 사자!

케일은 멈칫했다. '살 거 있으면'이라고?

뭔가 어긋난 말이었다. 케일은 평균 9세가 가지고 싶은 장난감을 사려고 했건만, 어째선지 라온은 꼭 케일이 살 게 있어서 간다는 식으로 말했다. 문고리를 잡은 손에 힘이 풀렸다.

–응? 인간, 장난감 사고 싶은 거 아닌가? 얼른 들어가라! 나는 밖에서 사람 구경할 거다! 얼른 갔다 와라.

이상한데.

케일은 온을 쳐다봤다. 온의 앞발이 한 곳을 가리켰다. 그는 그 앞발이 향한 곳을 쳐다봤다.

"역시."

역시 이것들은 살벌하다.

그의 시선이 닿은 곳엔 무기 상점과 마법 장치 상점이 즐비한 골목이 자리해 있었다.

케일은 반성했다. 자신이 잘못 생각했다. 동시에 자신의 일행을 떠올렸다.

올해로 9살이 된 여동생 릴리도 그렇고, 그의 주위에는 장난감보다는 대검이 취향인 애들뿐이었다. 호족이나 늑대족이나.

'빌어먹을.'

역시 판타지 세계는 위대했다. 케일은 발걸음을 돌렸다.

"공자님?"

빌로스는 갑자기 방향을 트는 케일을 불렀지만 케일은 대답 대신 무기 골목으로 향했다. 힐스만은 전보다 평온해진 얼굴로 그 뒤를 따랐다.

무기 상점에 들어선 빌로스는 안색이 조금씩 하얗게 변했다. 그의 눈동자는 케일의 손가락을 따라 움직였다.

"이거. 이거. 저거."

케일은 검을 종류별로 대충 가리켰다. 라온이 말하는 것만 골랐다.

"네, 네?"

무기 상점 주인장은 너무 빠른 케일의 주문에 순간 멍해졌다. 손님은 최상급 단검부터 화염 마법이 새겨진 대검까지. 귀신같이 좋은 물건들만 골라댔다. 케일은 주인장이 멍하니 서 있자 팍 인상을 찡그리며 손가락으로 진열된 무기들을 가리켰다.

"저기서부터 여기까지."

"네?"

"다 주십시오."

"헙."

주인장은 숨을 들이마셨다.

이른 아침부터 찾아온 첫 손님은 아주 귀인이었다. 주인장은 케일의 눈치를 보다가 얼른 계산하라는 듯 손짓하는 케일의 모습에 후딱 무기를 꺼내고 계산에 들어갔다.

빌로스는 그 광경을 그저 지켜봤다. 하지만 그게 시작이었다.

–인간, 인간! 나는 마법 물품 가게 가고 싶다!

제기랄.

일단 케일은 별다른 티를 내지 않고 순순히 마법 물품 가게로 갔다. 무기 상점 주인은 그의 등 뒤로 황금빛 후광이 보이는 듯했으나, 케일 머릿속은 라온의 재잘거리는 목소리뿐이었다.

–메리나 로잘린도 저 마법 장치 좋아할 텐데. 아쉽다.

빌어먹을.

케일은 평균 9세들이 그동안 무얼 보고 자랐는지 뼈저리게 깨달아가고 있었다. 근 2년 동안 이 애들이 본 것들은 다 비싼 것들뿐이었다. 용돈으로 그나마 금전 감각을 길러주려고 했는데.

케일은 라온이 가리킨 마법 물품 앞에 섰다.

–음. 인간, 금화 5개면 비싸다. 안 사줘도 된다. 싼 거 사 달라.

하.

케일은 라온의 저 말에 미간을 찌푸렸다. 그의 손가락이 라온이 말한 마법 물품을 가리켰다.

"저거 주세요."

–인간, 금화 다섯 개면 사과파이 엄청 산다! 난 괜찮다!

라온이 심각한 목소리로 말렸고.

냐아아옹.

온과 홍도 그만하라는 듯 케일의 팔을 툭툭 두드렸다. 그러나 케일은 멈추지 않고 덧붙였다.

"아, 세 개 주세요."

라온은 놀라서 외쳤다.

–인간, 왜 세 개나 사나? 로잘린이랑 메리 건가? 넌 너무 착해서

탈이다. 정도 많다! 이러니 내가 옆에서 지켜봐야 한다.

6살의 걱정을 들을수록 케일은 눈가를 찡그렸다. 그런 그를 빌로스는 놀라서 쳐다보다가 힐스만이 다가와 속삭이는 말에 흐뭇한 미소를 지었다.

"화난 것 같아 보이시지요?"

"아, 네."

"다른 사람들 챙길 때 꼭 저런 표정이시죠. 저러시면서 챙기기는 얼마나 살뜰하게 다 챙기시는지. 참, 속이 다 보이는 분이십니다."

빌로스는 힐스만이 군말 없이 짐꾼을 자처한 이유를 깨달았다. 케일을 바라보는 빌로스의 눈빛이 따스해졌다. 다만 라온은 그런 케일을 걱정했다.

-인간, 괜찮나? 아깝다! 저런 장난감은 많이 안 사줘도 된다!

마법 장치가 라온에게는 장난감이었다. 케일은 그 사실에 코웃음을 치며 혼잣말처럼 답했다.

"별로 아깝진 않아."

딱히 아깝진 않았다. 자신이 가진 돈에 비하면, 라온의 셈법대로 하자면, 손가락 정도 되는 돈을 쓰는 것인지라 그저 그랬다.

다만 사는 물건들 수를 보며 자신이 이리저리 챙겨야 할 짐덩이가 얼마나 많아졌나 깨달아, 머리가 아파졌을 뿐이었다.

-…….

라온의 말이 없어졌다. 팔을 두드리던 온과 홍도 조용해졌다. 케일은 사고 싶은 걸 다 사서 조용해졌나 생각하며 정신 산만하지 않은 상황에 만족했다. 그는 이제 걸리적거리는 것이 없으니, 본격적으로 움직였다.

"빌로스, 여기 견갑을 주로 파는 곳이 어디지?"

"견갑이요?"

"어. 도복도."

"도복이요?"

"어."

늑대족에 호랑이족에.

케일은 여유롭게 가게들을 휩쓸었다.

'역시 돈지랄이 좋아.'

오랜만에 돈을 쓰니 기분이 상쾌해졌다. 케일은 마지막으로 사과파이를 사고는 일행에게 말했다.

"돌아가지."

케일은 조용히 따라오는 일행과 함께 느긋하게 숙소로 돌아왔다. 일행은 그런 케일을 보며 한 가지를 깊이 생각하고 있었다.

케일은 자신을 위한 물건은 닭꼬치 말고 사지 않았다. 그 사실이 일행의 마음속에 깊이 새겨졌다. 반면에 케일은 상쾌해진 마음으로 다짐했다.

'썼으니, 몇 배는 뜯어내야지.'

케일의 다짐은 경매 마지막 날에도 여전했다.

랑 테라스 4번.

빌로스는 커튼을 친 테라스 소파에 앉아 있는 케일에게 조심스럽게 물었다.

"공자님, 정말로 주교가 1번 테라스에 올까요?"

지난 이틀간 태양신 평신관이 1번 테라스를 지킨 것으로 파악되었다. 그리고 빌로스는 오늘도 1번 테라스에 들어간 인물이 평신관이라고 들었다. 하지만 오늘 케일이 만나야 할 인물은 평신관이 아니라 주교였다.

빌로스는 자신의 걱정과 달리 태연한 케일을 볼 수 있었다. 케일은 와인을 한 모금 마신 후 입을 열었다.

"베거스시 태양신 교단의 가장 큰 기부자가 황금 나무야. 이 둘의 사이는 우리 생각보다 끈끈할걸?"

케일은 주교가 1번 테라스에 몰래 들어가는 것쯤이야 일도 아니라 생각했다. 빌로스도 황금 나무 직원과 닿은 선이 있는 것 같으나, 직원이 아는 정보는 한계가 있는 법이었다.

"그런데 공자님. 정말로 밤의 환희를 가지고 계십니까?"

"왜? 못 믿겠어?"

케일의 장난기 어린 눈빛에 빌로스는 어색하게 고개를 끄덕였다.

밤의 환희. 그 보석은 카로 왕국에게, 태양신 교단에게 꽤 큰 의미가 있었다.

죽음의 땅 혹은 죽음의 사막이라 불리는 5대 불가사의 지역. 그곳은 과거 최후의 네크로맨서가 수많은 시체를 이끌고 최후의 결전을 벌였던 장소였다.

동시에 낮에는 피를 닮은 새빨간 모래로, 밤에는 밤을 닮은 새까만 모래로 매일 새로운 모래 산을 쌓는 곳이기도 했다.

당시 최후의 네크로맨서 심장에 박혀 있던 보석. 그 검은 보석이 '밤의 환희'였다. 이는 카로 왕국에게 있어 크나큰 기쁨이자 영광이었으며, 태양신 교단에게는 자랑스러운 업적 중 하나였다.

케일은 당연히 카로 왕국에 도착했을 때 메리에게 이 보석을 내밀었다.

'뭐가 느껴져?'

'느껴져야 합니까? 안 느껴집니다.'

보석에는 네크로맨서에게 도움이 되는 내용은 어떤 것도 없었다. 그러면 팔아야지. 예쁜 장식품을 들고 있어봤자 뭣 하겠는가?

케일은 품에 있던 검은 보석을 꺼내 들었다.

"음."

빌로스는 침음을 흘렸다. 밤의 환희가 언급됐을 때부터 그에 대해 알아보았다. 현재 밤의 환희는 카로 왕국 태양신 신전에서 보관 중이며 일 년에 한 번씩 일주일간 전시를 한다고 했다.

그런데 지금 진품이 케일의 손에 있으니, 그간 펼쳤던 전시는 가짜 보석으로 했던 건가?

"난 이만 가보지."

-인간, 나랑 같이 간다!

케일의 몸이 점점 투명해졌다. 빌로스는 살짝 고개를 숙였다.

"다녀오십시오."

촤르르륵.

커튼이 걷혔고, 케일은 마찬가지로 커튼이 걷힌 1번 테라스로 향했다.

그때 박수 소리와 함께 경매사가 마지막 날 경매에 관한 말을 내뱉었다.

"오늘도 역시나 마지막에 아주 흥미로운 물건이 나옵니다! 정말 구하기 힘들었습니다! 아마 이번 수인 테마에서 가장 진귀한 물건일 겁니다!"

경매사는 어느 때보다도 자신만만했다.

"힌트를 하나 드리죠. 늑대왕."

비행 마법으로 1번 테라스로 향하던 케일의 몸이 멈췄다.

'음? 뭐라고?'

그의 시선이 경매사에게로 향했다. 화려한 가면의 경매사는 은밀하게 속삭이듯이 말했다. 하지만 확성 마법으로 그 말은 모두의 귀에 똑똑히 들렸다.

"마지막 늑대왕의 흔적입니다."

오. 이것 봐라?

케일의 입에서 감탄이 흘러나왔다. 그는 웃으며 1번 테라스로 들어섰다. 그러자, 평신관이 보였다.

촤르르륵.

케일은 커튼을 닫았다. 그리고 투명화를 풀며 평신관을 모시는 시종에게 다가갔다. 평신관은 케일을 보고는 놀란 듯 침을 삼키며, 떨리는 두 손을 소맷자락에 감췄다. 그러나 케일은 평신관에게 시선 하나 두지 않았다.

케일은 성자 잭이 했던 말을 떠올렸다. 파에른 왕국으로 떠나기 전, 성자 잭에게 주교에 대해 물어보았다.

'주교는 그릇이 작습니다. 그런데 욕심은 참 많습니다.'

더불어 주교의 외모에 대해서도 들었다. 허름한 옷을 입은 시종이 케일의 가면을 노려보았다. 케일은 그 시선을 받으며 예의 바르게 인사했다.

"반갑습니다, 주교님."

돈 받아먹고 부려먹을 놈을 보니 진심으로 반가웠다.

주교는 아무 말도 없었다. 그저 케일을 위아래로 훑어보았을 뿐이었다. 커튼 너머로 경매사의 목소리가 들려왔다.

"첫 번째 물품은 아름다운 털실이 달린 깃펜입니다. 당연히 그 털실의 재료는 아름다운 수인의 흔적이겠죠?"

1번 테라스 안의 정적을 깨기에는 충분히 큰 목소리였다.

"얼마를 원하지?"

메마른 목소리가 테라스 안에 울려 퍼졌다. 시종은 담담하게 거래를 시작했다. 본인이 주교임을 밝힌 것이나 다름없었다. 주교는 케일에게 다른 말은 묻지 않았다.

당신이 누구냐, 물건을 정말로 손에 쥐고 있냐.

이딴 물음은 하나도 중요치 않았다. 산전수전 다 겪은 주교에겐 케일이 초대장에 적어 보낸 한 줄이면 충분했다.

신물을 가지고 싶습니까?

그 아래 적힌 문장이 초대장의 의미를 신빙성 있게 만들어주었다.

교황이 숨겨두었던 밤의 환희를 가지고 있습니다. 이걸 사세요.

주교는 죽어버린 교황이 탐욕스러운 사람이라는 점을 충분히 알고 있었다. 그랬기에 '밤의 환희'를 그에게 바쳤다. 그리고 교황에게는 그런 보물들이 숨겨져 있는 비밀 공간이 있음을 눈치채고 있었다.

그 비밀 장소에 '신물'이 있을 수도 있지 않을까?

주교는 교황이 되고 싶었다. 그는 지금 작은 명분만을 기다리고 있었다. 그는 눈앞의 하얀 가면을 쓴 남자를 응시했다.

얼마를 원하냐는 물음에 아직 가면 남자는 답하지 않았다. 가면으로 덮이지 않은 입이 천천히 열렸다.

"밤의 환희는 죽은 마나와 닿으면 더 반짝인다지요? 보통 죽은 마나와 닿은 자연계 물질이 중독되는 형상과 다르게 말입니다."

쓸데없는 말을 하는 가면에게 주교는 실소와 함께 한마디를 건넸다.

"왜? 네놈이 들고 있는 밤의 환희를 가져가서 신전에 있는 가짜 밤의 환희와 실험이라도 해보자고?"

가면에 가려지지 않은 입에서 피식 바람 빠지는 웃음소리가 흘러나왔다. 가면 쓴 남자는 주교를 보며 고개를 저어댔다.

"거 노인네, 성격 한번 괴팍하네."

"원래 늙으면 이렇게 돼."

평신관의 몸이 멈칫거렸다. 하지만 등 뒤로 돌아보지 않았다. 평신관은 숨죽인 채 시종 옷을 입은 주교와 침입자의 대화를 모른 척했다.

"얼마를 원하지?"

주교는 한 번 더 가격을 물었다. 그러자 그의 눈앞에 밤의 환희가 나타났다.

"내가 제국 황실 놈일지 의심은 안 되나 봐?"

하얀 가면이 내뱉는 말에 주교는 퉁명스레 답했다.

"제국 놈이든 아니든 나에게 물건을 팔려고 하는 장사꾼이라는 건 변함없는 사실이지."

케일은 이 공간에서 만난 주교가 꽤 마음에 들었다.

'이 인간 꽤 똑똑하네.'

맞다. 제국 놈이든 아니든 카로 왕국 사람인 주교에게는 밤의 환희를 도로 얻는 것과 신물에 닿을 기회가 중요했다.

케일은 주교가 그에 대해 가지고 있는 착각을 바로잡아 주지는 않았다.

장사꾼이라. 케일은 장사꾼이 아니었다.

오히려 사냥꾼이었다. 미끼를 하나씩 던져, 벗어날 수 없는 함정까지 차근차근 눈앞의 사냥감을 끌어들일 작정이었다.

그 첫 번째 미끼가 신물이었다. 신물 때문에라도, 주교는 밤의 환희를 살 것이다. 케일과의 끈을 남겨두어야 할 테니까. 케일은 입을 열었다.

"얼마?"

"뭐? 허!"

주교는 기가 차 탄식처럼 웃음을 터뜨렸다. 눈앞의 놈은 주교에게 먼저 가격을 제시하라고 뻗대고 있었다. 그런데 주교는 그게 마음에 들었다.

누가 유리한지 아는 장사꾼이었으니까.

가면은 자신이 유리함을 알고 있었다. 이를 이용해 주교를 압박하려고 했다. 주교는 이런 영리한 놈들이 좋았다. 그래야 다루기 좋았다. 합리적인 인간만큼 이득에 명확한 사람은 없으니까.

"50."

주교가 50억을 내뱉었다.

밤의 환희가 처음 발견되었을 때, 매겨진 값어치였다. 그때가 아주 오래전임을 생각하면 상당한 가치라고 할 수 있었다. 그러나 케일은 단호했다.

"얼마?"

주교는 담담하게 답했다.

"60."

두 사람의 레이스. 경매가 시작되었다.

대화는 단조로웠다.

"얼마?"

"70."

테라스 너머로 경매사의 목소리가 들려왔다.

"자, 지금 3억 카운드 나왔습니다! 더 없으십니까? 아! 3억 1천 카운드!"

동시에 케일은 되물었다.

"얼마?"

평신관은 다시 내뱉은 두 글자에 소맷자락을 펄럭이며 초조한 듯이 굴었다. 커튼으로 가려진 앞을 뚫어지게 바라보며 자꾸 멈칫거렸다.

"80."

평신관은 주교의 대답에 숨을 들이켰다. 주교도, 침입자도 참 숨막히는 사람들이었다.

"얼마?"

케일이 한 번 더 물은 순간, 주교는 눈앞의 놈이 지루해하고 있음을 깨달았다.

"100."

100억.

단위가 올랐다. 값어치가 두 배가 되었지만, 주교는 가면 너머의 눈빛을 보고는 단번에 알아챘다.

아직 끝이 아니구나.

케일의 입이 열리기 전, 주교의 입이 먼저 열렸다.

"150."

이제 그는 밤의 환희의 가치에 신물과 교황직을 걸었다. 그는 덧붙였다.

"단, 100억 이후부터는 한 번에 지급이 불가하네."

"얼마?"

"허."

주교는 결국 탄식을 흘렸다. 그는 눈을 가늘게 뜨며 가면을 노려보았다.

"입에 붙은 말이 얼마, 그 말뿐이더냐? 이런 노인 공경도 모르는 고얀 놈. 입만 짧아가지고."

타박하는 것 같으면서도 정겨운 어조였다. 사뭇 친근감까지 보이는 말투였지만 그딴 연기에 속을 케일이 아니었다. 케일은 이제 말도 귀찮아 눈빛으로 물었다.

'얼마?'

주교는 두 손을 펼쳐 들며 답했다.

"200."

헉. 평신관이 깊이 숨을 들이마시는 소리가 들렸다. 금액에 놀란 듯한 모습이었다.

"더는 안 되네."

주교도 지친 얼굴로 고개를 가로저었다. 진심으로 더는 힘들다는 표정이었다. 그러나 케일은 김록수일 적 깨달은 바가 하나 있었다.

자신에게 일을 가르쳐 주었던 전 팀장이 언젠가 그에게 흘러가듯이 조언해 준 내용들이 떠올랐다.

'뒤가 구린 놈들일수록, 한 번 더 해.'

그 경험이 담긴 조언은 대개 맞아떨어졌다.

"얼마?"

"이런, 개새끼가 있나."

주교는 아예 대놓고 욕을 해댔다.

케일은, 김록수는 어차피 일을 하며 별별 새끼란 새끼 소리는 다 들어봤기에 그러려니 했다. 원래 구린 놈일수록 궁지에 몰리면 말이 거칠어지는 법이다.

주교는 눈을 감으며 입을 열었다.

"……220."

"230."

"……고얀 놈."

밤의 환희 가격은 230억 카운드가 되었다. 주교는 진이 다 빠진 얼굴로 마른세수를 해댔다. 하지만 케일은 그 모습에서 김록수일 적 전 팀장에게 들은 한 가지를 더 떠올렸다.

'그리고 뒤가 구린데 돈도 많은 놈은 마지막으로 한 번 더 해봐.'

하지만 케일은 굳이 한 번 더 할 생각이 없었다. 전 팀장은 이런 말도 덧붙였다.

'물론 써먹을 놈이면 숨 쉴 틈은 내버려 두고.'

주교는 앞으로 써먹을 놈이니, 악착같이 뜯어내서 관계를 파탄 낼 필요는 없었다.

케일은 미래를 기약하며 시종이 평신관을 부르는 것을 지켜보았다. 평신관은 그제야 자리에서 일어나 뒤돌아보며 작은 돈주머니를 내밀었다.

"옜다. 100억이다."

주교는 이를 그대로 케일에게 던졌다.

"역시 치밀하시군요."

언제 말을 놓았냐는 듯 케일은 정중하게 돈주머니를 받아 들며 입꼬리를 올렸고 주교는 혀를 찼다. 그에게 케일은 한마디를 덧붙였다.

"나중에 한 번 더 뵙죠."

이번엔 주교의 입꼬리가 올라갔다. 신물을 들고 찾아뵌다는 말로 들렸으니까.

케일은 품에서 쪽지를 꺼내 한쪽 테이블 위에 올려두었다. 남은 130억을 보내줄 장소였다.

촤르르륵.

다시 커튼이 열렸다. 케일은 돈주머니만을 챙겨 들고 테라스 밖으로 사라졌다.

잠시 뒤, 쩔쩔매는 척했던 평신관이 태연한 얼굴로 자리에서 일어섰다. 긴장이 사라진 얼굴은 주교 얼굴만큼이나 메마르고 차가웠으며, 그 눈빛은 매서웠다.

"백발에 대해서 알아봐."

"네, 주교님."

시종인 척했던 주교는 평신관에게 고개를 숙였다. 달칵, 달칵. 시종의 품에 있던 마법 장치가 작동했고, 시종의 얼굴은 40대 남자의 얼굴로 변했다. 자잘한 흉터로 가득한 얼굴은 전사보다는 암살자가 어울려 보였다.

평신관은 다시 자리에 앉으며 소파 깊숙이 몸을 기댔다. 평신관은 시종에게서 마법 장치를 건네받았다. 달칵. 순식간에 얼굴이 주교로 바뀌었다. 그는 얼굴을 쓸어내리며 입을 열었다.

"늙은 겉가죽을 만지는 것도 참 짜증 나는 일이란 말이야."

신관은 목소리도 어느새 노인의 것으로 변해 있었다.

"늙은 척하는 것도 참 힘들어. 그래도 내가 이전 주교를 죽인 건 모르는 것 같지?"

"네, 모르는 것 같습니다."

"백발이니, 파에른 쪽을 알아보도록."

"네."

평신관은 마법 장치를 매만졌다. 묘하게 비틀린 미소가 입가에 걸려 있었다.

그 시각, 케일은 4번 테라스로 들어서며 라온의 목소리를 들어야 했다.

–인간, 왜 저들이 변신 마법을 썼는데 모른 척했나? 그 정도 마법 장치면 구하기 힘들 거다! 귀한 거다!

케일은 미소를 그렸다.

"공자님, 오셨습니까?"

빌로스는 웃으며 가면을 벗어 던지는 케일의 모습에 얼른 커튼을

쳤다.

"잘 해결되셨습니까?"

"어."

케일은 고개를 끄덕였다.

-인간, 왜 모른 척했나? 나 궁금하다! 그리고 네 말대로 평신관은 겁먹은 척했지만 눈빛은 하나도 안 흔들렸다.

라온의 말을 무시하며, 성자 잭의 말을 떠올렸다. 그는 주교의 외모를 설명해 주었다.

진짜 외모를 말이다.

'카로 왕국 주교는 마른 체형에 날카롭게 생긴 30대 여자입니다. 그게 진짜 모습입니다.'

케일은 헛웃음을 흘렸다.

"참 무섭단 말이야."

역시 판타지 세상은 무서웠다.

그때였다.

'음?'

뒷덜미가 섬뜩했다.

"도련님."

론이 레모네이드를 내밀었다. 케일은 뒷덜미의 한기를 느끼며 론의 눈빛을 살폈다. 그 순간, 라온의 목소리가 들렸다.

-그런데 인간, 이제 바쁜 건 끝났나?

'대충?'

케일이 고개를 살짝 끄덕이자, 라온이 말했다.

-인간, 네가 왕세자 무시하라고 해서 영상통신 무시하고 있다. 그

런데 이상해서 말한다.

'진짜로 무시했다고?'

케일은 라온이 영상통신을 정말로 착실히 무시할 줄은 몰랐다. 그는 라온이 얼마나 그의 말을 세심하게 기억하고 있는지 알지 못했다.

그래서였다. 케일은 점점 더 추워지는 기분을 느꼈다. 라온은 해맑게 말했다.

–아까 주교랑 말할 때부터 연락이 온다. 벌써 10번째 영상통신 신호를 보냈다!

뭐라고?

'그' 왕세자 알베르가 10번 연락했다고?

–그리고 음성을 하나 남겼다. 그래서 일단 너에게만 들려준다.

케일은 레모네이드가 담긴 잔을 세게 움켜쥐었다. 왕세자가 했던 말이 라온의 목소리를 통해 머릿속에 전해졌다.

–북 3국이 움직인다.

……뭐?

케일은 순간 제대로 못 알아들었다.

파에른 왕국이 움직인다고?

아직 2월인데? 바다도 아직 안 녹았는데?

왜?

"빌어처먹을."

케일은 레모네이드를 들이켰다. 신맛에 얼굴이 있는 대로 찡그려졌다.

"공자님?"

빌로스가 놀라서 바라봤다. 케일은 주교에게서 받은 돈주머니를 빌로스에게 던졌다. 빌로스는 얼떨결에 그 주머니를 받았다. 케일은 그에게 지시했다.

"늑대왕 흔적, 그거 얻어놔."

"네?"

"안에 백억 있으니까, 알아서 해."

"네, 네? 배, 백억이요?"

빌로스가 기함하든 말든 케일은 말을 이었다.

"론과 함께 난 먼저 나간다. 론, 앞장서."

그는 빌로스의 시종으로 함께 온 론을 앞장세우고 곧바로 투명화를 한 채 테라스를 벗어나 빠르게 숙소로 향했다.

—인간, 음성이 하나 더 왔다.

라온은 바삐 걸어가는 케일에게 말했다.

—좀 받아라. 일단 너와 얘기를 해봐야 할 것 같으니.

케일은 미간을 찌푸렸다.

'아니, 왕세자인 사람이 나 같은 귀족 나부랭이랑 얘기해서 뭘 하게?'

뒷덜미는 서늘하고, 입안에는 신맛이 감돌고, 갑자기 예상 밖의 일이 터지고.

'환장하겠네.'

짜증이 치솟아 올랐다.

42장
부순다!

42장
부순다!

알베르 크로스만. 영상통신구 너머 그의 꼴은 좋지 못했다. 늘 왕자답게 화사하면서 깔끔하게 차려입었던 이가 머리칼도 흐트러뜨린 채 집무실 의자에 기대어 있었다.

"존귀하신 저하의 얼굴을 보니 제 마음이 퍽 아프군요."

–퍽이나.

왕세자는 편안한 소리를 해대는 케일 헤니투스에게 한 소리를 하려다가 그의 모습도 썩 좋지 않아 말을 더 잇지 않았다.

알베르는 곧바로 본론에 들어갔다.

–노르란드로 파에른의 기사들이 들어가는 것을 파악했다.

파에른, 노르란드, 아스코산. 북 3국의 이름이었다. 그중 노르란드는 어둠의 숲 너머 북쪽 왕국이었다. 어둠의 숲만 없었다면 로운 왕국과 맞닿아 있을 왕국이었다.

–그리고 정보원은 그 정보를 끝으로 영상통신구를 파괴했어.

노르란드로 파견 나간 정보원은 왕세자의 수족인 다크엘프였다. 그리고 정보원이 영상통신구를 파괴했다는 것은 현재 정보원의 상황이 좋지 못함을 뜻했다.

—아직 정보원의 정령이 되돌아오지 않은 걸로 봐서 죽진 않은 것 같더군.

"살아 돌아올 겁니다."

케일의 대답에 알베르는 피식 웃고는 다시 본론으로 들어갔다.

—현재 브렉 왕국과 협조해 아스코산 왕국으로 파에른의 기사들이 갔는지 확인 중이다.

아스코산은 죽음의 협곡을 사이에 두고 브렉 왕국과 가장 가까운 왕국이었다.

"아스코산에도 파에른의 기사가 갔을 확률이 높겠군요."

—그렇지.

정보원이 건넨 정보에 따르면 노르란드로 간 파에른 기사의 수가 최소 수십에 달했다. 북쪽 기사의 나라, 파에른. 아무리 기사가 많다고 해도 수십을 타국에 보내는 것은 보통 일이 아니었다.

—이상해.

그래서 왕세자 알베르는 이상했다.

—아직 바다로 넘어오기는 이른데, 무슨 생각인 것이지?

괜히 로운 왕국과 브렉 왕국이 봄을 대비했던 게 아니었다. 아스코산과 노르란드는 비교적 북쪽 초입부였으나, 동북부를 차지하는 로운 왕국보다는 확실히 더 북부였다.

분명 아직 그 해안가는 얼어 있을 것이다. 특히 지금은 가장 추운 때 중 하나인 2월 초 아닌가?

'기사가 움직였다면 뒤이어 병사들이 움직일 터.'

만약 로운 왕국이 북 3국의 야욕을 몰랐다면, 그냥 군사 훈련이라고 애써 생각했을지도 몰랐다.

-바다로 넘어오기는 일러. 물론 2월 중순이 되면 일부 해안가는 녹겠지. 그러나 손해야. 인력 낭비가 심해.

왜 지금 움직이지? 그렇게까지 북 3국은 빨리 전쟁을 벌이고 싶은 건가?

알베르는 입술을 깨물었다. 그의 생각보다 북 3국의 선택이 공격적이었다. 수십의 기사들을 양국에 보낸 파에른의 행동은 타국들 눈에서 벗어나기 힘들었다. 그럼에도 파에른이 그런 행동을 취한 것은 그만한 강한 의지가 있음을 뜻했다.

알베르는 로운 왕국 동북부의 해안가를 떠올렸다. 해군 기지 건설. 이 사실은 이미 꽤 여러 곳에 퍼져 있었다. 최대한 보안을 유지했지만 한계가 있는 법이다.

그리고 대부분의 사람들은 해군 기지가 아직 초반 단계라고 생각했다. 하지만 그 생각은 틀렸다. 수십 척의 배가 완성되어 마법사들의 보안 아래서 전쟁을 대비 중이었다.

'그것도 이놈 덕이지.'

알베르는 케일을 응시했다. 그의 수하인 쥐족 혼혈 드워프. 지금은 헤니투스 영지로 돌아갔지만 그가 우바르 해안가에 머물면서 설계도를 손봐주었다. 그 덕분에 생각보다 빠르게 배 건조가 가능했다.

그런데 현재 봄을 대비하던 계획들이 틀어졌다. 노르란드로 파견한 정보원도 발각되었다.

'내가 뭘 놓친 거지?'

하나.

그는 자신이 알 수 없는 하나를 놓치고 있음을 깨달았다. 그걸 알지 못하는 이상 이 꽉 막힌 머릿속을 정리할 방도가 보이지 않았다.

알베르는 갑갑하게 목을 조이는 넥타이를 풀어 젖혔다.

–케일, 넌 뭐가 보이나?

알베르가 답답한 목소리로 물었다. 답답한 티를 낼 놈도 이놈뿐이고, 이놈의 태연한 모습을 보면 안심이 될 것 같아 연락했다. 그러다가 이내 실소를 흘렸다.

–아니, 너라고 뭐가 보이겠나?

"와이번."

알베르의 웃음이 멈췄다.

케일은 영상통신구 화면으로 자신을 뚫어질 듯이 쳐다보는 왕세자를 바라보며 입을 열었다.

"와이번 기사단이 부활했습니다."

알베르의 눈동자가 커졌다.

파에른의 전설로서, 과거 수호 기사가 이끌었다고 전해지는 와이번 기사단.

알베르는 순간 머릿속이 맑아졌다.

–하늘이군.

배가 아니었다.

아니, 배도 온다. 그러나 하늘이 먼저였고 그 뒤가 배였다. 그런데 하늘을 어떻게 해야 한단 말인가?

왕세자의 총명한 눈동자가 케일에게로 향했다.

–……언제 알았지?

"파에른 호수에 불난 것 아십니까?"

–너냐?

"네. 그때 알았습니다. 보고는 까먹었습니다."

–이런 개새– 하.

케일은 태연히 어깨를 으쓱여 보였다. 그 행동에 한숨을 쉬던 알베르의 눈빛이 묘해졌다. 생각보다 케일이 너무 평온해 보였다.

–……우리 똑똑한 케일 공자. 하늘로 오면 어둠의 숲을 넘어서 날아올 텐데, 헤니투스 백작가가 괜찮을까?

알베르는 케일의 입꼬리가 씰룩이는 것을 볼 수 있었다.

케일은 참 오래 기다렸다.

처음에는 세상의 흐름이 책 내용과 꽤 달라 당황했지만, 이미 책 내용은 없는 것이나 다름없는 세상이 되었다. 그래서 다가올 앞날을 준비하고 또 준비했다.

이제 기다릴 필요가 없어졌다.

"저하."

–그래.

"동북부 군사 명령권을 준비해 주십시오."

–하.

알베르의 입에서 웃음이 흘러나왔다.

아주 태연하게 큰 것을 요구한다.

'그래, 이래야지.'

이래야 케일 헤니투스지. 알베르의 귓가로 케일의 요구가 더 이어졌다.

"기사단과 저하의 마법병단 1대대를 상시 대기시켜 주십시오."

케일은 미소를 그렸다.

"그리고 기다리세요."

알베르는 손으로 눈가를 쓸어내렸다.

'이 미친놈.'

기다리라니, 알아서 막는다는 소리 아닌가?

그는 웃으며 케일에게 물었다.

-지금껏 뭘 하고 있었던 거지?

케일은 대답 대신 어깨를 으쓱여 보였다.

-시건방진 놈.

거친 말과 달리 알베르 왕세자는 환하게 웃고 있었다. 그는 흐트러진 머리칼을 정돈하듯 쓸어 넘겼다. 동시에 그는 자신이 해야 할 일도 알았다.

-네크로맨서를 다시 네 밑으로 불러들인 이유가 있었군. 마음껏 알아서 해. 뒤처리는 내가 하지.

"권력이나 틀어쥐십시오."

-걱정 마. 전쟁 터지면 다 내 손안이야.

이제야 평소다워진 알베르는 맑은 머릿속으로 앞으로 할 일을 최대한 앞당길 계획을 짰다. 그때, 생각에 빠진 알베르는 눈치채지 못했지만 케일의 몸이 살짝 움찔거렸다. 라온의 목소리가 그의 머릿속에 울려 퍼졌다.

-겨우 와이번 따위를 타고 우리 집을 부수려고 한단 말인가? 진심으로?

케일은 라온의 상당히 진지한 목소리에 등골이 서늘해져 왔다. 여섯 살의 진심이 듬뿍 담긴 말이었지만 애써 무시했다.

–어쨌든 나는 내 할 일을 할 테니, 넌 네 할 거 마음대로 해.

뚝.

예고도 없이 영상통신이 끊겼다. 케일은 소파에 몸을 기대며 꺼진 영상통신구를 쳐다봤다. 할 일이 또 많아졌다.

케일은 다음 날 늑대왕의 흔적을 손에 든 채 곧바로 영지로 향했다.

“아버지.”

“그래.”

오랜만에 마주한 부자였지만 분위기는 좋지 못했다. 데르트 백작은 따뜻한 차를 마시며 속을 데웠다. 그는 아들 케일에게 이미 영상통신으로 내용을 들었다.

“파에른의 기사들이 노르란드로 갔다고?”

“네.”

“그리고 와이번을 타고 넘어올 것 같고?”

“네.”

“브렉 왕국과 로운 서북부 쪽은 아스코산에서 넘어올 것 같고?”

“그렇죠.”

탁.

찻잔이 테이블 위에 놓였다. 데르트 백작은 집무실에 걸린 영지기를 쳐다봤다.

가문의 상징인 황금 거북이. 그는 아들에게 한마디를 건넸다.
"알았다."
그 단어면 충분했다.
"헤니투스는 원래 무가이고, 로운 동북부의 방벽이지."
데르트는 비록 전사는 아니지만 검을 다뤘고 무武를, 힘을 잊지 않았다. 그렇지 않았다면 이런 구석 영지에서 왜 기사단에 공을 들였겠는가.
황금 거북이.
평온하게 오래 살려면 준비가 철저해야 한다. 그는 자신과 달리 제 엄마를 닮아 유일하게 가문에서 붉은 머리칼인 아들을 응시했다.
"영지 일도 내 일이고, 아들을 돕는 것도 내 일이지."
데르트 백작은 케일이 영상통신구를 통해 부탁했던 일들을 떠올렸다. 그는 아들에게 손을 내밀었다.
"한번 해보자."
언젠가 케일이 그에게 했던 말.
'아버지, 한번 해봅시다.'
그 말을 아버지는 잊지 않았다.
그는 작년 늦가을부터 지금까지 영지 병력을 늘리는 데 열중했으며, 아들의 말을 들은 후론 영지 창고를 식량으로 꽉꽉 채워두었다. 성벽도, 영지 모든 땅의 수비와 연락책에도 신경을 써두었다.
케일은 데르트 백작의 손을 잡았다.
"은밀히, 부탁드립니다. 아버지."
케일은 꽉 마주 잡은 데르트 백작의 손힘에서 그의 대답을 들었다. 그 정도면 충분했다. 그가 더 이상 데르트 백작에게 말해둘 것은 없었다. 그렇기에 케일은 곧바로 영주성을 벗어나 어둠의 숲으로 향했다.

케일은 검은 늪이 있던 장소에 서서 늪의 흔적만 있는 메마른 땅을 내려다봤다.

“여기도 오랜만입니다. 좋습니다. 그리웠습니다.”

검은 로브를 둘러쓴 네크로맨서 메리가 케일의 곁에서 연신 말을 내뱉었다. 기계적인 목소리에는 언뜻언뜻 반가움이 내려서 있었다.

“그랬냐, 메리야? 나도 약한 인간이랑 너랑 보니 좋다! 역시 우리 마당이 최고다.”

그 옆에서 검은 용이 날개를 파닥이며 메리의 말에 맞장구를 쳤다. 그러면서도 검은 로브와 검은 용은 힐끔힐끔 케일의 눈치를 봤다.

파에른 기사의 이동.

이 소식을 접한 후로, 케일은 유독 말이 없었다. 라온은 그 사실을 떠올리며 코끝을 찡긋거렸다.

“인간, 걱정 마라. 아무도 안 다친-”

“케일 님!”

하지만 라온의 말은 다른 이에 의해 멈췄다.

검은 늪으로 최한과 호랑이 주술사 가샨, 늑대 소년 라크가 들어서고 있었다. 케일이 부른 이들이었다. 그들은 대강의 내용을 전해 들어 표정이 어두웠다. 물론 가샨의 경우에는 살짝 기대감이 서려 있었다.

그들은 등진 채 검은 늪만을 응시하는 케일에게로 다가갔다. 그러나 케일은 아무 말도 없었고 뒤돌아보지도 않았다.

"공자님-"

가샨이 케일을 불렀다. 그때, 케일이 뒤돌아섰다.

담담한 최한, 호전성을 드러내는 호랑이 가샨, 더불어 쭈뼛거리며 다가오는 늑대족 라크.

"최한, 가샨."

"네, 케일 님."

"어서 말씀하십시오, 공자님."

케일의 시선이 서쪽을 향했다.

"죽음의 협곡에 간다. 준비해."

케일은 라크의 눈동자로 시선을 돌렸다. 라크는 눈이 마주치자 멈칫했지만, 그래도 전보다 당당하게 눈빛을 받아냈다. 오랜만에 케일과 함께 움직이게 되었으니 긴장한 게 여실히 보였다.

최한과의 훈련으로 라크가 강해진 것이 케일의 눈으로도 보였다. 하지만 그래 봤자, 부족했다.

늑대족은 집단, 가족을 중요시한다. 그러나 늑대족이 성장할 때는 혼자일 때였다. 상실, 괴로움. 혼자일 때 느낄 수 있는 감정이 필요했다. 그 감정이 있어야 한 가지 감정을 더 깨달을 수 있었다.

늑대족에게는 진리나 다름없는 감정.

케일은 품 안의 물건을 떠올렸다.

늑대왕의 흔적.

그것은 일기였다. 피로 새겨진 일기.

케일은 지시를 기다리는 라크에게 말했다.

"라크, 너도 간다. 준비해."

"네, 네!"

늑대왕은 다시 세상에 그 이름을 떨쳐야 한다.

"메리."

"네?"

검은 로브가 들썩이며 케일에게로 향했다. 그러나 곧이어 들려오는 소리에 그녀의 시선은 검은 늪으로 이동했다.

쿠웅-

라온이 특수 제작한 아공간 주머니. 케일 손에 들린 그 아공간 주머니에서 나온 물체.

"음."

늑대족 라크는 멈칫하며 한 발짝 뒤로 물러섰다. 소년의 눈동자가 검은 늪 중앙에서 떨어질 줄 몰랐다. 그의 귓가로 주술사 가샨의 탄식이 들려왔다.

"용이라니."

용의 시체가, 백골이 메마른 늪 중앙에 자리해 있었다. 거대한 고룡의 잔재는 뼈만이 남아 있다 해도 큰 압박감을 주었다.

재작년 케일이 '지배하는 아우라'를 얻었던 장소에서 발견한 그 용 시체였다.

"……아."

메리의 입에서 탄성이 흘러나왔다. 그녀는 케일에게로 시선을 돌렸다. 어느새 케일은 메리를 응시하고 있었다. 그의 입이 열렸다.

"조종해라."

그는 네크로맨서 메리에게 지시했다. 몇 초의 정적 뒤, 검은 로브에서 단단한 목소리가 흘러나왔다.

"할 수 있습니다. 아니, 합니다."

"그래."

당연히 여기는 케일의 반응에, 메리는 검은 로브 안쪽에 있는 주먹에 힘을 주었다.

케일은 하늘을 쳐다봤다.

용은 와이번을 잡아먹고 동쪽 하늘을 지배할 것이다.

케일은 눈을 떴다. 발밑으로 텔레포트 마법진이 보였다.

휘이이이-

차가운 바람 소리가 들려왔다.

죽음의 협곡에는 거센 바람이 불고 있었다. 케일은 소리에 귀를 기울이지 않고 마주한 사람을 응시했다.

"오랜만에 뵙습니다, 4왕자 저하."

로잘린의 막냇동생이자 브렉 왕국의 4왕자 펜이 케일의 정중한 인사에 어색하게 입을 열었다.

"크흠, 큼. 그래, 오랜만일세."

그의 시선이 케일 품으로 향했다.

쿠키다. 쿠키가 보였다. 그는 예전 헤니투스 영지로 누이 로잘린을 만나러 갔을 때 얻어맞았던 물벼락이 떠올랐다. 그때 배경음처럼 '오독오독' 쿠키 먹는 소리가 들려왔었다.

'막내야, 제대로 해. 안 그러면 대련이 아니라 전쟁에서 목이 잘린

단다.'

펜은 로잘린의 당부를 떠올리며 몸을 살짝 떨었다. 괜히 추웠다. 그는 케일이 부드럽게 미소를 지어 보이자 어색하게 웃었다. 케일의 머릿속으로 라온의 목소리가 들렸다.

–저 징징이 또 징징거리면 이번에는 물벼락이 아닌 불벼락이다. 나 불벼락 연습 중이다.

케일은 당연히 그 말을 가볍게 무시하며 펜 왕자 근처를 둘러보았다. 4왕자 펜, 그의 등 뒤로 천막들이 대여섯 개 있었다.

휘이이이–

다시 한번 바람 소리가 들려왔다. 죽음의 협곡에서 불어오는 바람이었다.

늘 바람이 멈추지 않는 협곡. 자연이 만든 거센 바람은 높고 깊은 협곡 사이를 죽음의 안식처로 만들어 버렸다.

2월. 겨울바람은 유독 거셌으며 오늘 밤은 눈을 동반하여 시야 확보도 어려웠다. 어둠 사이로 흩날리는 하얀 눈을 보던 케일에게로 다른 이의 목소리가 들려왔다.

"자네가 헤니투스 백작가의 케일 헤니투스인가?"

케일의 시선이 펜 왕자 옆의 사람에게로 향했다. 브렉 왕국 궁정 마법사의 수제자. 차기 궁정 마법사로 여겨지는 에크러스 백작이었다.

–……인간, 저 띨빵하게 생긴 놈은 왜 너를 위아래로 훑어보나?

그러게.

케일은 저를 쳐다보는 에크러스 백작에게 귀족다운 태도로 부드러이 답했다.

"그렇습니다. 제가 케일 헤니투스입니다, 에크러스 백작님."

“크흠, 나를 알고 있군. 그런데 먼저 인사를 하지 않다니.”

“죄송합니다. 여기 죽음의 협곡이 처음인지라 정신이 없었습니다.”

펜 왕자는 이상했다.

‘저 인간이 왜 저러지?’

케일 헤니투스가 이상하게 저자세였다. 펜은 괜히 에크러스 백작을 쳐다보며 눈치를 줬다.

‘그만하시오, 백작!’

그러나 그 눈빛은 애석하게도 에크러스에게 닿지 못했다. 백작은 못마땅한 눈빛으로 케일을 훑어보았다.

그는 겨우 스무 살의 놈을 로운 왕국 대표로 보낸 것이 마음에 들지 않았다. 그리고 그 대표로 온 놈이 노력으로 성장하는 마법과 달리 그저 운 좋게 얻은 고대의 힘으로 영웅 흉내를 내는 게 영 마뜩잖았다.

‘인맥으로 있는 척하는 전형적인 놈이지.’

가장 백작의 마음에 들지 않는 부분은 능력 없는 귀족 자제 주제에 가진 인맥이 상당하다는 거였다. 자세히는 모르나, 얼핏 듣기로 로잘린 전 왕녀와 알베르 크로스만 왕세자, 툰카 대장군과 친하다고 들었다.

에크러스 백작은 상당히 못마땅한 티를 내는 자신에게도 끝까지 예의 바르게 구는 케일의 모양새에 혀를 찼다. 딱 봐도 아부에 특화된, 비위 좋은 놈들 태세가 아닌가.

그는 일부러 제 주위 사람들을 소개했다.

“케일 공자, 여긴 우리 측 마법사들이네. 그리고 여기는 남작이시고, 저기는 자작이지.”

일부러 마법사라는 단어에 힘을 줬다.

원래 마법 쪽으로는 힘도 못 쓰는 로운 왕국이었다. 그런데 위퍼 왕국 마법사들과 로잘린 전 왕녀를 로운 왕국으로 데려가더니 자국 마법사들을 가르쳤다.

'스승님은 기뻐하셨지만.'

궁정 마법사인 스승님은 잘되었다며 기회라고 좋아하셨다. 백작도 기회라는 점은 부정하지 않았다.

'그러나 권력을 놓칠 순 없지.'

왕국 간 주도권을 놓칠 순 없는 법이었다. 그는 케일 주위를 둘러보았다.

'데려온 이도 별로 없고.'

케일 곁에는 기사로 보이는 남자와 호리호리한 체격의 소년만이 자리해 있었다.

'브렉 왕국 영역 일은 우리가 해야지.'

로잘린 전 왕녀가 막내 펜 왕자와 자신에게 최대한 케일의 편의를 봐주라고 했으나, 자신은 펜 왕자와 달리 이제는 왕가 사람도 아니고 로운 왕국에서 사는 로잘린의 말을 들을 의무가 없었다.

'펜 왕자는 로잘린 전 왕녀만 엮이면 사람이 이상해지니, 내가 나서야지.'

안 그러면 이런 귀족 작위도 없는 애송이 뒤처리하려고 죽음의 협곡까지 온 게 된다. 에크러스 백작은 케일을 보며 입을 열었다.

"크흠, 로운 왕국을 통해 들었네. 죽음의 협곡에 마법 폭탄을 설치한다고?"

에크러스의 뒤로 아까 소개되었던 남작과 자작이 서서 케일을 응시했다. 꼭 케일에게 압박을 주려는 태도 같았다.

'……이래서 누님이 돌아오셔야 하는데.'

펜 왕자는 그 행태에 눈가를 찡그렸다.

운 좋게 마법 재능이 있어 궁정 마법사의 수제자가 된 에크러스 백작이었다.

펜은 자신이 아무리 왕위 계승권이 없고 그저 왕가의 자잘한 일을 하는 사람이라도, 자신을 무시하고 나서는 에크러스 백작의 행동에 기가 찼다. 동시에 그는 누님의 선견지명에 감탄이 흘러나왔다.

'에크러스 백작은 내 말을 안 들을 거야.'

'그러면 어쩝니까?'

'어쩌긴. 내버려 둬. 어쨌든 브렉에 대한 자부심과 걱정은 많은 인간이니까.'

'……케일 공자는요?'

누님은 그 질문에 웃었다. 그리고 답했다.

'그 사람은 걱정하지 않아도 돼. 세상에서 가장 강한 마법사가 지키는 사람이니까.'

가장 강한 마법사. 그 말이 펜의 귓가에 맴돌았다. 펜의 눈동자가 이전에 호위 기사로 소개받은 이를 지나쳐 호리호리한 소년에게로 향했다. 호리호리한 소년은 펜과 눈이 닿자 멈칫하며 피했다.

'저자가 마법사인가?'

펜은 의문을 감추며 다시 케일과 백작에게로 시선을 돌렸다. 에크러스 백작은 손을 펼치며 케일에게 당당하게 말했다.

"데리고 온 사람 중에 마법사도 없는데 마법 폭탄 설치가 잘되겠나? 죽음의 협곡은 그나마 우리가 더 잘 알고, 마법사이기도 하니 우리가 하지."

에크러스 백작은 진심이었다.

브렉 왕국을 구하는 일이다. 주도권을 떠나 자신이 하는 게 맞았다.

'물론 방금 온 사람한테 이러긴 조금 미안하지만.'

그는 케일을 텔레포트 진에 세워두고 이러는 게 미안했으나, 한시가 급한 일이었다. 얼른 처리하고 수도로 돌아가야 했다. 백작은 손을 내민 채 케일의 대답을 기다렸다.

"음? 일행이 더 있으십니까?"

그 순간, 텔레포트 진을 담당하는 마법사의 목소리가 그들에게 들려왔다.

우우웅-

텔레포트 진에 빛이 감돌았다. 백작은 케일과 시선이 마주쳤다.

"일행이 몇 명 더 옵니다."

케일은 부드러이 답하며 마법진에서 내려섰다. 그 행동에 백작은 얼떨결에 뒤로 물러서며 마법진을 바라봤다.

마법진 위로 빛이 감돌더니, 이내 환한 빛이 퍼져 나갔다.

파아앗.

열 명가량의 거구들이 나타났다. 검은 로브로 감쌌지만 한 명, 한 명이 거대한 산과 같은 체격을 지니고 있었다.

"음."

백작은 저도 모르게 그 압박감에 침음을 흘렸다.

스윽. 가장 앞에 선 거한의 후드가 벗겨졌다. 노인의 목소리가 울려 퍼졌다.

"호족 주술사 가샨입니다."

스으윽.

뒤이어 다른 이들의 후드도 벗겨졌다. 호랑이 특유의 번뜩이는 눈동자 열 쌍이 어둠 속에서 빛나고 있었다.

에크러스 백작은 살면서 호족을 처음 보았다. 하지만 익히 알려진 수인족 강자였다.

"백작님."

에크러스는 흠칫하며 고개를 돌렸다. 케일이 조곤조곤 말했다.

"낭떠러지 근처와 높은 지대는 마법사님들께 부탁드립니다. 대신 깊은 곳은 저희가 하죠."

협곡 깊숙이, 바람이 휘몰아치는 곳들. 그곳은 비행 마법으로 몸을 유지하는 것만으로도 힘들었다.

백작의 표정이 달라졌다. 협곡에 마법 폭탄을 설치한다길래 그저 절벽을 따라 낭떠러지 인근에 설치한다는 말인 줄 알았다. 그런데 케일은 그 아래, 협곡에 설치한다고 말하고 있었다.

"……죽음의 선 아래로 내려간다는 말인가?"

통상적으로 죽음의 협곡에는 기준점이 존재했다.

낭떠러지에서 수십 혹은 백여 미터 아래. 혹은 협곡이, 깊은 골짜기가 시작되는 지점. 또는 거친 강물이 내려다보이는 곳. 그 기준점들은 죽음의 선이라 불렸다. 그곳들은 죽기 싫으면 피해야 했다. 그런데 그곳에 내려간다고?

"네. 내려갑니다."

담담한 목소리가 울려 퍼졌다. 백작은 그제야 케일 일행이 제대로 보였다. 케일 곁에 있는 이들의 표정은 하나같이 비장했다. 그 사이로 오로지 케일만이 태연했다. 그래서 유독 눈에 들어왔다.

백작은 로운 왕국 사람이 브렉 왕국 사람들도 가지 않는 사지로 향하겠다는 그 말이 머릿속에 박혔다. 도저히 무슨 말을 해야 할지 생각이 나지 않았다.

그때였다.

"부탁하네."

펜 왕자가 나섰다. 그는 사뭇 정중한 태도로 케일에게 말했다.

"우리도 내려가야 한다면 최대한 방도를 알아보지. 도와야 하는 일이 있다면 뭐든 말하고."

케일은 부드러운 미소를 지어 보였다. 그리고 속으로 생각했다.

'마법 폭탄은 이것들한테 떠넘겨야겠네.'

협곡 깊숙한 그곳에는 '용의 분노'를 심어두어야 한다. 그 귀한 불기둥을 남들한테 알려줄 순 없지 않은가?

'거기다가 내가 일하는 것도 아니고.'

케일 자신은 그저 구경만 하면 되었다. 이 얼마나 편한가?

그는 입을 열었다.

"그럼 먼저 갑니다."

"어? 간다고?"

펜이 당황해 케일을 쳐다봤다. 케일은 뒤돌아서서 협곡으로 향했다. 백작이 입을 열었다.

"밤은 위험하네. 낮에 움직여야……!"

"북 3국이 보라고 낮에 움직입니까?"

백작은 입을 다물었다.

와이번 기사단. 그 내용에 대해서는 이미 들었다. 그래서 한시가 급한 상황이었다. 와이번이라면 낮 동안 이곳을 정찰할 수도 있었다.

백작은 그를 쳐다보는 스무 살 청년이 지닌 눈빛에 다른 말이 튀어나오지 않았다. 케일은 백작이 아무 말도 없자, 다시 협곡으로 움직였다.

'빨리하고 가야지.'

케일은 걸음을 서두르며 뒤따르는 호족에게 물었다.

"밤이면 위험한가?"

가샨은 웃었다.

"밤이 좋습니다."

호랑이는 야행성이었다. 또한 이곳엔 최고의 전사들만이 왔다. 협곡에 내려가는 것쯤이야, 어려운 일도 아니었다.

케일 일행 뒤를 마법사들이 황급히 따라왔다. 케일은 첫 번째 구역 낭떠러지 앞에 멈춰 서서 마법 주머니를 에크러스 백작에게 넘겼다.

"마법 폭탄 설치 위치가 적힌 지도와 마법 폭탄들입니다. 부탁드립니다, 백작님."

백작은 여전히 정중한 케일의 모습에서 묘한 감정을 느꼈다. 그는 마법 주머니를 받아 들며 말했다.

"……부탁하네."

백작은 눈앞에 선 남자의 담담한 미소를 볼 수 있었다.

곧바로.

"가자."

케일이 말하는 순간이었다.

툭. 투둑.

검은 로브들이 땅바닥으로 던져졌다. 그리고 광폭화한 호족 전사들이 모습을 드러냈다.

"아."

백작은 뒤로 물러섰다. 이전과는 차원이 다른 압박감이었다.

산 하나를 다스리는 호랑이. 호랑이들은 어둠 속에서 그 검고 금빛으로 빛나는 모습을 감추지 않았다. 거대한, 한 명 한 명이 산과 같은 이들이 케일만을 응시했다.

케일의 입이 열렸다.

"뛰어내려."

크르르르-

유일하게 하얀 호랑이, 가산이 웃으며 절벽 아래로 뛰어내렸다.

그것이 시작이었다. 열 명의 호족 전사들이 절벽 아래로, 죽음의 협곡으로 덤벼들었다. 어둠 속으로 하얀 눈과 함께, 멀어져 가는 금빛 선들이 사람들의 시야를 사로잡았다. 그 금빛 잔상이 사라질 때쯤.

쿵. 쿵. 쿵.

절벽이 울렸다.

호족 전사들은 절벽에 손, 혹은 발을 박아 넣었다.

"크르르르."

동시에 흥겨움이 섞인 호랑이들의 울음소리가 거센 바람 소리를 타고 들려왔다. 호랑이는 위험을 즐겼다.

"케일 님."

케일은 시선을 돌려 최한과 마주했다.

"다녀오겠습니다."

"그래."

최한도 뒤이어 절벽으로 뛰어내렸다. 그 광경을 지켜보던 케일은 손을 움직였다. 툭. 그의 손이 저보다 키가 큰 소년, 라크의 어깨 위에 올라갔다.

“라크, 지켜봐라.”

라크는 그 말에 대답하지 못한 채 절벽을 바라봤다. 광폭화한 호족 전사들의 모습이 머릿속에 남아 사라지지 않았다. 그에게 케일의 목소리가 들려왔다.

“내가 다시 여기에 올 때까지, 죽음의 협곡을 지킬 사람이 필요하다.”

……설마?

라크는 케일의 차분한 눈빛을 응시했다. 그러나 케일은 더 이상 아무 말도 하지 않은 채, 라크의 눈빛을 마주 보고는 이내 고개를 돌렸다.

케일은 저를 쳐다보는 브렉 왕국 사람들을 바라보았다. 에크러스 백작은 케일의 시선에 멈칫했다. 그러다 문득 의문이 들었다.

‘왜 로잘린, 왕세자, 툰카 정도 되는 이들이 케일을 곁에 두는 것이지?’

그러나 의문을 더 이어나갈 수 없었다. 케일의 입이 열렸다.

“움직이세요.”

에크러스는 멈칫하다가 재빨리 움직이는 이들을 보며 낭떠러지 앞에 가만히 서 있었다.

그리고 찾아온 새벽.

협곡 동쪽 방향으로 태양이 보이기 시작했다. 겨울의 추위 따위는 조금도 해를 입힐 수 없다는 듯, 태양은 눈부시게 빛나고 있었다.

쿠웅, 쿵!

케일은 미소를 그렸다. 그는 낭떠러지에 박히는 손을 보았다. 곧 하얀 털의 호족이 절벽 위로 올라섰다.

"다녀왔습니다, 공자님."

"밤 산책은 어땠나?"

가샨은 케일의 물음에 너털웃음을 터뜨렸다.

"공자님이 마중 나와서 그런지 즐거운 산책이었습니다."

뒤이어 다른 호족들이 올라섰다. 마지막으로 최한이 절벽에서 뛰어올라 케일의 옆에 착지했다.

"다녀왔습니다."

"그래, 잘했-"

삐이이이-

최한에게 수고의 말을 전하려던 케일의 입이 닫혔다.

삐이이- 삐이이이-

케일은 고개를 돌렸다. 브렉 왕국에서 설치한 천막에서 긴급 연락을 뜻하는 신호음이 들려왔다. 마법 영상통신구가 쉴 새 없이 붉은 빛을 토해냈다.

특급 비상 연락. 케일은 재빠르게 천막 안으로 들어섰다. 펜 왕자와 에크러스 백작도 황급히 천막으로 왔다.

"어서 틀게."

펜 왕자가 지시했고, 영상통신구가 연결되었다. 케일은 통신구로 전해지는 내용을 들으며 헛웃음을 흘렸다.

[오늘, 2월 15일.
파에른 왕국. 기사의 나라는 기사들이 있는 나라다. 기사는 기사도를 따라 비겁한 행동은 하지 않는다.]

파에른 왕국의 선포가 서대륙에 울려 퍼졌다.

[우리는 얼지 않는 땅을 원한다.]

북 3국은 전쟁을 선포했다.
'이럴 줄은 몰랐는데.'
케일은 북 3국이 이렇게 대놓고 움직일 줄은 몰랐다. 그들이 왜 이렇게 행동했을까?
단순히 기사도 때문은 아닐 터. 분명 깊숙한 곳에 또 다른 음모가 있을 것이다. 그러나 문제는 그게 아니었다.

[파에른, 노르란드, 아스코산, 그리고 곰족과 화염의 드워프족은 오늘부로 얼지 않는 땅을 향해 나아갈 것을 선포한다.]

펜 왕자와 에크러스 백작은 케일을 쳐다봤다.
'곰족과 드워프라니?'
이건 그들도 전혀 알지 못했던 정보였다. 그들의 시선은 저도 모르게 케일을 향했다. 케일은 그들을 쳐다보지 않고 있었다. 뚫어질 듯 영상통신구를 노려보던 케일의 입이 열렸다.

"개같네요."

흠칫. 케일의 입에서 나온 말에 사람들은 당황했다. 하지만 그런 모습에 케일은 시선 한 톨 주지 않은 채 최한에게 지시했다.

"영지로 연락해."

더 서둘러야 한다.

"동북부 귀족들을 모두 모으라고 전하도록."

케일은 로운 왕국 동북부 귀족들의 소집을 지시했다.

헤니투스 백작가가 위치한 로운 왕국 동북부. 바위의 나라에서 가장 바위가 많은 땅.

이제는 그곳을 지배할 우두머리가 나타나야 했다.

떠오르는 겨울 태양과 함께 전해진 소식.

<우리 불굴 연합은 정정당당하게 얼지 않는 땅을 쟁취할 것을 선포한다.>

북 3국, 곰족, 화염의 드워프족. 3국 2종족의 연합 이름은 '불굴'이었다. 이들의 전쟁 선포로 서대륙의 늦겨울은 어느 때보다도 뜨거워지기 시작했다.

삐이이-

연신 긴급 연락이 쏟아지며 케일과 펜 왕자가 있는 천막 안으로 소식이 전해졌다.

–모고르 제국은 유감이라는 뜻을 표하며 서대륙의 평화를 위해 노력하겠다고 합니다!

천막 안의 표정은 좋지 못했다.

제국이 평화?

"웃기지도 않는 소리 하네."

케일의 목소리에 멈칫하는 이들이 많았다. 그러나 케일의 그런 행동을 뭐라 하기도 그랬다.

'……스승님을 보는 것 같아.'

에크러스 백작은 케일에게서 알 수 없는 위압감을 느꼈다. 꼭 한 분야의 지배자를 보는 것 같은 기분이었다.

삐이이이– 삐이이–

그 와중에도 소식은 이어지고 있었다.

–카로 왕국은 모든 경매장과 도박장의 문을 닫는다고 합니다!

카로 왕국은 일단 숨죽이기에 들어갔다.

–북부의 공국 두 곳과 연합 도시는 '불굴 연합'의 정정당당한 뜻에 찬사를 보낸다고 합니다!

–제국 근처의 공국과 자유 도시는 중립을 택했습니다! 제국의 평화 수호에 동의한다고 합니다!

난장판이네.

케일은 짧은 감상을 내리며 의자에서 일어섰다. 덜컹. 작은 소리에 사람들은 민감하게 반응했다. 에크러스 백작도 자리에서 일어나 케일에게 물었다.

"공자, 곰족과 드워프에 대해서 로운 왕국은 알고 있었습니까?"

에크러스 백작은 다그치듯이 묻다가 멈칫했다. 빤히 응시하는 케일의 눈빛 때문이었다.

-인간, 너는 저거를 왜 내버려 두나? 역시 넌 착하다. 아닌 척해도 다 안다. 에효, 내가 좀 더 분발해야겠다.

케일은 라온의 진지한 목소리를 내버려 두었다. 그는 스스로가 꽤 나쁜 놈임을 알고 있다. 그래서 가만히 있는 중이다. 나중에 저 백작을 탈탈 털릴 정도로 부려먹어야 하니까.

케일은 제 시선에 멈칫하는 에크러스 백작의 모습에 실소를 참으며 다시 귀족적으로 답했다.

"몰랐습니다."

짧은 대답이 천막 안에 울려 퍼졌다.

최악.

그때, 천막이 걷히며 한 사람이 안으로 들어섰다.

"공자님, 무슨 일입니까?"

여전히 광폭화 상태의 하얀 호족 가샨이었다.

호족. 곰족.

가샨의 등장에 갑자기 두 수인족을 가리키는 단어가 천막 속 사람들 머릿속을 채우기 시작했다. 열린 천막 틈새로 아침의 태양 빛이 들어오고 있었다.

하지만 일어선 케일의 앞은 가샨이 자리해, 케일에게만은 그 빛이 덮치지 않았다. 그래서 유독 붉은 머리칼의 케일이 선명하게 보였다.

"공자님, 무슨 일입니까?"

다시 한번 더 묻는 가샨에게 케일은 천천히 입을 열었다.

"별일 아니다."

삐이이-

긴급 통신들 사이로 케일은 담담히 말을 이어갔다.

"우린 원래대로 우리 할 일을 하면 돼."

그의 시선이 펜 왕자에게로 향했다.

"우리도 강하니까."

그 말을 내뱉는 순간, 펜 왕자는 자신이 해야 할 일이 무엇인지 깨달았다.

4왕국 1종족 연합. 거기에 호족까지. 변수는 생겼으나, 우린 약하지 않다. 그렇다면 자신이 해야 할 일은 명확했다.

현재 이곳에서 브렉 왕국을 대표하는 이가 펜이었다. 펜 왕자는 입을 열었다.

"영상통신 마법사들은 전해져 오는 정보를 모두 기록해 두도록. 그리고 우리의 현재 진행 상황을 보고하게. 에크러스 백작."

"네, 네!"

"마법 폭탄이 남았다고 들었다. 다시 진행해."

그는 케일이 했던 말을 한 번 더 내뱉었다.

"모두 자신이 할 일에 집중한다."

펜 왕자는 그 말까지 한 후 케일을 쳐다봤다. 누이 로잘린의 목소리가 떠올랐다.

'그는 믿어도 되는, 아니, 믿을 수밖에 없는 사람이야.'

펜은 케일의 입이 열리는 것을 보며 누이의 말을 되새겼다.

"저하, 저도 가보겠습니다."

펜은 고개를 끄덕였고 케일은 천막 밖으로 나갔다. 빛 속으로 사라지는 케일을 쳐다보던 펜 왕자는 그 의연하고 당당한 모습에 괜히 손끝으로 목을 쓸어 만졌다.

'이제야 숨 쉴 만하군.'

케일에게서 나오던 압박감이 사라지자, 펜은 아침의 차가운 공기를 들이마실 수 있었다. 그러나 차가운 공기와 달리 그의 심장은 뜨겁고 긴박하게 뛰기 시작했다.

그리고 뜨겁고 긴박하기로는 케일 일행이 머무는 천막 안도 마찬가지였다. 하지만 대화는 없었다.

톡. 톡. 톡.

케일의 검지가 팔걸이를 두드리고 있었다. 그는 '영웅의 탄생'을 떠올렸다.

곰족은 영악하다.

케일은 이제 제대로 체감했다.

'짜증 나네.'

영웅의 탄생 5권은 끝났다. 이제 시작되는 것은 케일도 알지 못하는 미래다.

그 사실이 케일 자신의 괴팍한 성질머리를 못내 건드리는 것 같아 머리가 아파왔다. 케일은 손가락으로 제 머리를 꾹꾹 눌렀다.

"인간, 머리 아프냐? 어디 아프냐?"

일행밖에 없었기에 검은 용은 투명화를 풀고 케일 곁을 서성였다. 가만히 있던 가샨이 그 모습을 지켜보다가 슬그머니 입을 열었다.

"화염의 드워프족이라니. 처음 듣는 드워프족이군요."

케일도 처음 듣는 드워프족이었다. 아니, 쥐족 혼혈 뮐러를 제외하고는 제대로 된 드워프를 만나본 적도 없는 케일이었다. 그렇기에 머릿속이 복잡했다.

드워프, 무언가를 만드는 데 특화된 종족.

케일의 입 밖으로 그의 머릿속을 복잡하게 만들었던 요인이 흘러나왔다.

"더 있어."

"네?"

가샨이 되물었지만 케일은 그제야 머릿속이 정리되는 느낌을 받았다.

와이번 기사단. 수십 척의 배. 그 사이로 드워프가 끼어든다면 하늘과 바다를 통한 북쪽의 침략은 그 모양새가 달라진다.

더 있다.

저들에게는 분명 한 가지, 케일이 미처 파악하지 못한 것이 하나 더 있다고 케일은 확신했다. 그리 생각할 수밖에 없었다. 파에른 왕국 수호 기사 가문의 진실을 아니까.

케일은 신의 눈물 호수에 담긴 진실을 알고 있었다. 강이 흐르는 것이 싫어 호수로 만들어 독차지하려던 파에른 왕국.

'파에른은 선전 포고와 달리, 정정당당한 곳이 아냐.'

케일은 입을 열었다.

"곧바로 돌아간다."

"네. 알겠습니다."

최한이 태연하게 답했다. 여기서 가장 태연한 사람은 최한이었다. 그러나 이어진 케일의 말에 최한의 눈썹이 살짝 산을 그렸다.

"라크, 생각해 봤나?"

라크? 생각?

최한은 몰랐던 내용이 나오자 라크를 쳐다봤다. 아까 전부터 가장 불안한 기색을 보이던 소년. 라크는 집중된 시선에 멈칫하더니 이내 고개를 푹 숙였다.

라크는 케일이 한 말이 무엇인지 바로 알아들었다.

어젯밤, 일행이 절벽으로 뛰어들 때 케일에게 들었던 말.

'내가 다시 여기에 올 때까지, 죽음의 협곡을 지킬 사람이 필요하다.'

라크는 죽음의 협곡 따위 두렵지 않았다. 자신은 지키기 위해 강해져 왔고, 지금도 강해지는 중이었으니까.

그러나 혼자 있기 싫었다. 홀로 있어본 적이 없는 라크에겐 용기의 근원이 되는 누군가가 필요했다. 가족이든, 동생들이든. 라크는 고개를 숙인 채 고민에 빠졌다.

'전 함께 돌아가고 싶습니다.'

분명 혼자 있기 싫은데, 그 말이 쉬이 튀어나오지 않았다.

왜일까?

그때였다.

"뱉어내."

"네?"

라크는 고개를 들었다.

언젠가 들었던 말. 첫 광폭화 후 감사 인사 겸 동생들을 부탁하기 위해 처음 케일을 찾아갔을 때. 그때 케일은 우물쭈물하는 그에게 말했다.

'뱉어내.'

그리고 지금처럼 이어 말했다.

“그래. 대화를 할 때는 이렇게 똑바로 쳐다보면 돼. 잊고 있었나?”

잊고 있었나?

그 말이 라크에게 크게 다가왔다. 그는 그때 더듬거리며 케일에게 부탁했었다.

‘제, 제가 형입니다.’

‘동생들을 돌봐야 합니다.’

‘그리고 저는 조카이고, 또 동생이었습니다.’

‘그래서 복수해야 합니다.’

그 말들에 케일은 답해주었다.

‘늑대군.’

늑대. 라크는 그 단어가 머릿속에 떠올랐다.

“케일 님.”

가만히 있던 최한이 드물게 나서며 대화에 끼어들었다. 라크는 그에게 동생이나 다름없었다.

“왜?”

“라크에게 무슨 말씀을 하셨는지 저도 들을 수 있습니까?”

“내가 올 때까지 죽음의 협곡을 감시하고 지키라고 했다.”

“……혼자서요?”

“비상 연락을 위해 브렉 왕국 측 마법사도 몇 남겠지. 하지만, 그래. 우리 일행 중에는 홀로 남을 거야.”

최한은 저는 쳐다보지도 않고 라크만 응시하며 답하는 케일과 조용한 라크를 번갈아 바라보았다. 망설임 끝에 최한의 입이 열렸다.

“외로움이 많은 아이입니다.”

라크는 상실을 크게 겪어본 아이였다. 가족, 주변인들, 한 마을이 몰살되는 경험을 했다. 그런 아이가 이제야 조금 편안해졌다. 상황상 라크는 강해져야 하지만, 최한은 아이의 마음마저 삭막하게 되길 원하지 않았다.

자신이 그랬으니까.

최한은 스스로 마음이 삭막함을 느끼고 있었다. 그래서 마음을 적시는 한 방울의 물도 소중했다. 최한은 라크가 자신처럼 외롭지 않길 바랐다.

그 순간, 케일이 최한을 쳐다봤다.

"그래서 라크가 혼자인가?"

"……네?"

케일은 라크를 다시 보며, 15살의 늑대족 소년에게 말했다.

"너에겐 가족도 많다. 돌아올 집도, 새로운 고향도 있다. 외롭나?"

가족을 중요시하는 늑대족. 그러나 무엇보다도 늑대는 깨달아야 한다.

'나'를.

늑대왕은 스스로의 존재를 아는 자.

"라크, 너는 외롭나?"

그 말이 라크에게는 다르게 들려왔다.

넌 아직도 무섭나?

넌 편안한 상황에 안주하길 원하나?

말로는 강해지길 원한다면서, 왜 예전처럼 소심하고 우유부단한가?

라크는 케일을 똑바로 바라봤다.

"남겠습니다."

그 말을 한 순간, 라크는 오늘 처음으로 부드럽게 웃는 케일을 볼 수 있었다.

"성장했구나."

라크는 아무런 말이 떠오르지 않았다.

다만.

"믿으마."

믿는다는 말에 허리를 숙여 인사했다. 다시 허리를 든 그의 앞에 낡고 피 묻은 가죽 노트가 나타났다.

"마지막 늑대왕의 일기다."

……늑대왕?

라크는 심장이 뛰었다.

늑대왕을 목전에 두고 죽은, 푸른 늑대족의 족장이었던 삼촌. 그리운 삼촌이 떠올랐다. 동시에, 한 가지 생각이 떠올랐다.

'이걸 왜 나에게?'

그러나 곧 의문을 불식시켜 주는, 마법 같은 목소리가 들려왔다.

"너를 믿으마."

케일의 그 말에 라크는 홀린 듯이 일기장을 받아 들었다. 일기장의 낡은 감촉이 느껴졌다. 라크는 일기장을 소중히 쥐었다.

케일은 그 모습을 본 후 명령했다.

"돌아간다."

로운 왕국으로 돌아가야 했다.

로운 왕국의 수도와 가깝고 왕국 내 동북부의 시작이 되는 영지인 휠스만 영지.

휠스만 백작가의 후계자인 에릭 휠스만은 어색한 미소를 지으며 대회의장 밖으로 걸어 나갔다. 그의 등 뒤로 동북부 귀족들의 대화가 들려왔다.

"아무리 헤니투스 가문이라고 해도, 이 비상시국에 오라 가라 해도 되는 겁니까?"

"그러게나 말입니다. 그것도 백작 대신 케일 헤니투스 공자를 부른다니. 작위도 없는 이를. 내 참!"

로운 왕국 동북부는 우두머리인 공후작급 귀족이 없었다. 그랬기에 갈기갈기 파벌이 나뉘어 있는 상황이었다.

일단 에릭 휠스만의 백작가처럼 동북부를 중심으로 결집된 귀족가 파벌로, 대표적으로 아미르 영애와 길버트 공자가 있는 동북부 해안가가 있었다. 그 외에 각각 동남부, 서북부, 서남부와 중앙 공후작 귀족들을 따르는 파벌들이 존재했다.

"그리고 왜 왕실은 말씀이 없는지 모르겠습니다."

"그러게나 말입니다. 적들이 배를 통해서 로운으로 온다면 분명 동북부일 텐데. 뭐, 하늘로 올 일은 없을 테니까요."

그중에서도 현재 동남부와 중앙 파벌에 속하는 귀족들이 말이 많았다.

보통이라면 그들을 부른 백작에게 이런 말을 할 수 있는 남작가, 자작가는 없다. 그러나 비상 상태가 되니 오히려 자신들이 따르는 공후작을 믿고 날뛰었다. 동북부의 기세를 자신의 파벌이 잡아야 했으니까.

에릭은 이런 사태를 예상했기에 그러려니 넘겼다. 오히려 아무 말도 없는 서북부와 서남부 파벌이 이상했다.

'이상하네.'

버려졌던 장남 테일러가 이끄는 서북부의 스텐 후작가.

안토니오 공자가 중심인 서남부의 기예르 공작가.

그 두 곳을 따르던 귀족들은 심각한 얼굴로 입을 다물고 있었다. 오히려 살짝 겁을 집어먹은 모습이었다.

'뭐지?'

에릭은 그 분위기가 이상했으나, 아직 귀족 자제 신분이었기에 얼른 대회의장을 빠져나왔다. 대회의장 입구 문을 닫는 그에게로 한 귀족의 불만이 들려왔다.

"방패 공자라고 추켜세우니, 이런 위급한 때 설치는구먼."

케일에 대한 비꼼이었다. 에릭은 마저 입구 문을 닫고는 미간을 찌푸렸다.

'도대체 어떻게 굴러가는 거야?'

데르트 헤니투스 백작은 동북부 귀족들을 모았다.

'중심을 정합시다.'

전쟁을 앞두고 중심을 정하자는 그 말에 귀족들은 반응했다.

전쟁. 그 단어는 새로운 권력의 기회를 뜻하기도 했으니까.

그런데 정작 귀족들을 모은 헤니투스 백작가에서 케일을 보냈다. 에릭은 그 사실을 알고 난 후로 잠이 안 왔다. 이제 망나니는 아닌 것 같지만, 그래도 케일은 걱정되는 존재였다. 그래서 하루에 하나씩 케일에게 서신을 보냈으나 답도 안 왔다.

에릭은 치미는 걱정에, 결국 대회의장 입구에 와 있는 헤니투스 가문 사람에게 말을 붙였다.

"힐스만 부단장, 케일 공자는 언제 오지?"

"잘 모르겠습니다, 공자님."

속없이 느긋한 부단장의 대답에 에릭은 머리가 아파왔다. 그는 해군 기지를 담당하는 우바르 가문의 아미르 영애를 떠올렸다.

'에릭 공자, 케일 공자 걱정은 안 하셔도 돼요. 전, 사실 지금 기대 중이랍니다.'

전쟁을 기다리는 듯한 그녀의 눈빛은 매서웠다.

"하, 진짜."

에릭은 머리칼을 흐트러트리며 조마조마함을 감추지 못했다.

"케일, 이 자식은 도대체가……!"

"제가 왜요?"

에릭의 몸이 멈칫했다.

타닥. 타닥. 대리석을 밟는 구두 소리가 들려왔다. 에릭은 고개를 돌렸다. 입구에서부터 여유롭게 걸어 들어오는 케일이 보였다.

평소처럼 느긋하고 여유로운 자세. 느릿한 걸음걸이가 누구보다도 케일에게 잘 어울렸다.

케일은 매일 구구절절 전쟁에 대한 걱정을 토로하는 장문의 편지를 보낸 에릭 공자의 옆을 지나쳤다.

"나중에 봅시다."

에릭은 케일이 남긴 말에 뒤돌아서서 케일을 쳐다봤다.

'달라졌어.'

명확히 알 수 없지만 케일에게서 달라진 무언가를 느꼈다. 그 때문에 에릭은 쉬이 입이 열리지 않았다. 물론 케일은 에릭 공자의 불안감 가득한 잔소리를 안 들어 편했다.

유유히 걸어온 케일은 직접 대회의장 문고리를 잡았다. 꽤 커다란 문이었다. 입구 앞의 기사가 황급히 다가와 케일에게 말했다.

"공자님, 제가 하겠습니다."

"아니, 됐네. 내가 하지."

케일은 힘껏 밀었다.

끼이이익– 쾅!

대회의장 전체를 울리는 굉음.

케일은 그 소리를 뚫고서 대회의장 안으로 들어섰다.

타닥. 타닥.

지금 이 순간, 대리석을 밟으며 걷는 이는 오로지 케일뿐이었다. 동북부 귀족들의 시선이 케일에게로 쏟아졌다.

케일은 의자에 앉아 있는 그들을 내려다봤다.

타닥.

탁.

걸음이 멈췄다.

기다란 원형 테이블. 그곳의 상석은 헤니투스 백작가의 자리였다. 케일은 그 자리에 섰지만, 앉지 않았다. 그의 시선이 에릭 공자의 아버지이자 휠스만 백작가를 이끄는 가주에게 향했고, 살짝 눈인사를 건넸다. 휠스만 백작가와는 이미 말을 끝낸 상태다.

–인간.

케일은 머릿속으로 라온의 목소리가 들려왔다. 라온은 먼저 이곳에 와 있었다.

–저것들이 인간 네 욕했다. 신기하다. 살기 싫은 건가?

살벌한 여섯 살 같으니라고. 케일은 속으로 중얼거린 말과 달리 얼굴은 태연했다. 그는 태연히 내려다봤다.

"크흠, 큼."

몇몇 귀족이 헛기침을 해댔다. 백작도 아니고 귀족 자제가 저리 내려다보는 것이 불편했기 때문이다.

그때, 한 자작의 입이 열렸다. 암암리에 로운 동남부를 지배하는 아일란 후작가를 따른다고 알려진 이였다.

"북쪽 불굴 연합은 로운 왕국을 타깃으로 할 겁니다."

꽤 똑똑하고 예의 바르다 알려진 귀족이었다. 그는 케일을 무시하는 기색 없이, 케일과 휠스만 가주를 번갈아 바라봤다.

"서북부는 스텐 후작가를 중심으로 뭉쳤습니다. 서남부는 안토니오 기예르 공자에게 공작위를 넘기며 그를 중심으로 국경 방어군에 막대한 돈과 인력을 쏟아붓고 있다고 합니다."

자작의 시선이 살짝 우바르 영주에게로 향했다. 해군기지가 세워지고 있다고 알려진 땅 우바르. 왕세자의 입김이 닿은 곳. 하지만 자작은 물론이거니와 다른 귀족들도 그곳이 헤니투스 백작가의 손길이 닿은 곳임을 모르고 있었다.

"크흠, 물론 우리 쪽에도 우바르 영지에 해군기지가 있지만, 아직 준비가 덜되지 않았습니까? 그리고 마지막으로 동남부는 아일란 후작가를 중심으로 움직이지요."

아일란 후작가 쪽의 자작을 수도 쪽의 귀족들이 매섭게 쳐다봤다.

"아일란 후작가는 로운 왕국에서 가장 기사의 힘이 막강한 곳이죠."

현재 로운 왕국 최고의 무가 아일란. 자작의 입꼬리가 슬그머니 올라갔다.

"우리 동북부는 중심을 잡아줄 곳이 필요합니다. 이왕이면 기사의 나라에 대항할 기사들이어야 하겠지요. 케일 공자, 헤니투스 백작가에서도 그런 생각 아닌가?"

자작의 시선이 여전히 서 있는 케일에게로 향했다. 헤니투스 백작가가 성벽 보수를 했다는 소리는 들었지만 그 외 전력에 관한 내용은 듣지 못했다.

헤니투스는 동북부 귀족가를 틀어쥘 명분이 없다.

"전시야."

그 순간, 가장 나이 많은 자작이 입을 열었다. 올해 여든을 넘긴 그는 수도 중앙 측의 사람이었다.

"이럴 땐 큰 곳에 기대어야 해요. 냉정히 말해 동북부는 기댈 곳이 필요합니다. 우리 자력으론 힘들어요."

노인의 아집 어린 눈빛이 케일을 향했다.

"뭐, 방패 공자가 있으니 믿음직할지 모르겠으나 현실은 다르지."

노인은 현실을 들고 나섰다.

"중앙, 이럴 땐 중앙 오르세나 공작가를 중심으로 모여야 명령체계가 일정할 거예요."

결국 중앙에 붙자는 이야기였다.

전쟁은 영웅과 권력자가 동시에 탄생하는 귀한 기회이자, 살아남아야 할 아귀판이었다. 남자작급이기에 누구보다도 스스로 영웅이 되길 원하는 이들이 많았다.

"무엇보다도 왕가와 가까운 중앙에 붙어야 우리가 살아남을 확률이 높아요."

"기사, 병력은 동남부죠."

"어허. 이 노인의 지혜를 믿어야 할 때예요, 자작."

물론 이들은 왕국의 영웅이 아니라, 제 파벌의 영웅이 되길 원했다.

-인간, 이것들 바본가? 로운 왕국이 망하면 귀족도 없지 않은가?

그렇지.

케일은 라온의 말에 긍정했다. 그래서 그는 살폈다.

동남부, 중앙에 붙어 있어도 현 사태를 제대로 파악한 귀족이 누구인가?

이런 쓸데없는 탁상공론을 그가 듣고 있는 이유였다. 케일의 시선이 한 사람과 부딪쳤다.

아미르 영애의 어머니, 우바르의 영주. 그녀의 눈동자가 케일에게 고정되어 있었다. 그 와중에 귀족들의 목소리는 높아져 갔다.

"아니, 이제 서른인 자작이 뭘 알겠나? 전쟁은 경험이야. 경험 어린 조언을 들었으면 해요."

"로운 왕실이나 중앙이 힘이 있습니까? 합리적으로, 가장 강한 쪽에 붙어야 삽니다!"

"맞습니다. 같은 동쪽이니, 동남부가 좋겠지요!"

소란스러운 테이블 위로 우바르 영주의 목소리가 퍼졌다.

"케일 공자."

그녀에게로 시선이 모였다.

해군기지. 그 땅과 바다를 다스리는 영주였다. 그리고 동북부에서 가장 강한 병력을 지녔다. 또한, 북쪽 연합은 배로 올 것이 분명했다. 그렇다면 우바르 영지가 더 중요해진다.

동남부와 중앙, 각 파벌의 수장은 그들을 따르는 귀족들에게 반드시 우바르 영주를 끌어들이라 명했다. 그렇기에 귀족들은 말다툼을 멈추고 그녀의 말에 집중했다.

"공자는 지금 상황에 대해 어떻게 생각해요?"

우바르 영주가 높임말로 케일에게 물었다. 케일은 곧바로 답하지 않고 가만히 있었다.

여든의 자작은 그 모습에 너털웃음을 터뜨렸다.

"우바르 영주, 케일 공자는 어린 나이요. 고대의 힘 하나로 우리 동북부를 모두 지킬 수 있는 것도 아니고. 아무것도 모르는 백성들이 방패 공자라고 부르지만 어린 청년이 무얼 알겠소?"

그리 말한 자작은 케일에게 오해 말라는 듯 손사래를 쳤다.

"물론 케일 공자는 앞날이 밝은 인재일세. 진심으로 대단한 청년이라고 생각해. 그러나 이건 우리 같은 경험 많은 이들이 처리할 일이지."

"맞습니다."

동남부와 중앙 파벌의 귀족들이 편안한 얼굴로 고개를 끄덕였다.

피식.

케일이 실소를 흘렸다.

"……자네, 지금 웃은 건가?"

고개를 끄덕이던 귀족들의 표정이 살짝 굳었다. 케일이 백작가 사람이라도 공후작을 등에 업은 그들이었다. 더욱이, 그들은 케일과 달리 귀족 작위도 지녔다. 그러나 그들이 모르고 있는 것이 있었다.

케일은 왕가를 등에 업었다.

그는 품에 있던 은빛 패를 테이블 위로 던졌다. 별것 아닌 물건을 대하듯이, 아니, 케일에겐 이런 패 따위는 별것 아니었다.

탕!

은빛 패가 테이블에 부딪치며 굴러갔다. 그리고 중앙에서 회전하다가 이내 멈추며 테이블에 놓였다.

은빛 패.

로운 왕가의 상징이 새겨진 은빛이었다.

은빛 패는 군사권과 관련되어 있었다. 귀족들에겐 기본 상식이었다.

'저게 왜?'

'아직 각 파벌의 수장들도 받지 못한 것인데, 저게 왜 여기에?'

귀족들의 표정이 흔들렸다. 적막과 함께 은빛 패에 시선이 집중되었을 때였다.

"검과 방패의 대결이면 누가 이길 것 같습니까?"

뜬금없는 말이 케일의 입에서 흘러나왔다. 하지만 자세와 눈빛이 달라져 있었다. 정중함은 사라지고 오로지 내려다보는 서늘한 눈빛만이 귀족들에게 향했다.

케일은 답이 없는 이들에게 답을 말해주었다.

"무조건 방패입니다."

무조건 그래야 한다.

"지금부터는 무조건 방패가 이깁니다."

방패 공자. 케일은 자신에게 붙여진 그 낯부끄러운 별명을 어느 때보다도 십분 활용하기로 마음먹었다. 전쟁에서도 쇼맨십은 중요했다.

살아남기 위한 기세 싸움.

기세를 만들어야 한다. 로운 왕국민들 마음에 강한 기세를 심어줘야 한다.

케일은 그 기세를 동북부에서부터 만들기로 마음먹었다. 그래서 로운 왕국에 영웅들을 만들 것이다.

'나 빼고.'

전쟁 뒤, 새로운 영웅으로 채워진 로운 왕국에서 방패 공자는 잊힌 존재가 되어 있을 것이다.

그렇기에.

"무조건. 그래야만 합니다."

무조건 방패가 이겨야 한다.

그때였다.

쿵.

케일은 갑자기 심장이 뛰었다.

'뭐지?'

이건 고대의 힘이다. 고대의 힘이 하나 움직이기 시작했다.

–맞아. 방패가 이겨.

부서지지 않는 방패의 주인. 먹보 신녀의 목소리가 들려왔다.

오랜만이었다. 아니, 그녀의 목소리가 들린 건 이 힘을 얻은 후 처음이었다. 그녀가 케일의 머릿속에 말하기 시작했다.

–그때는 졌지만, 이번에는 이겨. 가능해.

뭔 소리지?

갑작스러운 상황에 케일은 당황을 숨기며 마음을 감췄다. 그러나 심장 위에 방패가 새겨진 곳이 뜨거워졌다.

–하지만 배고파.

먹보 신녀는 강하게 말했다.

–더, 더 먹어야 돼.

또? 또 빵이 먹고 싶은 건가?

케일이 태평하게 생각할 때였다.

-남의 재능을 먹어.

뭐라고?

쿵. 쿵. 케일은 심장이 거세게 뛰는 것을 느꼈다. 부서지지 않는 방패가 움직이기 시작했다. 눈으로 보이는 것은 없었으나 그렇게 느껴졌다.

-인간, 너 왜 갑자기 강해졌나?

케일은 의문이 들었다.

'뭐지?'

그러나 그는 지금 의문을 드러내지 않았다. 케일은 저를 쳐다보는 이들에게 눈빛 한 번 주지 않고 열린 입구 문을 쳐다봤다. 케일은 지배하는 아우라를 마음껏 쓰고 있었다.

"부단장."

케일의 부름에 힐스만 부단장이 곧바로 마법사를 한 명 데리고 들어왔다.

"아니, 지금 이게 무슨-"

귀족 한 명이 입을 열었고 다른 귀족들도 그제야 얼굴을 구겼다. 다만 서남부, 서북부 귀족들은 하얗게 질린 얼굴로 케일을 쳐다봤다. 케일은 이어 말하려는 귀족을 깔끔히 무시했다.

"영상통신 틀어."

"어디로 연결할까요?"

부단장의 물음에 케일은 답했다.

"왕궁."

그 말에 귀족들이 멈칫거렸다. 그러나 통신 연결을 하기도 전이었다.

삐이이이-

영상통신구가 붉은빛을 토해냈다. 왕궁의 긴급 통신이었다. 모든 귀족가를 향한 영상통신이었다. 더불어 이 영상통신은 현재 로운 왕국 수도 광장에서 영상 마법을 통해 펼쳐지고 있었다.

대회의장 한쪽 벽면을 영상통신 화면이 차지했다.

화면엔 로운 왕국의 왕. 제드 크로스만, 그가 자리해 있었다. 그의 입이 한 가지를 발표했다.

-나 제드 크로스만은 왕세자 알베르 크로스만에게 모든 왕국의 일을 맡기며 내년 그에게 왕위를 넘긴다.

"뭐?"

"무슨!"

갑작스러운 발표에 귀족들 몇몇이 기함을 토하며 자리에서 일어섰다.

이게 무슨 일이란 말인가!

그제야 귀족들의 시선이 조용한 서남부와 서북부 파벌로 향했다. 하얗게 질린 채 조용한 그들의 모습이 보였다.

그때, 영상통신 화면에 알베르 크로스만이 자리했다. 여전히 화사한 얼굴에 성격 좋아 보이는 왕세자는 입을 열었다.

-영상 틀도록.

귀족들의 얼굴에 의문이 서렸다.

'영상?'

그 순간 알베르의 등 뒤로 영상 마법이 펼쳐졌다.

-크와아!

-크르르르-

짐승의, 몬스터의 울음소리가 대회의장을 가득 채웠다. 귀족들의 눈에 하늘을 나는 몬스터가 보였다. 정보 마법사가 숨어서 찍은 듯, 흔들리는 화면 속에서도 하늘을 날아다니는 십여 마리의 몬스터가 분명히 보였다.

와이번이다.

그리고 그 와이번 위에 기사들이 있었다.

"……설마."

귀족 한 명의 입가가 떨리고 있었다. 그는 제 목소리가 떨린 줄도 몰랐다.

-끼이이이!

날카로운 소리와 함께 와이번이 정보원을 향해 날아왔다. 귀족 몇 명이 숨을 들이마셨다.

그 순간, 영상 마법은 끝이 났다.

와이번 기사단.

파에른 왕국의 전설 속 존재. 그 존재가 현실이 되었음을, 귀족들은 깨달았다. 북 3국도 그들의 비밀 병기가 들켰음을 이 순간 깨달았을 것이다. 영상을 튼 로운 왕국 덕분에, 이 시간부로 서대륙 모두가 와이번 기사단을 알아차렸을 것이다. 그러기 위해서 수도에 영상 마법을 펼친 왕세자였다.

왕세자 알베르는 영상통신구를 보며 말을 이었다. 이 영상통신구 너머에서 케일 헤니투스도 듣고 있을 터. 그는 이번 일로 며칠간 고민하다가 케일의 한마디에 결정했다.

'저하, 나라 전체가 영웅이 되는 겁니다.'

그 순간 알베르는, 로운 왕국은 선택했다. 파에른 왕국이 기사의 나라라며 정정당당한 척했듯이, 우리도 하자고.

알베르는 케일이 한 말을 떠올렸다.

'저하, 우리가 나쁜 짓 합니까? 그냥 조금 정정당당한 나라인 척하는 건데.'

재밌는 놈.

로운 왕국은 결정했다.

정정당당하게 힘으로 누르자고.

알베르는 입을 열었다. 그의 목소리는 영상통신구를 통해 케일이 있는 대회의장에 울려 퍼졌다.

–이 땅에서 가장 오랜 역사를 가진 곳이 로운 왕국이다.

특출한 것 없지만 가장 오랜 역사를 지닌 땅. 불굴 연합의 발표 이후, 마지막까지 조용하던 왕국.

로운 왕국은 마지막으로 선전포고를 했다.

–살아남은 자들의 힘을 보여주겠다.

왕세자는 당당하게 서대륙을 향해 말했다. 대회의장은 적막에, 아니, 충격에 지배되었다. 그들은 이제야 현실을 깨달았다.

위급하다.

곰족에 드워프가 있어도, 배를 타고 오겠다 싶어 안심했다.

그런데 와이번이라니.

이제 사느냐, 죽느냐의 문제다.

그때, 한 사람의 목소리가 들렸다.

"와이번은."

케일이었다. 그는 저를 쳐다보는 귀족들을 내려다봤다.

"와이번 기사단은 헤니투스 백작가 땅을 넘지 못합니다."

단호한 음성이었다.

"무조건."

케일은 원탁 중심으로 걸어가 은빛 패를 다시 손에 쥐었다.

"오늘부터 동북부의 군사 명령권은 나, 케일 헤니투스에게 있습니다."

그는 끝까지 정중했다. 그러나 조금의 틈도 없었다.

"앞으로 내 말에 따라야 할 겁니다."

케일은 제 시선을 피하는 서남부, 서북부 파벌의 귀족들, 그리고 혼란에 가득 찬 다른 파벌의 귀족들을 찬찬히 훑어보았다.

"강한 자에게 빌붙는 것이 귀족의 근성이라면."

전쟁을 앞두고 권력을 탐하는 것들은 영웅의 자격이 없다.

케일은 오늘 오만해 보일지라도, 영웅이 될 자들과 빌붙어서 살아남을 놈들을 구분했다. 그래야 제대로 써먹을 수 있으니까.

케일은 귀족들에게 웃어주었다.

"곧 누구에게 빌붙어야 살아남을 수 있을지, 그 선택의 순간이 올 겁니다."

케일이 뒤돌아섰다. 그러고는 망설임 없이 입구로 향했다.

기이익. 끼익.

의자 밀리는 소리가 들렸다.

우바르 영주, 영주 대행 길버트 공자, 훨스만 백작.

동북부 해안과 동북부 입구 땅의 주인. 그들이 동시에 자리에서 일어섰다. 그리고 그들은 케일의 뒤를 따랐다.

끼이익- 쾅!

남겨진 이들은 문이 닫히고 난 후에야, 남겨졌음을 깨달았다. 그리고 하나를 더 깨달았다.

와이번이 온다.

그 시간은 곧 찾아왔다.

43장

용이 있네?

43장
용이 있네?

헤니투스 영지는 전운이 감돌았다.

로운 왕국의 선전포고 이후, 서대륙은 겉으로는 조용했다. 그러나 그것은 폭풍을 앞둔 고요일 뿐이었다.

헤니투스 영지의 영주성이 자리한 웨스턴시. 도시 안을 거니는 영지민의 어깨는 움츠러들어 있었다.

홀로, 혹은 서너 명씩 무리를 지어 다니는 영지민들의 표정은 묘했다. 두려움, 걱정, 그 사이로 다른 감정이 드러나 있었다.

동료와 함께 걷던 영지민은 추위에 옷깃을 여미며 천천히 주위를 둘러보았다. 새로 보수해 단단한 성벽이 보였다. 아주 높고 두꺼운 성벽. 그리고 성벽 위를 오가는 병사와 기사들. 이를 쳐다보던 영지민의 시선이 하늘로 향했다.

"……몸도 약하신 분이."

영지민이 내뱉은 말에 함께 걷던 동료들도 걸음을 멈추고 하늘을 올려다봤다.

웨스턴시 전체를 감싸는 높은 성벽. 그 성벽도 하늘을 가리지도, 하늘에 닿지도 못했다.

영지민들은 회색의 겨울 하늘이 흐릿하게 보였다. 저 흐린 하늘로 와이번이 침략한다니, 두려움이 마음속에 밀려왔다. 그러나 영지민들의 눈에는 흐린 하늘보다 은빛이 먼저 담겼다.

웨스턴시. 규모가 작은 편에 속하는 도시 위에 펼쳐진 하늘. 그 하늘 아래에 흐릿한 은빛 방패가 펼쳐져 있었다.

영지민들 얼굴에 드리운 두려움과 걱정, 그 사이로 보이던 다른 감정. 그것은 안도였다.

"……방패를 쓰면 피를 토한다고 하지 않으셨나?"

"그렇지."

영지민의 물음에 동료는 최대한 담담한 얼굴로 고개를 끄덕였다. 영지민은 하늘로 시선을 고정한 채 입을 열었다.

"벌써 3일째야."

왕세자 알베르가 와이번 영상을 공개하며 결코 패배하지 않겠다고 선언한 후, 가장 위험해진 곳이 로운 왕국 북부였다. 그중 동북부가 가장 위험했다.

적국 노르란드. 그곳과 어둠의 숲을 사이에 끼고 닿아 있는 가장 가까운 곳이 동북부, 헤니투스 영지였으니까. 그래서 영지민들은 혼란을 느껴야 했다.

그런데 왕세자의 선언 이후, 그날 저녁부터 웨스턴시 하늘은 은빛이 수놓기 시작했다. 언제 전쟁이 터질지 모르는 상황. 은빛 방패는 3일째 한순간도 그 빛을 잃지 않고 있었다.

"저렇게 커다란 방패를 쓰면, 쓰러지지 않으실까? 그냥 북쪽 놈들이 쳐들어오면 그때 펼치면 될 텐데."

영지민이 내뱉는 말에 동료는 입가를 쓸어내리며 답했다.

"보면 모르나? 공자님은 우리가, 영지가 조금이라도 다치는 게 보기 싫으신 거지."

영지민은 동료의 말에 뭐라 반박을 하지 못했다. 하늘을 보면 그 뜻을 알 수밖에 없었다.

높은 성벽도 와이번을 막지 못한다. 로운 왕국은 마법사도 적어 하늘로 공격할 수 있는 이도 적다. 그러니 약한 케일 공자가 고대의 힘을 무리해서 쓰고 있는 것이리라.

영지민은 왠지 모르게 마음이 크게 요동쳤다. 동료 중 한 명이 툭 던지듯 말했다.

"망나니라더니."

영지민은 저도 모르게 동료를 보며 외쳤다.

"예끼! 이 사람이!"

다른 동료가 이어 말했다.

"내가 알아보니까 양아치 놈들한테 술병 던지던 분이시래! 그게 뭐가 망나니야?"

"물건도 부쉈다던데? 가게들 문도 다 부수고?"

"크흠, 뭐."

동료의 반박에 할 말이 없었다.

사실 망나니는 망나니였다. 과거는 없어질 수도, 미화될 수도 없는 법. 하지만 그렇다고 현재의 희생을 비하할 요소는 아니었다.

"정신 차리셨나 보지. 어쨌든 지금은 우리 공자님이신데."

“맞아. 우리 영주님이 좋은 분이시니, 그 아들인 공자님도 뭔가를 느끼신 것이겠지.”

영지민은 동료의 말에 동의를 표하며 웨스턴시 곳곳에 붙은 방서를 쳐다봤다. 그는 드물게 글자를 아는 사람이었다.

영주성에서 붙인 방서.

<영지가 평화를 찾을 때까지 영주성에서 영지민들에게 식량을 배급한다.>

헤니투스 백작가는 창고의 문을 열어젖혔다. 그들이 쌓은 부는 기약이 정해지지 않은 약속을 할 수 있을 만큼 부유했다.

영지민은 성문을 쳐다봤다.

영주성에 펼쳐진 은빛 방패 소문을 듣고 찾아오는 영지민들의 행렬이 끝이 없었다. 분명 공격이 시작되면 와이번 기사단은 다른 시골 지역보다 웨스턴시를 먼저 집중 공격할 것인데. 그럼에도 영주의 아래로 영지민들은 모여들었다.

또한 헤니투스 백작가의 식량을 실은 수레들이 영지 곳곳으로 향하고 있었다. 그 수레에는 식량 말고 농기구도 있었다.

‘봄에 농사를 지어야지.’

데르트 백작이 농기구를 영지민들에게 내리며 한 말은 그들 사이에서 들불처럼 퍼지고 있었다. 그 말 덕분에 영지민들의 머릿속에는 확실하게 한 가지가 새겨졌다.

전쟁 이후.

늦겨울이 가고 올 봄.

그때도 자신들의 삶은 이전과 똑같이 진행됨을, 그들은 깨달았다.

영지민은 다시 하늘을 바라봤다.

“아픈데도 열심히 하신다고 들었는데.”

부디 힘들지 않으시길.

케일 헤니투스. 동북부 군사사령관을 맡은 이는 현재 힘겹게 버티고 있다고 알려져 있었다. 그리고 이 소문은 헤니투스 영지를 벗어나 동북부, 그리고 로운 왕국 전체로 퍼지고 있었다.

당연히.

"귀찮아."

케일 헤니투스. 본인이 낸 소문이었다.

케일은 백작가 내 자신의 침실을 집무실로 사용 중이었다. 그는 푹신한 소파에 몸을 기댄 채로 입을 열었다.

"에릭 휠스만 공자가 잘하고 있겠지?"

"잘하실 겁니다."

케일은 인자하게 웃는 론을 보며 무서운 노인네란 생각을 했다.

물론 케일 자신도 나쁜 놈이다. 그는 군사 명령권을 쥐었고, 명령만 내렸다. 그러면 에릭 공자와 우바르 영주가 그 명령에 따라 자세한 가이드라인을 만들어 각 영지에 지시 사항을 전했다.

더불어 그 가이드라인 확인은, 1차는 론이, 2차는 알베르 왕세자가 했다.

동대륙에서 다섯 손가락 안에 들던 암살 가문의 가주 론. 그는 케일보다 군사 지식이 뛰어났다. 더불어 알베르 왕세자는 가장 먼저 침략될 가능성이 높은 동북부에 모든 것을 집중시키고 있었다.

'역시, 남이 다 해주니 편하단 말이야.'

케일은 편했다. 그러나 론은 인자하게 웃으면서도 자신에게 닿는 케일의 시선이 사라지자 표정이 서늘해졌다. 그의 시선이 문서에 파묻혀 꼼꼼하게 가이드라인을 읽고 큰 그림에 대해 정확하게 지시하는 케일에게로 향해 있었다. 창백하게 변한 케일의 얼굴이 보였다.

탁. 탁. 탁.

3일째. 방구석에서 라온이 꼬리로 바닥을 쳐댔다. 온과 홍도 마찬가지였다. 검은 용은 불만이 쌓여 있었다.

"……멍청하게 착해빠진 인간!"

"맞는데. 바본데."

"……이번에는 답답한데."

온과 홍의 맞장구에도 라온은 뚫어질 듯 케일 뒷모습만 쳐다봤다. 라온은 자신이 나서서 다 부순다고 했다. 그러자 케일이 답했다.

'안 돼. 네 모습이 드러났다가 위험해지면 안 돼.'

참으로 단호했다.

라온은 그 말에 답답했다. 어디서 누가 위대한 용을 위험하게 만든단 말인가.

그러나 케일은 용의 피를 먹는 왕관에 대해 아직 정확하게 알아내지 못했기에 라온을 전면에 드러낼 생각이 없었다. 더욱이 지금은 고룡 에르하벤을 만날 틈도 없어 마땅히 왕관에 대해 물어볼 대상도 없었다.

또한 케일은 이번에는 영웅을 만들어야 한다.

그래서 영웅이 된 그들이 편하게 살길을 만들어주어야 한다. 그래야 로운 왕국이 강해진다.

다크엘프. 네크로맨서. 호족.

그리고 헤니투스 영지.

케일이 만들 영웅의 이름이었다. 그는 왕국, 대륙의 사람들 마음속을 뒤흔들고 싶었다. 그러려면 감동적인 이야기가 있어야 하는 법.

케일은 마지막 문서를 대충 확인하고 소파에 몸을 기댔다.

확실히 부서지지 않는 방패는 이전보다 강해졌다. 뭔가를 받치거나 혹은 막거나 하는 일이 아니라서 그런지, 그냥 펼쳐놓는 일은 크게 힘들지 않았다.

물론 이는 심장의 활력 덕분이었다. 케일은 요즘은 잠을 자지 않아도 말짱했다. 한두 시간만 자도 상쾌했다.

케일은 만족스러운 얼굴로 침실 창밖을 바라봤다. 흐린 하늘과 방패가 그의 시야에 담겼다.

"케일 님, 힘들지 않으십니까?"

최한의 물음에 케일은 시선을 옆으로 살짝 돌렸다.

'이 자식은 왜 나이가 안 들까?'

여전히 고등학생으로 보이는 최한의 외모에 의문이 들었으나, 케일은 귀찮아서 더 생각하지 않고 최한의 물음에 답했다.

"그다지 힘들지 않아. 지금은 새로운 역사를 쓰는 중이니까."

암, 그렇고말고. 소설 영웅의 탄생은 이미 다 어그러졌다. 그러니 새로운 역사 아니겠는가?

그리고 그런 일은 원래 번거로운 법이었다. 물론 번거로울 뿐 몸은 딱히 힘들지 않았다.

케일은 다시 창밖으로 시선을 돌렸다. 최한은 하얗게 질린 얼굴로 소파에 기대어 창밖을 내다보는 케일을 보며 미간을 살짝 찌푸렸다.

'어떻게 사람이 이럴 수가 있지?'

최한은 케일이 도저히 가늠되지 않았다. 그는 칼집을 매만지며 생각에 잠겼다. 새로운 역사. 그 단어에 최한은 집중했다. 그러거나 말거나 케일은 여유롭게 론이 내민 따뜻한 차를 집어 들었다.

'음?'

달달하니 입에 딱 맞는 차였다. 케일이 슬쩍 론을 쳐다보자, 론은 인자하게 웃어 보였다. 그 모습에 케일은 생각했다.

'저 노인네도 피곤한가 보네.'

신 차를 까먹다니.

케일은 떨떠름함과 안쓰러움을 담아 론을 쳐다보다가 이내 시선을 돌리며 차를 머금었다. 단맛이라 한껏 들이마셨다.

"푸핫-!"

그리고 그대로 뱉어냈다.

검은 용이 짧은 앞발을 굴리며 벌떡 날아올랐다.

저 멀리 검은 점이 보였다.

곧이어.

콰앙!

하늘이 울렸다.

케일은 흘러내리는 찻물을 닦아내며 일어섰다. 검은 점은 순식간에 날아와 방패와 부딪쳤다.

와이번이다.

하나둘. 검은 점들이 멀리서 점점 날아오기 시작했다.

콰앙, 쾅!

하늘에서 굉음이 울려 퍼졌다.

위이이잉- 위이잉-

헤니투스 영지 웨스턴시 전체에 비상 알림음이 울리기 시작했다.

적이 왔다.

한가롭던 오후가 전쟁의 시작점이 되었다.

"다들 진정해라! 병사의 안내를 따라 이동하도록!"

헤니투스 기사단 소속 평기사는 목소리를 높이며 겁을 집어먹은 영지민들을 이동시켰다. 미리 모의 연습해 둔 대로 병사들 몇몇이 영지민들을 집으로 이동시켰다.

탁. 탁. 탁.

영지 곳곳 집들의 문이 닫혔다. 굳게 닫힌 문. 그러나 문을 잠그는 소리는 들리지 않았다.

탁. 탁. 탁.

갑옷을 입은 기사들과 무장한 병사들이 성벽을 중심으로 빠르게 이동하며 영지 곳곳에 배치되었다. 그러나 그 소리도 제대로 들리지 않았다.

콰앙- 쾅!

은빛 방패를 두드리는 굉음이 너무나도 커 다른 소리를 잡아먹어 버렸다.

크아아아!

와이번의 울음소리가 굉음 사이로 유일하게 들리는 소리였다. 영지민들의 얼굴은 하얗게 질려 있었다.

실제 눈으로 본 와이번의 크기. 가장 작은 것이 5m 정도였다. 그 거대한 몬스터를 자유자재로 다루는 기사가 아주 작은 점처럼 보였다.

눈처럼 새하얀 갑옷을 입은 기사들은 흉포한 와이번을 능숙하게 조종했고, 그 탓에 성벽을 둘러싼 병사와 기사들은 침을 삼켜야 했다.

달칵. 달칵.

영지민들 집의 창문이 조금씩 열렸다.

방패가 부서지지 않을까?

그러면 우리가 죽는 건가?

그들은 두려움에 성벽을 바라봤다.

그 순간이었다.

"……공자님이시다!"

창밖을 내다보던 영지민이 저도 모르게 외쳤다.

성벽에 케일이 나타났다. 그의 양손에서 눈부신 은빛이 쏟아지고 있었다. 케일은 성벽 중심에 서서 하늘을 향해 손을 뻗었다. 이를 가장 가까이서 지켜보는 이들이 기사와 병사들이었다.

생에 처음으로 전쟁을 겪는 이들. 그들에게로 서릿발처럼 거센 목소리가 내리쳤다.

"방패는 부서지지 않는다!"

갑옷을 입은 데르트 백작이었다. 늘 온순하고 평범하게 보였던 백작의 얼굴이 오늘은 매서웠다.

"모두 정신 차려!"

방패를 두드리는 소리도, 와이번의 울음소리도 이 목소리만큼 크게 울리지 않았다. 케일은 데르트 백작의 목소리를 들으며 미소를 그렸다.

'은근히 능력이 좋단 말이야.'

그가 아버지 데르트의 능력을 높이 평가한 순간이었다.

콰아앙-!

어느 때보다 커다란 소리에 방패 안이 울렸다. 절로 케일의 얼굴이 구겨졌다.

15m.

엄청난 크기의 와이번이 방패 아래 케일을 보며 입을 벌렸다. 이론적으로는 불가능한 15m의 와이번. 새하얀 와이번은 돌연변이로 보였다.

케일의 입이 열렸다.

"왔구나."

역시 올 줄 알았다.

새하얀 와이번 위에 올라탄 사람은 파에른의 수호 기사, 백발의 클로페 세카. 그였다.

그가 와이번을 뒤로 물리며 케일을 내려다봤다. 두 사람의 눈이 부딪쳤다. 클로페 세카는 케일을 내려다보며 입을 열었다.

"방패를 부수면 다 무너지는 법."

로운 왕국이 공개한 영상.

클로페는 그 영상을 본 순간, 오랜 세월 살아남기만 했을 뿐 힘하나 없는 로운 왕국을 먼저 무너뜨리기로 했다. 만약 로운을 먼저 건들지 않고 다른 곳부터 시작한다면 그것은 자존심이 상하는 일이었다.

꼭 로운의 선언에 겁을 낸 모습 아닌가.

그렇기에 그는, 불굴 연합은 로운을 타깃으로 잡았다. 더불어 로운에서 조금 유명해진 사람을 떠올렸다.

은빛의 방패를 쓰는 귀족 자제.

"재밌군."

클로페 세카는 희미한 은빛을 발하는 방패를 바라봤다.

이 방패도, 저 붉은 머리칼의 놈도 없앤다면 승리라는 이야기의 좋은 시작이 될 터. 그래서 클로페는 자신이 직접 왔다. 압도적인 힘으로 새로운 전설을 쓸 사람은 자신이니까.

그는 피리를 불었다.

삐이이이-

저 멀리 수십 마리의 와이번이 빠르게 날아왔다.

헤니투스 영지의 병사들은 창대를 움켜쥐었다. 영상과 달리 수십 마리에 달하는 와이번이 헤니투스 영지 하늘 위를 점령했다. 수호 기사는 붉은 머리칼의 남자를 내려다봤다.

'케일 헤니투스랬던가?'

그도 곧 끝이리라.

고대의 힘은 한계가 있는 법.

수호 기사는 손을 들었다.

"낙하."

그 순간, 뒤따라온 와이번에서 커다란 덩치의 존재들이 아래로 낙하하기 시작했다. 그들은 곧 처음 보는 낙하 장치를 펼치며 편안히 아래로 내려갔다.

쿵. 쿵. 쿵.

웨스턴시 성벽 밖에 거대한 몸집의 존재들이 하나둘 내려섰다. 그 숫자가 백은 가뿐히 넘어섰다.

지켜보던 병사는 침음을 흘렸다.

"……곰족."

수인족 중 수위에 들 만큼 강하면서도 그 개체가 가장 많은 존재. 광폭화한 거대한 곰족이 성벽을 둘러싸기 시작했다. 그들은 드워프가 만든 낙하 장치를 써서 안전하게 땅에 내려설 수 있었다.

그 광경을 응시하던 수호 기사 클로페는 가볍게 들었던 손을 아래로 내리며 지시했다.

"공격."

동시에 와이번들이 은빛 방패로 향했다.

하얀 와이번도 방패로 향했다.

수호 기사 클로페는 성벽 위 사람들의 얼굴을 보았다. 병사들의 얼굴이 하얗게 질렸다. 분명 영주성 안의 영지민들도 저런 얼굴일 터. 그는 가벼운 승리를 장담했다.

이 작고 소외된 영지를 공격하는 데 큰 힘을 쓸 필요는 없었다. 이 정도 공격이면 충분할 것이다. 방패로 쏟아지던 그의 시선이 케일과 부딪쳤다.

끝이다.

콰아앙! 콰앙!

고막을 부술 것 같은 소리였다.

"……어떻게 저런."

담이 약한 병사는 성벽에서 주저앉아 버렸다.

'방패는 부서질 거야.'

그렇게 생각했다. 병사의 시선이 케일에게로 향했다. 하얗게 질려 언제라도 쓰러질 것 같은 공자가 보였다. 수많은 시선들이 케일에게 쏟아졌다.

그 순간 케일은 생각했다.

'참 북쪽도 먼치킨이야.'

아주 강했다. 그런데 말이야.

-인간, 와이번은 덩치만 크지 약하다. 조막만 한 것들이 귀엽다.

여기는 용이 있네?

방패는 절대로 부서지지 않는다. 방패를 감싼 용의 실드가 있었으니까. 와이번 따위는 용의 실드를 부수지 못한다.

'라온이 드러나는 건 안 되지만, 그래도 써먹어야 할 거 아냐?'

케일은 굉음 속에서 방패를 펼쳤다.

콰앙, 쾅!

그렇게 수십 번. 남들 눈에 방패는 끊임없이 두드려지는 것처럼 보였다.

"……아."

병사의 입에서 탄성이 들려왔다.

한 번, 열 번, 수십 번. 두드리고 두드려도 방패는 부서지지 않았다. 오히려 더 환한 빛을 뿜어냈다.

병사의 입에서 백작이 했던 말이 흘러나왔다.

"……방패는 부서지지 않는다."

당장에라도 쓰러질 것 같은 공자는 쓰러지지 않았다.

"하!"

수호 기사 클로페는 감탄 섞인 웃음을 터뜨렸다. 생각보다 강하다. 비실비실하게 생긴 것과 달리 저 공자의 고대의 힘은 예상보다 강했다.

그러나 그래 봤자였다.

결국 방패는 두드리면 부서진다. 또한 방패 외에도 두드릴 곳은 많았다.

클로페 세카. 수호 기사는 여유를 그대로 유지한 채 케일을 내려다봤다.

그때, 케일 헤니투스. 그가 웃고 있었다.

그와 동시에 클로페는 목 뒤가 섬뜩했다.

'뒤다.'

하얀 와이번이 황급히 뒤돌아섰다.

처음엔 하얀 구름인 줄 알았다. 하늘 저 높은 곳에서 하얀 구름이 내려서는 줄 알았다.

그러나 아니었다.

"……뼈?"

해골이다.

수백 마리. 뼈만 남은 몬스터들이 하늘에서 내려오고 있었다. 시체들이 하늘을 뒤덮기 시작했다.

케일은 웃었다.

"어쩌나, 이제 시작인데."

그는 하늘을 보며 웃음을 감추지 못했다.

어둠의 숲. 그곳에 위치한 검은 늪에서 한 존재가 떠오르기 시작했다.

유일하게 검은색 뼈를 지닌 존재. 가죽 없이, 뼈만이 날갯짓을 시작했다.

수백 마리의 시체. 그 사이로 거대한 존재가 모습을 드러냈다.

"……저건!"

수호 기사의 동공이 커졌다.

드래곤이다.

검은 뼈뿐이었지만, 20m에 달하는 존재. 보는 것만으로도 숨이 막힐 거대함. 몇 미터에 달하는 검은 날개가 하늘을 향해 펼쳐져 있었다.

죽어도 지배자였다.

케일은 그 모습을 지켜보았다.

압도적인 싸움은 재밌는 법이다.

삐이이- 삐이이-

영상통신구들이 쉴 새 없이 붉은빛을 토해냈다. 헤니투스 백작가 차남 바센 헤니투스는 정보 통신실에 자리한 커다란 창으로 밖을 내다봤다.

영주성에서 가장 높은 첨탑에 자리한 정보 통신실. 가장 바빠야 할 그 공간의 사람들은 현재 넋이 나가 있었다. 특히 바센은 영상통신구를 하나 든 채 입을 다물지 못했다. 그의 손에 들린 영상통신구에서 한 사람의 목소리가 흘러나왔다.

-하하하, 참 나.

알베르 크로스만. 그의 목소리였다.

왕세자는 영상통신구로 헤니투스 영지의 웨스턴시를 모두 보고 있었다. 그는 케일의 방패도, 생각보다 많은 수십 마리의 와이번도

다 보았다.

그리고 몬스터 수백 마리의 뼈도, 용의 뼈도 보았다.

'이 미친놈.'

그가 봐도 케일은 미친놈이었다. 그런데 그런 미친놈을 보며 알베르는 손끝이 저려왔다.

된다.

이건 된다.

'왕국 전체가 영웅이 되는 겁니다.'

케일은 한 번도 알베르에게 책임지지 못할 말을 하지 않았다. 그래서 믿었더니, 지금 눈앞에 보이는 광경은 그 이상이었다.

'저하, 지금부터 헤니투스 백작가는 신전으로부터 오는 모든 연락을 무시할 겁니다.'

케일이 네크로맨서를 거두며 알베르에게 한 말이었다. 그리고 알베르는 답했다.

'책임은 내가 지도록 하지.'

알베르는 점점 와이번들을 향해 다가가는 거대한 해골의 진군을 보며 중얼거렸다.

–책임질 수밖에 없겠는데.

그는 입꼬리를 올렸다.

그러나 웃지 못하는 이가 있었다. 하늘의 지배자가 되는 전설을 꿈꿨던 이, 수호 기사 클로페 세카. 그의 표정이 굳었다.

'……해골?'

그는 태어나서 이런 광경을 처음 보았다.

"단장님!"

와이번을 탄 기사 한 명이 빠르게 클로페의 곁으로 다가왔다. 투구를 쓴 기사가 그를 빤히 쳐다봤지만 클로페는 자신에게 말을 건 기사보다 그 기사가 탄 와이번을 먼저 보았다.

끼이이이–

와이번은 괴상한 울음소리를 내며 이리저리 목을 움직여 댔다. 꼭 겁을 집어먹은 것 같았다.

겁.

그 단어가 생각나는 순간, 클로페는 다가오는 해골 떼 너머를 바라봤다. 거대한 검은 용. 더 이상 움직이지 않는 본 드래곤에게 와이번은 겁을 집어먹고 있었다.

클로페는 고개를 숙였다.

"크르르르."

자신이 탄 돌연변이 와이번. 이놈은 뼈만 남은 드래곤을 보며 송곳니를 드러냈다. 마치 먹이를 탐하는 모습이었다. 클로페는 와이번의 목에 채워진 고삐를 세게 움켜쥐었다.

"단장님!"

기사가 다시 한번 그를 불렀을 때, 클로페의 입이 열렸다.

"네크로맨서다."

이런 짓을 할 존재는 사라져 버린 네크로맨서뿐이다.

"……네크로맨서라니요? 그런 저주받은 존재가……!"

수하는 당황했지만 클로페는 곧바로 뒤를 돌아보았다. 수하는 그런 클로페를 빤히 보다가 슬쩍 뒤로 물러섰다.

클로페는 웃고 있는 붉은 머리칼이 보였다. 그 모습에서 느꼈다.

'저 새끼는 영웅이 아니야.'

영웅이라면 죽은 마나와 관련된 네크로맨서를 끌어들일 리 없었다.

채앵.

클로페는 검집에서 검을 뽑아냈다. 검에서부터 오러가 흘러나오기 시작했다. 소드 마스터 클로페 세카. 그는 오러의 힘을 담아 외쳤다.

"정신 차려!"

우우웅-

오러가 하늘 위에서 진동했다. 해골들이 날갯짓해 오는 소리 사이로 그 목소리가 울려 퍼졌다. 기사들이 와이번 목줄을 묶어둔 고삐를 세게 잡아당겼다.

클로페는 피리를 불었다.

삐이이-

와이번들의 표정이 바뀌었다. 그들에게서 두려움이 사라졌다. 클로페는 아래를 내려다보며 작게 중얼거렸다.

"……곰족들이 네크로맨서를 찾아줄 터."

그는 목소리를 높였다. 오러가 가득 실린 목소리는 헤니투스 영주성으로도 전해졌다.

"저것들은 뼈만 남은 채 조종당하는 시체들이다."

딱 봐도 힘없이 날아오는 뼈다귀들이었다. 본 드래곤이 있었지만 그저 인형같이 텅 빈 존재였다. 비장의 무기라고 네크로맨서를 준비한 것 같았으나 와이번 기사단은 그들 상상 이상의 존재.

'그렇다면!'

클로페의 목소리에 힘이 들어갔다.

'기회다. 내가 아주 성스러운 영웅이 될 기회! 신이 부럽지 않은,

전설의 영웅이 될 기회.'

죽은 마나를 쓰는 네크로맨서라니, 아주 좋은 먹잇감이다.

"저것들은 이지가 없다! 헤니투스 영지는 감히 더럽고 사악한 네크로맨서들의 힘을 끌어들였다!"

헉.

성벽에 있던 병사들, 특히 기사들이 숨을 들이마셨다. 배운 자들이라 네크로맨서, 그 이름의 공포와 혐오를 알고 있었다. 헤니투스 영지 사람들의 시선이 케일에게로 향했다. 그러나 곧 시선을 돌려야 했다.

우우우웅-

수호 기사의 하얀 오러가 끝없이 하늘을 향해 치솟아 올라갔다. 헤니투스 사람들은 소드 마스터라는 존재를 다시 각인하며 표정이 어두워져 갔다.

클로페는 고삐를 움직였다.

"우리 '불굴 연합'이 정의를 보여줄 것이다!"

"크아아!"

하얀 와이번이 다가오는 해골 떼로 돌진했다. 클로페의 검이 휘둘러지고, 하얀 오러가 하늘을 갈랐다.

쵀아악.

공격을 피하지 못한 뼈들이 베이며 흔적도 없이 사라졌다. 허무하다 느껴질 정도로, 뼈들은 아주 가볍게 클로페의 검에서 사라져 갔다. 비록 수백 마리가 있다 하더라도 단 한 번의 공격으로 수십 마리의 몬스터 뼈가 사라졌다.

파에른 쪽 기사들이 고삐를 움직였다. 와이번들이 다시 괴성을 지르기 시작했다. 하늘의 지배자다운 모습이었다.

기세를 잡은 클로페의 시선이 짧은 순간, 붉은 머리칼에게로 향했다. 케일의 무표정한 얼굴이 보였다. 클로페의 입꼬리가 올라가려 했다.

쿵. 쿵. 쿵.

곰족들이 발을 굴리기 시작했다. 그중 적갈색의 털을 지닌 곰족이 외쳤다.

"절반은 네크로맨서를 찾아라! 잡아서 사지를 찢어!"

쿵. 쿵. 거대한 곰족이 발을 굴리며 흉포하게 웃어댔다.

"절반은 성벽을 부숴라!"

곰족이 그렇게 외쳤다. 클로페는 결국 입꼬리를 올렸다.

웃는 클로페, 어두워진 헤니투스 사람들. 표정이 극명하게 갈렸다. 그때, 성벽 위 사람들에게 이상한 소리가 들려왔다.

"……어?"

울음소리가 들렸다.

평지보다 돌산과 야산으로 둘러싸인 헤니투스 영지. 중앙 시인 웨스턴시도 산으로 둘러싸여 있었다. 그 산에서 울음소리가 들려왔다.

그것도 짐승의 울음소리였다.

스스스스-

나무들이 흔들리며 바람이 몰려왔다. 창대를 꽉 쥐고 있던 병사의 귓가로 한 사람의 목소리가 들려왔다.

"늦었네."

늦었다고?

병사는 케일 공자의 목소리에 그를 보려고 고개를 돌리려다가 움직임을 멈췄다. 산에서 거대한 짐승이 내려오고 있었다.

아니, 사람이었다. 하지만 그것은 짐승을 떠올리게 했다.

호족.

그들이 각자 산에서 내려와 곰족들이 오지 못하게 입구를 막아섰다.

병사들 귓가로 기사들의 목소리가 울려 퍼졌다. 성벽 곳곳의 기사들이 병사들에게 외쳤다.

"올겨울 해리스 마을로 이주한 호족이다! 우리 영지민이다!"

기사들은 검을 뽑아 들었다.

"적들은 이 성벽을 넘지 못한다! 또한 적들은 웨스턴시를 벗어나지도 못할 것이다!"

검을 뽑아 든 기사들이 데르트 백작을 본 순간이었다. 데르트 백작은 어느새 갑옷을 입고 다가온 백작 부인의 손을 쳐다봤다. 그러고는 그녀에게 목덜미를 붙잡혀 있는 사람에게 물었다.

"시작해도 되겠지?"

"다, 당연합니다, 영주님. 제, 제가 준비 다 했습니다! 헤헤."

쥐족 혼혈 드워프 뮐러. 마탑을 건설했던 가문의 유일한 후계자는 비굴하게 고개를 끄덕였다. 뒤이어 백작이 손짓하자 기사들은 검을 내렸다.

"수성전을 시작한다!"

곳곳에서 외침이 울려 퍼졌고, 작년부터 훈련을 받았던 몇몇 병사들이 움직이기 시작했다. 그제야 창과 화살을 쥔 병사들도 훈련에 따라 움직였다.

쿠구구궁.

두꺼운 성벽. 그 성벽 곳곳에서 투석기가 솟아오르기 시작했다.

거대한 투석기는 곰족들을 겨누기 시작했다. 온갖 마법 장치가 새겨진 투석기는 살고자 하는 뮐러의 역작이었다.

기사들은 외쳤다.

"땅에서는 우리가 더 강하다!"

성벽의 분위기가 비장해졌다. 그 광경에 클로페는 얼굴을 일그러뜨렸다.

'이게 뭐야?'

도대체 이건 무슨 상황이란 말인가!

그의 검이, 오러가 휘둘러지며 또 뼈다귀들을 부쉈다. 해골 떼 너머 검은 드래곤은 그저 공중에서 날고만 있을 뿐 이제는 아무런 기세도 못 뿜어내고 있었다.

'지금 이딴 뼈다귀가 중요한 게 아닌데!'

현 상황을 생각할수록 기가 막혔다.

서대륙에 없는 호족에, 저런 투석기라니! 시골구석 영지가, 바위밖에 없는 영지가 뭐 이따위란 말인가?

무슨 왕국 수도도 아니고, 사람 숫자만 적지 병력의 질은 더 높았다.

달그락, 달그락.

한쪽 날개를 잃은 소형 뼈다귀 몬스터가 다른 한쪽 날개로 간신히 퍼덕이며 클로페의 주위를 알짱거렸다. 클로페는 화가 치밀어 올랐다.

이대론 안 된다.

클로페는 기사와 와이번에 의해 부서져도 여전히 많은 해골들을 보며 자신의 와이번을 뒤로 돌렸다. 다시 웃고 있는 케일이 보였다.

'저 새끼부터 없애야 돼.'

기세의 문제다.

삑, 삐이이-

하얀 와이번의 검은 눈동자 색이 달라졌다. 붉은빛이 뿜어져 나왔다.

와이번이 케일을 향해 쇄도하기 시작했다. 클로페는 와이번에 바짝 붙었다. 상상도 못 할 만큼 가공할 속도였다.

그런데 지금도 웃었다, 케일 헤니투스는.

케일은 웃고 있었다. 그는 다가오는 하얀 와이번을 보며 입을 열었다.

"와라."

가만히 있던 본 드래곤이 움직이기 시작했다.

케일의 등 뒤. 투명화한 메리의 손이 움직였다. 드래곤을 조종하는 그녀의 얼굴이 하얗게 질려 있었다. 그러나 그녀의 손은 망설임이 없었다.

어차피 저 뼈다귀들은 미끼다.

갑자기 시끄러운 소리와 함께 해골 떼들이 도망치기 시작했다. 그러나 그것은 소리 없이 움직였다.

검은 뼈의 텅 빈 동공 자리에 검은빛이 맴돌기 시작했다. 검은 눈을 지닌 해골이 아주 빠르게 방패로 날아왔다.

검은 용은 입을 벌리고 와이번의 목덜미를 노렸다.

"이런!"

"크아아!"

하얀 와이번이 송곳니를 드러내며 검은 용을 밀쳤다. 그러나 검은 동공의 용은 뼈뿐일지라도 밀리지 않았다.

"크으!"

클로페는 황급히 고삐를 틀어쥐었다.

펄럭, 펄럭.

검은 용은 헤니투스 성벽 앞에서 날개를 활짝 펼쳤다. 누가 보아도 뼈만 남은 용이 헤니투스 성벽을 지키고 있는 형세였다.

쾅, 쾅!

하얀 오러와 검은빛이 부딪쳤다. 하얀 와이번의 발톱과 이빨이 검은 용에게로 향했다. 그러나 뼈를 둘러싼 죽은 마나는 오러에 살짝 흐트러질 뿐 사라지지 않았다. 검은 용의 뼈는 흠집도 생기지 않았다.

끼이이-

다시 방패가 흔들리기 시작했다. 수많은 와이번들이 또다시 달려들었다. 붉은 눈으로 변한 와이번은 이제 아예 발톱으로 방패를 찢어발길 듯했다.

그러나 케일은 태연했다.

"최한."

케일은 이제 마지막으로 해야 할 일을 시작했다.

"네, 케일 님."

최한은 군말 없이 케일 옆에 섰다. 케일은 방패와 이어진 은빛 선을 한쪽 손만 풀고는, 최한에게 말했다.

"네 차례다."

"……제가 할 일이 있었습니까?"

케일은 최한에게 해야 할 일을 말해주지 않았다. 그래서 최한은 늘 그랬듯 그림자처럼 케일의 뒤를 지켰다. 그러나 케일은 최한이 할 일을 애초에 정해두었다.

"네 힘을 다 써라."

"……새로운 역사입니까?"

최한은 제 물음에 창백한 얼굴로 웃는 케일을 볼 수 있었다. 담담한 목소리는 툭 던지듯 물음에 답해주었다.

"그래. 네가 이곳에 써 내릴 너의 역사지."

이곳, 내 두 번째 고향 헤니투스에 새겨질 나의 역사.

최한의 입안으로 그 단어가 굴려졌다.

케일과 최한 주위의 병사들이 궁금하다는 듯 두 사람을 쳐다봤다. 위급한 상황에 뭘 하나 싶었다.

케일이 품에서 검을 하나 꺼내 던졌다. 뮐러가 만든 검이었다.

"네 거다."

케일은 최한에게 본래 그의 자리를 주고자 했다.

최한은 이제부터 영웅이 될 것이다.

영웅의 탄생. 그 책의 5권은 끝났지만, 새로운 영웅의 탄생은 만들면 그만이었다.

"네가 할 일은 누구보다 네가 잘 알 터."

케일은 최한을 직시했다.

"다녀와라."

최한은 케일이 건넨 검을 받아 들었다. 그는 오래 고민하지 않았고, 곧바로 검을 뽑아 들었다. 검집과 달리 눈부신 검신이 그의 눈동자에 담겼다.

최한은 케일에게 선한 미소를 지어 보였다.

"검이 마음에 듭니다."

그 순간, 검신이 요동쳤다. 검은 머리칼과 검은 눈동자. 청년과 소년 사이의 남자를 닮은 색이 검을 지배하기 시작했다.

"소, 소드 마스터……!"

병사가 탄성을 흘리다가 제 입을 막았다. 검은 오러가 하늘을 향해 솟아오르고 있었다.

소드 마스터. 케일의 호위로 알려진 이가 소드 마스터였다.

네크로맨서, 소드 마스터, 호족. 그들을 부리는 케일.

병사들은 두려움이 아닌 감정으로 소름이 돋았다.

"목을 베고 오겠습니다."

최한은 자신이 할 일을 차분히 내뱉었다. 자신이 할 일은 수호 기사 클로페, 저자의 목을 베는 것이리라. 아니면 저자가 탄 하얀 와이번의 목이거나.

그때, 최한은 다급한 케일의 손짓을 볼 수 있었다. 케일은 말까지 더듬었다.

"싸, 싸우러 가기 전에 포옹 한 번 하자!"

포옹? 전쟁 통에?

최한은 케일에게 이런 살가운 면이 있었나 싶었다. 그는 아직 한 손으로 방패를 펼치고 있는 케일에게 살짝 포옹을 했다. 케일은 큰 목소리로 남들 들으라는 듯 말했다.

"믿는다!"

최한은 울컥 차오르는 마음을 억누르며 말했다.

"……감사합니다. 반드시 목을 들고 돌아오겠습니다."

이 자식이 무슨 이런 아까운 소릴!

케일은 남들이 듣지 못하도록 아주 작은 목소리로 귓가에 속삭였다.

"죽이지 말고."

왜 아깝게 바로 죽이나?

케일은 자신과 오래 다녔음에도 아직 순수한 최한을 보며 안쓰러움을 담아 말했다. 그 목소리는 음흉했다.

"하얀 놈들 두 개 다 주워 와."

"아."

최한은 감탄을 흘렸다. 그리고 케일은 당연하다는 표정이었다.

아깝게. 죽여도 와이번을 부릴 수 있는 방법을 알아내고 죽이든가 말든가 해야 할 거 아닌가?

그리고 저놈 잡으면 벌 돈이 얼만데.

"명령 완수하겠습니다."

최한은 케일이 열어준 방패 틈을 통해 밖으로 뛰어내렸다. 그런 그의 발이 검은 뼈에 닿았다.

타닥.

최한은 가볍게 검은 본 드래곤의 위에 내려섰다. 그는 올곧이 선 채 하얀 놈 둘을 쳐다봤다. 청각이 인간의 범주를 넘어선 최한에게 희미하지만 단호한 목소리가 들려왔다.

"시작해."

케일의 명령.

아직 이름이 알려지지 않은 소드 마스터와 잊힌 존재였던 용.

곧 대륙의 역사에 새겨질 존재들이 케일의 명령에 따라 움직이기 시작했다.

수호 기사 클로페 세카는 기가 찼다.

그의 앞에 헤니투스성을 지키듯 자리한 검은 뼈의 용과 그 위에 올라탄 검은 소드 마스터.

'하다하다 이제는 소드 마스터까지!'

이런 미친 영지가 있단 말인가!

로운 왕국의 왕가 문양은 하나도 없는, 오로지 헤니투스 소속임을 뜻하는 존재들. 클로페의 표정이 굳었다.

"단장님."

대치하고 있던 클로페의 곁으로 수하 기사가 다가왔다. 해골 떼가 나타났을 때 그에게 다가와 말을 걸었던 그 기사였다. 유일하게 그만이 클로페의 곁으로 다가와 말을 걸 수 있었다.

"왜?"

클로페는 최한에게 시선을 고정한 채, 대충 부름에 답했다. 그 순간, 투구로 가려지지 않은 기사의 입이 열렸다. 순수한 믿음이 듬뿍 담긴 목소리였다.

"전설이 되실 분 앞에는 넘어야 할 벽이 늘 높은 것 같습니다."

클로페의 표정이 미세하게 달라졌다. 두려움과 욕망, 그 두 가지가 함께 얼굴 위로 스쳐 지나갔다. 수호 기사는 기사에게 지시했다.

"방패를 부수는 데 총력을 가한다."

"네, 알겠습니다."

투구를 쓴 기사가 물러섰고 클로페는 검을 높이 치켜들었다. 새하얀 오러가 끝없이 치솟아 올랐다. 하얀 오러는 검은 오러보다 더 길고 빛났다.

오러는 소드 마스터의 정체성. 주인의 성향을 닮은 힘이었다. 그랬기에 수호 기사는 저 검은 놈보다 자신의 힘을 믿었다.

"크르르르."

하얀 와이번이 울었다. 최한은 그 울음소리 사이를 뚫고 말했다.

"와라."

"하! 오만하기 이를 데 없는 놈이구나!"

하얀빛이 점이 되어 쇄도했다. 검은 용도 움직이기 시작했다.

콰아아아아―!

천지가 흔들리는 소리였다. 검은빛과 하얀빛이 부딪치며 귀를 찢을 듯한 소리가 들려왔다.

"크아아아!"

하얀 와이번의 발톱이 죽은 용의 뼈를 베었다. 그 송곳니는 용의 날개 뼈를 부러뜨릴 듯 매서웠다.

그러나 소용없었다.

"캬아아악!"

발톱은 뼈를 베지 못했다.

날개 뼈는 부러지지 않았다.

세상의 모든 존재들의 우위에 서는 존재.

바다의 지배자 고래족도, 땅의 지배자를 꿈꾸는 곰, 사자족도 이종족으로 불리나, 오로지 드래곤은 '드래곤'으로만 불렸다. 그것은 단순히 커서도, 강해서도 아니다.

격이 다른 존재. 그것을 의미했다.

하얀 와이번이 비명을 내질렀다. 발톱이 하나 부러지며 피가 흘러내렸다.

돌연변이, 와이번들 중에서도 격이 다른 존재로 태어났던 하얀 와이번. 그 와이번은 뼈만이 남은, 생명도 없는 죽은 드래곤을 부술 수 있을 것이라 믿었다. 살아 있는 용이 힘들다면, 죽은 용이라도 부수리라.

그러나 자연을 닮은 드래곤의 뼈를 부술 수 있는 몬스터는 없다. 격 아래의 존재. 이는 와이번뿐만이 아니었다.

최한의 검은 가볍게 하얀 오러를 막아냈다. 최한은 클로페 세카의 얼굴을 살폈다.

콰앙!

하얀 와이번은 포기하지 않고 몸통을 뼈에 부딪쳤다. 어떻게든 본 드래곤을 박살 내려 울부짖었다. 두 검사도 다시 한번 부딪쳤다.

쉬익-

음험하다.

하얀 오러는 뱀처럼 휘어지며 험악하게 달려들었다.

검은 오러는 곧았다.

휘어지는 하얀 오러의 목덜미를 단번에 잘라냈다.

"꽤 하는 놈이구나!"

클로페는 여전히 더 길고 빛나는 자신의 오러를 믿으며 최한에게 비웃듯 말을 건넸다. 그러나 최한의 표정은 변화가 없었다. 그 표정에 클로페는 미간을 찌푸리며 외쳤다.

"전설이 될 나에게 너 같은 장애물도 있어야겠지!"

꿈틀. 최한의 눈썹이 일그러졌다. 최한의 표정 변화에, 클로페의 입가에 비틀린 미소가 지어졌을 때였다. 최한의 입이 열렸다.

"시끄러워서 조용히 처리할랬더니, 틀린 말을 지껄이는구나."

검은 용과 하얀 와이번은 한 번의 부딪침 뒤 살짝 떨어졌다.

"……뭐?"

수호 기사는 자신을 내려다보는 듯한 어조에 순간 할 말을 잃었다. 그러나 최한도 눈앞의 놈이 건방져 보였다. 최한의 검은 오러는 점점 더 그 빛이 사라져 갔다. 더욱더 어둡게, 빛이 없는 어둠이 되어갔다.

오러는 그 사람을 닮았다.

빛이 없는 어둠.

그것이야말로 어둠의 본질이자, 어둠의 숲에서 만든 최한의 본질이었다. 그리고 최한은 그 본질을 누군가 덕에 그대로 인정하고 받아들이게 되었다.

그의 오러는 점점 빛을 잃어갔다. 그 의미도 모르는 놈이 하는 말을 최한은 참을 수가 없었다.

'전설이 될 나라고?'

최한은 어둠을 클로페에게 겨누며 입을 열었다.

"전설은 네가 아니다. 주인이 있어."

전설. 새로운 역사.

내가 내 두 번째 고향, 두 번째 가족들이 있는 땅에서 만들 역사.

그 역사의 주인은 따로 있었다. 그 사람만이 주인의 자격이 있었다.

"뭐?"

클로페는 기가 차서 되물었다. 그러나 그의 뒷덜미가 섬뜩해져 왔다. 최한의 검에는 이제 빛이 아주 조금 남아 있었다. 이게 현재 최한의 한계치였다. 후에 완전한 어둠을 만들었을 때, 자신은 새로운 검의 길을 걸으리라.

최한은 자신이 만들 미래를 내뱉었다.

"그리고 전설, 그곳까지의 길은 내가 만든다."

그 사람이 앉을 자리로 향하는 길.

그 길은 자신이 만들 것이다.

최한의 다짐이었다.

이 두 사람의 대화는 오로지 메리밖에 듣지 못했다. 격이 다른 존재, 드래곤을 조종하는 네크로맨서의 얼굴은 파리해져 있었다.

용의 신체는 그 속성에 따라 다른 색을 지닌다. 그렇기에 단순한 뼈가 아닌 그것을 다루는 메리는 힘이 부쳤다. 그러나 드래곤의 뼈 위에 놓인 하얀 왕관, 고대의 힘이 사라진 자리를 물들인 것은 메리의 죽은 마나였다.

그녀는 해냈다.

지금 저 검은 뼈의 용과 닿아 있는 사람은 그녀뿐이었다. 그래서 그녀는 용의 귀가 되어 모든 대화를 들었다. 최한의 목소리가 똑똑히 들려왔다.

'전설, 그곳까지의 길은 내가 만든다.'

메리의 시선이 앞으로 향했다. 그곳엔 방패를 펼치고 있는 케일이 있었다. 그가 작게 투덜거리는 목소리가 들려왔다.

"재네는 싸우지도 않고 뭘 저리 대치하고 있어."

남들은 듣지 못할 만큼 작은 목소리. 그러나 메리에게는 들렸다. 참 실없는 말투라는 생각이 들면서도, 그녀는 투명화한 자신 앞에 선 그의 모습이 잘 보였다.

땀으로 적셔진 등.

잘게 떨리는 어깨.

지금 가장 고생하는 사람은 케일 공자였다. 그는 늘 이랬다.

케일 입장에서는 오랫동안 방패를 유지한 척을 해야 하는 데다 두 팔을 앞으로 뻗치고 있는 자세가 힘들었다. 꼭 벌서는 기분이었고, 그 탓에 예전보다 근육이 줄어든 팔이 후들거렸을 뿐이었다.

그러나 메리는 그 잔떨림을 보며, 3일 전 케일이 방패를 영주성에 두를 때 자신에게 한 말을 떠올렸다.

'우리 곁에서 떨어지지 마라.'

'네가 우리 영지를 위해 힘을 쓴 순간부터, 너를 노리는 자들이 늘어날 것이다.'

이미 메리는 결심한 부분이었다. 자신에게 지하 세계가 아닌 아름다운 또 다른 세상을 가르쳐 준 이들을 위해 그 정도는 할 수 있었다. 존재를 가리고 숨는 일은 자신의 특기였으니까.

그러나 그녀는 케일의 이어진 말을 들으며 생각을 많이 바꿨다.

'그러나 걱정하지 않아도 된다.'

'너는 숨어야 할 존재가 아니다.'

'마음대로 살게 해주마.'

케일이 해준 말이 너무 크게 그녀의 마음속에 들어왔다. 검은 핏줄로 뒤덮인 메리의 두 손이 한 번 더 움직이기 시작했다.

휘이이이-

거센 겨울바람이 불었다.

메리의 검은 로브가 들썩였다. 바람에 흔들려 곧 후드가 벗겨질 것 같았다. 그러나 메리는 그 후드를 손으로 누르지 않았다.

더 중요한 일을 먼저 해야 했다.

투명화한 그녀의 이런 모습을 아무도 보지 못했다. 그러나 한 사람은 느꼈다.

최한은 자신의 발아래를 내려다봤다. 용의 검은 뼈에 검은빛들이 뭉치기 시작했다. 죽은 마나다.

메리의 힘이었다.

동공만을 채우던 검은빛이 점점 더 용의 전신으로 퍼지기 시작했다. 그러고는 용의 심장이 있어야 할 자리에 뭉치기 시작했다.

그 모습에 최한은 단박에 알아챘다. 그리고 메리의 뜻을 느꼈다.

너도 나와 같은 뜻이구나.

너도 나와 같은 길을 걸으려는구나.

이럴 때마다 최한은 혼자가 아님을 깨달았다. 그렇다면 두려울 것이 없다. 최한은 손을 뻗었다. 검은 용은 그 움직임에 맞춰 마치 그의 발이 된 듯 움직였다.

검사와 용.

둘이 움직였다.

쿠웅.

소리는 작았다.

"크아아악!"

와이번의 목덜미에 용의 송곳니가 박혔다.

서걱. 하얀 오러가 순식간에 잘렸다. 클로페의 눈동자가 커졌다. 그런 그의 시야를 빛 없는 어둠이 잠식했다.

"끼이이-!"

와이번의 목덜미에서 피가 솟구쳤다. 그 피 사이로 한 번 더 검은 용의 발톱이 박혀들었다. 용의 앞발에 와이번의 목덜미가 잡혔다.

최한은 용의 목뼈를 움켜쥐었다.

"올라가자, 메리."

메리는 그 말에 반응했다.

펄럭펄럭. 검은 날개뼈만 있던 자리. 그곳을 검은빛, 죽은 마나가 거미줄처럼 엉겨 붙어 날개를 만들어냈다. 메리의 눈동자가 검은색 실핏줄로 물들어갔다. 그러나 그녀는 멈추지 않았다.

성장 중이었다. 그녀는 벽을 넘는 중이었다. 그녀의 손이 보이지 않는 목덜미를 움켜쥐었다.

크르르르!

와이번의 목덜미가 검게 물들어갔다.

"크윽!"

클로페가 고삐를 움켜쥐고 중심을 잡았다. 그의 하얀 오러가 용의 앞발로 날아갔다. 그러나 용은 이미 날갯짓을 시작한 후였다.

올라간다.

용이 와이번의 목덜미를 쥐고 위로, 끊임없이 위로 올라갔다. 그 용의 머리에는 최한이 자리해 있었다.

이를 지켜보던 헤니투스가 기사의 입에서 한 단어가 흘러나왔다.

"……용기사."

내뱉는 말에서부터 전율이 기사의 심장을 뒤흔들었다. 와이번 기사 따위와는 비교도 안 될 이름의 무게.

기사의 시선이 하늘로 고정되었다. 이 전투의 향방은 저들의 싸움으로 결정 날 터.

콰아앙!

거대한 소리가 들려오고, 기사의 눈이 커졌다.

지켜보던 케일의 입도 자연히 벌어졌다.

돌산의 정상이 무너졌다.

용은 하얀 와이번을 산으로 패대기쳤다.

–역시 용은 강하다! 용 뼈에 비하면 와이번은 나무 뼈 수준이다! 그런데 나는 저 용보다 더 대단한 라온 미르다!

라온의 신나 하는 목소리를 BGM으로 들으며 케일은 헛웃음을 흘렸다.

'……죽이면 안 되는데.'

케일은 돈 덩어리를 놓치기 싫어 살짝 조마조마한 마음으로 돌산을 쳐다봤다.

"크르륵, 크륵!"

와이번의 입에서 피가 흘러내렸다. 그러나 와이번은 버둥거릴 뿐 일어설 수 없었다. 그를 패대기친 존재, 용의 뼈뿐인 발이 와이번의 머리를 밟고서 그를 내려다보고 있었다.

"크윽……!"

그러나 아직 클로페는 멀쩡했다. 그는 패대기쳐지는 순간 와이번에게서 떨어져 안전하게 착지한 상태였다. 하지만 그는 연신 침음을 흘렸다.

서걱.

베였다.

또 하얀 오러가 베였다.

클로페의 검이 아무리 뱀처럼 최한을 휘감으려 해도 그의 검은 결코 최한을 벨 수 없었다.

"이제 보니 너의 검은 백사구나. 와이번보다 어울려."

담담한 최한의 말에 클로페는 흠칫 몸을 떨었다.

백사.

수호 가문이라고 알려진 세카 가문의 진짜 상징, 하얀 뱀. 뱀과 같은 자들에게 수호 기사의 자격이 존재했다.

"이, 이 듣도 보도 못한 새끼가 감히 수호 기사인 나에게……!"

클로페의 검이 다시 최한에게 쇄도했다. 그러나, 최한은 한마디를 내뱉었다.

"귀찮네."

그 말로 끝이었다.

클로페는 다시 한번 다가오는 어둠을 볼 수 있었다. 백사는 몸집이 더 큰 어둠에 잡아먹혔다.

챙-!

클로페의 검이 떨어졌다.

"내, 내 팔……! 커헉!"

클로페의 오른 어깻죽지에는 더 이상 팔이 달려 있지 않았다. 산 정상에 내던져진 하얀 와이번처럼, 그의 목덜미는 검은 존재에게 사로잡혔다.

그는 숨이 막혀왔다. 팔의 아픔을 느끼지 못할 정도로 숨이 쉬어지지 않았다. 그 순간 서늘한 목소리가 들려왔다.

"와이번들을 멈춰 세워라."

최한의 명령이었다. 그는 클로페 품 안의 피리를 꺼내 들고는 클로페에게 눈빛으로 행동을 재촉했다. 이제 최한에게는 케일의 명령을 완수하고 돌아갈 일만 남았다.

하얀 와이번과 수호 기사, 둘을 생포했다. 죽이지는 않았다.

"크흐, 크흐!"

숨을 애타게 쉬는 수호 기사의 신음 소리가 들려왔다.

그 순간 최한의 표정이 변했다.

수호 기사가 고개를 가로젓고 있었다. 숨이 막히는지 질질 울면서 고개를 가로젓고 있다.

문득 최한은 의문이 들었다.

'어떻게 백사 같은 놈이 와이번을 다루지?'

오러는 정체성.

백사는 와이번을 다룰 수 없다.

최한의 고개가 돌아갔다. 그는 곧바로 검은 용의 등에 올라타 메리에게 말했다.

"돌아가야 돼!"

무언가 더 있다.

이게 다가 아니다.

검은 용이 날아올랐다. 그 순간 그는 보았다.

휘파람.

누군가 소리 없는 휘파람을 불고 있었다. 클로페 세카에게 유일하게 말을 걸던 투구를 쓴 기사. 그자였다.

"캬아아아!"

용의 발아래 와이번이 요동쳤다. 와이번은 몸 위로 핏줄이 불거질 만큼 몸을 비틀어댔다. 공포도, 죽음도 잊은 몸짓이었다. 움직일 힘도 없는 놈이 바닥을 기며 움직이려 했다.

"제길……!"

최한과 검은 용이 투구의 기사를 향해 돌진하기 시작했다. 그러나 투구의 기사가 먼저 행동했다.

와이번들이 방패로 쏟아져 내렸다.

콰아앙! 콰앙!

와이번들의 발톱이, 팔이, 날개가 부러져 갔다. 그러나 와이번들은 멈추지 않았다. 미친 것처럼 방패를 찢어발기려 했다.

은빛 방패 위로 붉은 피가 흘러 내렸다.

—인간, 와이번들이 맛이 갔나 보다! 귀엽다!

케일은 라온의 목소리가 들리지 않았다.

'……와이번을 다루는 놈이 수호 기사가 아니라고? 영웅의 탄생에서는 수호 기사였는데?'

케일은 아직 5권으로는 드러나지 않은 진실이 있음을, 그리고 그 존재가 나타났음을 깨달았다.

투구를 쓴 기사. 저놈은 처음 본다.

그 기사 놈이 와이번을 타고 케일에게로 다가왔다. 그러나 기사의 손에는 검도, 무엇도 없었다.

그때, 라온이 반응했다.

—인간, 이상한데? 자연의 힘이 느껴진다.

뭐? 자연의 힘? ……고대의 힘 말인가?

케일은 투구 기사의 손에 생겨나는 검을 볼 수 있었다. 보자마자 깨달았다.

저건 검이다.

그리고 검 형상을 띤 고대의 힘이다.

처음 보는 그 검은 점점 더 길어지고 거대해졌다. 마치 창과 같아졌다.

쿠웅—!

그 순간, 케일의 심장이 뛰기 시작했다. 먹보 신녀, 그녀의 목소리가 들려왔다.

—넌 막는다.

방패가 줄어들기 시작했다.

"이게 무슨……!"

케일은 말을 제대로 잇지 못했다. 온몸이 요동치고 부글부글 끓어올랐다. 아픈 것이 아니었다. 그런데 숨이 막혀왔다.

고대의 힘들이 요동쳤다. 몸 곳곳에 새겨진 문양들이 미친 듯이 뜨거워졌다.

그 와중에 방패는 줄어들었다.

은빛 날개도 사라졌다. 계속 작아지고 작아져, 아주 작은 방패가 되어갔다. 그러나 라온의 실드가 있어 와이번은 들어오지 못했다. 그때, 케일은 투구 기사가 씨익 웃는 것을 보았다.

"막아봐."

투구 기사는 천천히 검을 던졌다.

창이 되어버린 거대한 검이 케일에게로 쏘아졌다.

—……인간, 저거 이상하다! 실드 더 한다!

라온은 실드를 삼중으로, 사중으로, 늘리고 또 늘렸다.

그래도 이상했다.

저 검은, 마법이 안 통할 것 같았다.

재해.

자연 중에서도 가장 공격적인 것들을 지칭하는 말.

폭풍, 화산, 해일.

재해.

저 검에서 그 단어가 떠올랐다. 자연의 파괴적인 속성이 일부 뒤엉킨 존재.

여섯 살의 용은 직감적으로 깨달았다. 마법으로 모두 막을 수 없다.

저것을 막을 존재는 용. 브레스, 혹은 용의 몸뿐이다.

격이 다른 가장 단단한 자연의 존재가 필요했다.

검이 던져진 몇 초. 그 짧은 시간 동안 라온의 눈동자는 케일을 향했다. 용의 몸이 저도 모르게 앞으로 향했다.

그 순간, 케일의 목소리가 들렸다.

"빌어먹을!"

그 고함 소리에 라온은 정신이 번쩍 들었다. 그리고 외쳤다.

-메리! 용을 불러라!

검은 용은 실드를 늘렸다.

5중, 6중.

브레스조차 쓸 수 없는, 1차 성장도 못 한 용이 한계에 도전하기 시작했다.

파직.

그러나 거대한 검이 닿는 순간, 재해는 실드를 하나 가볍게 부쉈다. 파괴적인 자연 앞에 실드는 그저 자연의 마나가 만든 장난감이었다.

하나, 둘. 실드는 소리 없이 사라져 갔다.

그래도 버티면 된다. 메리의 용이 올 때까지만 버티면 된다.

라온은 찢어진 자리에 새로운 실드를 채웠다. 그때, 케일의 목소리가 들렸다.

"그만."

라온이 멈췄다. 어린 검은 용은 케일을 쳐다봤다.

그 순간이었다.

콰아아앙!

사람들은 터져 나오는 굉음과 빛에 아무것도 할 수 없었다. 그들이 마지막으로 본 것은 거대한 검을 덮친 검은 뼈의 용이었다.

찰나의 시간이 지나고 다시 시야가 되돌아왔을 때, 용의 뼈가 부서지며 검에 금을 만들었다.

그러나 그것뿐이었다. 살아 있지 않은, 오래된 용의 뼈로는 검을 없앨 수 없었다.

라온의 눈에는 그 사실이 모두 보였다. 6살, 경험이 없는 어린 용은 위험을 파악했다. 라온의 몸이 움직였다.

"흐, 흐흐-"

케일의 웃음소리가 들려왔다. 라온은 멈춰 선 채 고개를 돌렸다.

엄청난 피를 토하는 케일이 라온의 눈동자에 담겼다. 케일은 입, 코, 귀, 모든 곳에서 피를 흘리며 허탈한 웃음을 흘렸다.

케일의 머릿속, 그곳에 목소리가 울려 퍼졌다.

-저건 내 검인데?

지배하는 아우라의 주인. 그의 목소리가 들렸다.

-용 잡는 칼인데.

케일은 그 순간 깨달았다.

드래곤 슬레이어.

저 투구의 검은 그것이구나. 저기 뼈가 부서지며 다시 한번 죽는 용을 죽였던 검이 저거구나.

그리고 북부에서 훔쳐 왔던 왕관. 케일이 '지배하는 아우라'를 삼키자 용의 머리 위에서 사라졌던 하얀 왕관을 꼭 닮은 그 왕관. 자신의 품 안에 있는, 용의 피를 좋아한다는 그 왕관.

검과 왕관. 그건 한 쌍이구나. 그래서 저 왕관이 '암'의 손아귀에, 거기에 있던 거였구나.

또 하나 더, 그는 직감처럼 깨달았다.

흐릿하게나마 미래를 볼 수 있었던 세계수. 그가 말했던 세 가지 중 하나. 라온의 부모와 심판하는 물과 함께 전했던 말.

'고대의 힘을 모으는 자는 고대의 힘을 총 세 개 소유했다.'

그게 저 투구 쓴 새끼구나.

"……빌어먹을 새끼."

케일은 손에 힘을 주었다. 온몸이 요동쳤다.

"라온, 움직이지 마!"

케일은 투명화한 어린 용에게 외치고 머릿속의 말에 집중했다.

－희생하려는 건가.

아니! 나는 절대로 내 손해는 안 봐.

케일은 짱돌의 말을 무시했다. 대신 자신처럼 뭐든 먹어 치우는 욕심쟁이의 말에 귀를 기울였다.

먹보 신녀. 그녀의 목소리가 들렸다.

－이걸로 충분해.

케일의 가슴 위 문양이 변했다. 처음 새겨졌던 은빛 방패 위에 덧새겨진 심장의 활력. 붉은 심장의 문양이 은빛이 되었다.

방패는 첫 번째 재능을 집어삼켰다.

케일은 방패의 힘을 쏟아부었다.

금이 갔을지언정 사라지지 않고 다가오는 재해.

그리고 심장의 활력.

살고 싶은 인간이 지녔던 재생력. 인간이 재해를 버텨내는 힘은 생존력, 순수한 그 욕구였다.

콰아아앙!

금이 갔지만 여전히 거대한 검의 끝과 아주 작은 방패가 부딪쳤다. 이전과는 비교할 수도 없는 거대한 빛이 헤니투스 영지를 덮쳤다.

케일은 빛으로 시야가 가려지기 전, 어느새 투구 기사의 등 뒤로 날아든 최한의 악귀 같은 모습을 보았다. 또 제 등을 받치는 라온의 앞발을 느꼈으며 신녀의 목소리를 들었다.

–잘했어.

케일은 바로 깨달았다.

막았다.

생존, 살고자 하는 힘. 결국 자연을 버티며 살아남아 온 인간의 힘이었다.

방패는 부서지지 않았다.

헤니투스 영지의 가장 높은 곳.

영주성 첨탑.

"형, 형님-!"

차남 바센의 비명이 울려 퍼졌다. 그는 한 손으로 난간을 부여잡은 채 금방이라도 첨탑 밖으로 뛰쳐나갈 듯했다.

빛이 지나간 자리.

바센 헤니투스는 한차례 빛이 지나가고 시야가 돌아왔을 때, 제일 처음 한 소리를 들을 수 있었다.

쩌저적.

금이 갔던 거대한 검. 그 검이 서서히 갈라지며 공기 중으로 사라져 갔다. 사라지는 잔해에 닿은 와이번 몇 마리는 허무하게 흔적도 없이 먼지처럼 스러졌다. 그 장면에 두려움을 느끼기도 전.

방패를 보았다.

아주 작은 방패는 부서지지 않았다. 그러나 검 끝이 닿았던 곳은 당장 부서질 듯 금이 가 있었다. 방패는 금이 가지 않은 곳이 없었다.

위태위태해 보였다.

그리고 형님, 케일 헤니투스도 보였다.

삐이이- 삐이이이-

정보통신실. 그곳에 온갖 긴급 연락이 쏟아지고 있었다. 특히 동북부에서 온갖 연락들이 쏟아졌다.

현재 헤니투스 가문으로 연결된 수많은 영상통신구들. 그 영상통신으로 전해진 전쟁의 광경.

바센은 이 시끄러운 소리가 하나도 들리지 않았다. 저 멀리 겨우, 쓰러지지 않고 겨우 버티고 있는 형님만이 보였다. 그가 토해내는 검은 피들이 보였다.

17살 바센의 머릿속에, 처음으로 전쟁과 그로 인한 아픔이 새겨졌다.

–바센 헤니투스.

그에게 알베르 크로스만, 왕세자의 목소리가 들려왔다. 처음에 바센은 그의 목소리를 제대로 듣지 못했다. 그러나 상당히 메마른 목소리가 곧 바센의 정신을 일깨웠다.

–네 형님이 너에게 무엇을 명했지?

바센은 고개를 들었다.

바센, 그가 할 일. 그는 고개를 돌려 정보통신실을 보았다. 지금 이곳은 로운 왕국 모든 연락망과 영상이 교신되는 곳. 전쟁에 있어 왕실만큼이나 중요한 모든 정보가 모이는 곳이었다.

–부끄럽지 않으려면, 후회하지 않으려면 네 할 일을 잊지 마라.

알베르는 스스로에게 하는 말을 바센에게 내뱉었다.

영상통신 화면에 비친 알베르는 눈에 실핏줄이 다 터진 채 붉어진 눈으로 헤니투스 영지의 전경을 한시도 놓치지 않고 있었다. 그는 바센에게 한마디를 전했다.

–왕가 1기사단과 마법병단 1대대는 지금부터 헤니투스 영지로 간다.

케일 헤니투스는 기다리라고 했다. 그러나 왕세자는 부끄럽지 않기 위해, 후회하지 않기 위해 자신이 할 일을 시작했다.

로운 왕국의 마법병단이 세상에 처음으로 그 모습을 드러내기 위해 발을 내디뎠다.

또한 바센도 멍해 있는 통신 마법사들에게 지시했다.

"……지금부터 로운 왕국 전역에 적의 힘을 정확하게 전합니다."

3일 전 왕세자의 선언이 있었던 저녁, 바센에게 형님 케일 헤니투스는 말했다.

'우리가 시작이다.'

그 목소리가 바센의 머릿속에 선명하게 떠오르기 시작했다.

'시작이 반이라고 했지. 우리가 살아남고 성을 지키는 모습을 알리면 로운의 기세가 달라질 거다.'

'왕국민들의 머릿속에 승리를 새겨야 돼.'

'그래야 전쟁을 이겨내고.'

그 말을 하는 형님은 평소처럼 참 담담했다.

'모두가 살아남을 수 있어.'

그리 말하던 형님은 지금 겨우 버티고 있다.

바센은 통신 마법사들에게 명했다.

"그리고 우리가 어떻게 이겨내는지 정확하게 전합니다."

지금부터 로운의 기세는 달라질 것이다.

바센은 그럴 것이라 믿어 의심치 않았다. 그는 고개를 숙여 성벽을 바라봤다.

성벽 위에는 혼혈 쥐족 드워프 뮐러가 있었다. 그는 시야가 돌아오자마자 들린 작은 소리에 눈을 크게 떴다.

쩌저적.

성벽에 금이 가고 있었다.

'내가 설계한 성벽이……!'

겁은 많았지만 자부심이 상당했던 드워프 혼혈의 눈동자에 두려움 대신 다른 감정이 맴돌기 시작했다. 그러나 백작 부인에게 목덜미가 잡혀 있던 뮐러는 곧 헛숨을 들이마셔야 했다.

"허억!"

날려졌다. 뮐러는 제 몸이 패대기쳐지는 것을 느꼈다. 그리고 비명 소리를 들을 수 있었다.

"케일!"

백작 부인 바이올란의 비명 소리였다. 동시에 데르트 백작의 비명과도 같은 외침이 들려왔다.

"모두 정신 차려!"

뮐러는 고개를 들었다. 늘 차분하고 순해 보이던 백작의 얼굴이 일그러지다 못해 흉살과 같이 변해 있었다. 백작은 핏대를 세우며 지시했다.

"당장 투석기를 발사한다!"

영주는 검을 뽑아 들고 성벽 난간으로 다가가 모두를 내려다보며 말했다. 그 목소리에는 분노와 슬픔이, 불안감이 뒤섞여 있었다.

"한 놈도 살리지 마라!"

그 소리와 함께 또 다른 소리가 뮐러의 귓가에 닿았다.

콰앙!

처음 보인 것은 은빛이었다.

은빛의 방패는 아니었다. 그러나 마치 은하수처럼, 은빛의 무언가가 계속해서 웨스턴시 하늘 위에 생겨나고 있었다.

실드였다. 마치 케일의 은빛 방패를 흉내 내는 듯한 실드가 계속해서 나타나고 있었다. 하나, 둘, 삼중, 사중. 계속해서 은빛 실드가 생겨나며 하늘을 덮고 또 덮었다.

반쪽이지만 드워프였기에, 뮐러는 그 힘이 무엇인지 곧바로 깨달았다.

용이다.

저럴 만한 존재는 용뿐이다.

이 영지에 사는 어린 용. 그 용이 드리운 실드였다. 은빛 너머에는 멀리 그도 잘 아는 이가 있었다.

최한. 그가 투구를 쓴 기사와 싸우고 있었다. 검은 오러가 매섭게 일렁이고 있었다. 여전히 빛이 조금밖에 남지 않은 어둠이었으나, 오러는 어느 때보다도 맹렬하게 분노를 담고 있었다.

"하, 하하—"

그리고 그 오러를 가볍게 막아내는 검이 있었다.

투구를 쓴 기사, 그는 웃으며 검의 형상을 띤 고대의 힘으로 최한의 오러를 막았다. 한 번 검이 부서졌건만 그는 조금도 힘들어 보이지 않았다.

콰앙!

한 번의 부딪침. 최한은 뒤로 물러서며 발을 디뎠다.

투둑.

하늘 위에서 최한의 걸음을 지탱해 주는 존재들이 있었다.

도망가던 수많은 해골 떼들. 그들이 다시 돌아왔다. 메리가 최한에게 그가 디딜 땅을 만들어주었다. 셀 수 없이 많은 하얀 뼈들로 둘러싸인 최한과 투구 기사가 탄 와이번. 이 둘은 수많은 뼈들의 움직임으로 인해 잘 보이지 않았다.

그러나 이 광경이 가장 잘 보이는 이가 있었다.

메리. 그녀는 온몸을 죽은 마나로 휘감은 채 주체할 수 없이 손을 떨고 있었다. 그녀는 모든 게 너무나도 잘 보여 탈이었다.

"케일!"

백작 부인이 겨우, 겨우 버티고 서 있는 케일을 부축했다. 그녀는 비명을 삼켰다.

부축하자마자 케일이 비틀거리며 주저앉았다. 케일의 눈, 귀, 코, 입, 모든 곳에서 검은 피가 흘러나오고 있었다. 케일은 숨조차 쉬기 버거워 보일 정도로 피를 토해내고 있었다.

백작 부인은 잡고 있는 케일의 몸이 차가워지는 것을 느꼈다. 아들의 몸이 차가워지고 있었다.

저 멀리 치료사와 신관이 달려왔다.

"케일, 조, 조금만, 조금만 버티렴."

그녀는 연신 케일의 팔과 몸을 주물렀다. 피를 어찌나 쏟아내는지 그녀는 케일이 온몸의 피를 다 쏟아낼 것만 같았다. 그때, 그녀는 피를 게워내며 희미하게 겨우 내뱉는 케일의 목소리를 들을 수 있었다.

"……괜 ……괜찮아."

뭐?

케일을 바라보는 그녀의 동공이 흔들렸다. 어느새 케일 곁으로 다가온 신관도, 치료사도 순간 멈칫했다.

케일의 머릿속에는 한 존재의 목소리가 울려 퍼지고 있었다.

-인간, 피를 너무 많이 쏟는다. 인간, 평소랑 다르다. 인간, 제발, 인간. 피 쏟지 마라. 가만 안 둔다! 내가 죽어도 가만 안 둔다.

"여기 있어."

케일의 손이 무언가를 잡듯 오므려졌다.

백작 부인은 허공을 잡는 손길에 눈가를 일그러뜨렸다. 분명 케일은 제정신이 아닐 것이다. 아마 헛것을 보며 이러는 것일 터.

그녀는 케일에게서 잠시 시선을 돌렸다가, 미쳐 버린 것 같은 백작을 보고는 간신히 마음을 가라앉혔다. 자신이라도 정신을 차려야 한다. 그러나 이어진 케일의 말에 그녀는 감정을 참기가 힘들었다.

"……가면 다쳐……."

겨우 내뱉는 말에 백작 부인은 울컥 치미는 감정을 가라앉히기 힘들었다.

피를 토해내며 한다는 소리가, 분명 지금 제정신도 아닐 것인데! 그런 순간조차!

가슴이 찢어지는 기분이었다. 그때 케일의 입이 다시 겨우 열렸다.

"……내 옆에서– 쿨럭!"

피가 섞인 기침이었다. 다시 피가 쏟아졌다. 케일은 그 바람에 뒷말은 겨우 입모양으로만 했다.

'족쳐.'

내 옆에서 족쳐.

그 말을 용케 한 존재만이 알아들었다. 케일의 바지 자락은 비도 안 오건만 피가 아닌 다른 것으로 젖어 들어가고 있었다. 그리고 바지 자락을 적시던 존재는 케일의 말을 제대로 알아들었다.

–죽인다.

우르르르.

흐린 하늘이 요동치기 시작했다.

자연재해를 담았던 검. 그 본질이 담겼던 검만은 못하지만 라온도, 용도 비슷한 것을 할 수 있었다.

흉내쯤이야 얼마든지 할 수 있다. 그렇기에 용이다.

폭풍. 그리고 해일.

용은 모든 것을 쓸어버릴 힘을 쓰기 시작했다. 하늘이 검게 물들어갔다.

동시에 라온은, 어린 용은 고룡에게 들었던 말을 떠올렸다. 이제야 모든 정황이 이해되었고, 케일이 왜 이러는지 짐작이 되었다. 고룡 에르하벤에게 배울 당시, 그때 그가 흘러가듯 했던 말.

'꼬맹이, 드래곤 슬레이어란 걸 들어봤나? 용잡이라고 불리기도 하지.'

라온은 그 단어가 참 마음에 안 들었다. 감히 위대한 용을 잡는 놈이라니.

'뭐, 꼬맹이, 넌 평생 가도 드래곤 슬레이어에게 다칠 일은 없겠지만. 아마 드래곤 슬레이어가 널 살리려고 온갖 짓을 다 할 테니까.'

케일이 드래곤 슬레이어 가문의 힘을 이어받은 줄 알았던 고룡 에르하벤. 그는 이런 날을 상상하고 한 말이 아니었다. 그저, 상식으로 라온에게 알려준 이야기였다.

'드래곤 슬레이어는 특이한 존재들이다. 인간의 한계를 넘어섰지. 자연을 닮은 존재야.'

인간 중 자연을 닮은 존재. 그 말에 라온은 반응했다.

'우리 약한 인간도 자연과 비슷하다!'

'그러니까 네 약한 인간 놈이 용-! 아무튼, 지가 숨기려고 하니 그냥 모른 척해야겠지만.'

'뭐라는 거냐?'

'아니다. 여하튼 꼬맹이, 드래곤 슬레이어가 네놈을 건들면 도망가라.'

그 말에 라온은 코웃음을 쳤다. 그러나 에르하벤은 꽤 진지하게 말했다.

'그 새끼들은 용을 잡아먹고 성장하는 놈들이거든.'

저마다 다른 색과 다른 속성을 지닌 용. 자연을 담았고 닮은 존재인 용. 그러니 자연을 닮고 싶으면 용을 잡아먹으면 된다.

'특히 어린 용은 조심해야 돼. 몸도 덜 성장했고 브레스도 못 하니까. 너야 뭐 박복한 놈이 옆에 있으니 느긋하게 성장해도 되지만.'

'위대한 내가 다칠 리 없다!'

에르하벤은 헛웃음을 흘리며 말했다.

'세상에 위대한 존재는 없다, 꼬맹아.'

라온은, 검은 용은 지금에서야 제대로 깨달았다.

'나는 위대하지 않다.'

아직 멀었다.

라온은 투명화한 제 앞발을 잡은 손을 쳐다봤다. 손 위로 피가 떨어지고 있었다. 라온은 제 마음을 마법에 담았다.

투둑, 투둑.

하늘에서 비가 내리기 시작했다.

살아남은 와이번들은 여전히 은빛 실드로 달려들었다. 곰족은 투석기와 화살을 피하며 금이 간 성벽으로 달려들었다. 호족은 그런 곰족의 뒤를 노렸으나, 곰족의 수는 호족의 열 배가 넘었다.

그때였다.

우르르-

비가 바뀌기 시작했다. 비는 폭풍우가 되어, 해일처럼 변해 몰아치기 시작했다.

하늘에서 벼락이 내리쳤다.

끼이이-!

와이번과 그들 위에 탄 기사, 곰족들을 향해 수십, 수백 개의 벼락이 내리치기 시작했다. 벼락들은 조금의 자비도 없이 정확하게 적의 목만을 노렸다.

마치 자연을 닮았던 그 검처럼, 벼락은 날카롭게 모든 것을 베어 내려 했다.

그러나 그 해일도, 폭풍우도 가볍게 검으로 내리그어 없애 버리는 이가 있었다.

“여기 정말 재밌네. 내 흉내를 내는 마법산가? 누구지?”

투구를 쓴 기사. 그는 무언가를 탐색하듯 입맛을 다시며 제 검으로 해일을 닮은 폭풍우도, 벼락도 베어냈다.

라온이 느꼈던 고대의 힘으로, 자연재해의 일부를 담은 힘. 폭풍우와 해일, 화산, 그 세 가지를 가진 그의 검은 마법으로 만든 가짜를 가볍게 짓눌렀다.

투구 기사의 시선이 최한에게 향했다. 그는 입안에 머금은 피를 뱉어내는 최한을 보며 웃음을 흘렸다. 검은 오러는 제 주인을 닮아 끊임없이 일렁이고 있었다.

투구 기사의 눈동자가 최한과 닿았다.

“네가 진정한 어둠을 얻었다면 모르겠다만, 아직은 멀었어.”

기사는 가볍게 검을 내리그었다. 내리긋는 그의 손등에서도 살짝 피가 흘러내리고 있었다. 최한의 검은 오러가 만든 생채기였다.

하지만 투구의 기사는 별다른 두려움이 없었다. 드워프의 갑옷이 그의 몸을 보호하고 있었으니까.

드래곤을 죽이고 싶은 드워프족의 역작은 용잡이의 갑옷으로 충분했다.

'물론, 긴장을 놓을 수 없는 놈이지만!'

채앵!

검과 검이 부딪쳤다.

어느새 코앞으로 다가온 검은 오러가 기사의 왼뺨에 살짝 상처를 만들어냈다. 동시에 화산을 담은 자연의 힘이 검은 오러를 내리쳤다.

콰앙!

그 소리는 천둥도 묻혀 버릴 만큼 컸다.

"못 이긴다니까."

기사는 웃었고, 최한은 이를 꽉 깨물었다. 최한도 기사의 말이 무엇인지 인지하고 있었다.

'완성했다면……!'

검은 오러. 어둠을 완성했다면 그나마 싸워볼 만하겠는데!

도대체 저 검이 무엇이기에, 최한의 오러는 저 검을 이겨내지 못했다. 상극이니 뭐니를 떠나 그냥 격이 달랐다.

최한은 이제 수십 마리만이 남은 몬스터 해골들 중 하나 위에 서며 숨을 골랐다.

숨이 차왔다.

강하다.

저자는 자신보다 강하다.

한 걸음.

딱 한 걸음만 더 내디뎠다면 이자를 이겼을 텐데!

"허억, 헉."

언제 숨을 가쁘게 내쉬었던가. 몇십 년 전부터는 그런 기억이 떠오르지도 않았다.

최한은 숨을 내쉴 때마다 흘러내리는 피를 닦아내지 못했다. 오랜만에 피를 토하니 최한은 이 감각이 새삼스럽게 느껴졌다. 동시에 한 가지를 깨달았다.

케일은 매번 이렇게, 자신과는 비교도 할 수 없을 만큼 많은 피를 토했다.

최한의 얼굴이 일그러졌다.

이자는 강하다.

그러나 최한은 진다는 생각이 머릿속에 없었다. 최한은 더욱더 얼굴을 찡그렸고, 기사는 비웃듯 말을 이었다.

"고대의 힘을 지닌 놈이 있다고 해서 왔더니, 정말 소문대로 피를 토할 줄은 몰랐네. 몸도, 그릇도 안 되면서 고대의 힘을 얻은 건가?"

그가 내뱉는 말이 최한의 신경을 거슬리게 만들었다.

"자연이 저놈에게 고대의 힘을 허락했다고?"

투구 기사는 꼭 마치, 케일이 얻어선 안 될 것을 얻었다는 듯 말하지 않는가. 최한은 그 때문에 머릿속이 복잡했다.

사실 지금 투구 기사에게 가장 신기한 존재는 케일 헤니투스였다. 자연이 허락한, 그릇이 되는 존재만이 고대의 힘을 얻을 수 있었다.

이 땅 위의 존재들에게는 보통 천운이라 할 만큼 운이 좋아야 고대의 힘을 얻는 것으로 알려졌지만, 사실은 고도의 계산 아래 자연이 대상을 택하는 것이었다.

그런데 저 녀석에게 고대의 힘이 두 개나 주어졌다고? 저렇게 그릇이 작은 놈에게?

나무와 인간의 생존력. 투구 기사가 방패를 겪으며 곧바로 깨달은 케일의 힘이었다.

그는 케일 다음으로 최한도 신기했다. 자신과 비등한 크기의 그릇을 지닌 자. 그는 자연이 최한에게 어떠한 고대의 힘도 내려주지 않았음이 이상했다.

최한은 딴생각을 하는 듯한 기사에게 달려들었다. 다시 한번 투구 기사의 검과 최한의 검이 부딪쳤다.

콰앙!

그 부딪침만으로도 곁에 있던 해골들이 부서지고 주변의 공기가 흔들렸다.

반투명한 검과 검은 오러가 부딪친 채 서로를 노려보았다. 최한은 투구 너머 갈색 눈동자를 응시했다. 그 눈꼬리가 휘었다.

'위험하다!'

최한은 뒤로 물러서려 했다.

이런 감각은 오랜만이었다. 마치 고룡 에르하벤을 떠올리게 하는 힘. 투구의 눈빛이 최한의 눈동자를 깊숙이 파고들었다. 기사는 최한에게 속삭였다.

"……너도 오래 살았구나."

그 말에 최한의 몸이 멈칫거렸다.

'너도라니?'

그 잠깐의 멈칫거림에 기사는 씨익 미소를 그렸다. 그의 팔이 움직였다.

"커헉!"

최한의 목덜미가 잡혔다. 그러나 그 목덜미는 아무것도 아니었다. 메리의 해골 몬스터들이 투구 기사가 탄 와이번에게 다급하게 달려들어 물어뜯었다.

최한의 어깨에 기사의 검이 박혀 있었다. 해일처럼 상처를 파고들고, 폭풍우처럼 휘몰아치며, 화산처럼 뜨거운 힘이 최한의 어깨를 잠식해 나갔다.

투구 기사는 최한의 목덜미를 움켜쥔 채 미소를 그렸다. 목덜미가 잡힌 최한은 공중에 위태로운 모습으로 떠 있었다.

"재밌는 경험이었어. 오랜만에 외출한 보람이 있군. 너희 정도면 곧 또 보겠지."

기사는 일그러진 최한을 보며 실소를 흘렸다. 분노와 아픔을 숨기지 못한 얼굴. 기사는 그 얼굴을 보며 점점 손에 힘을 풀었다. 곧 제 손아귀 안의 검사는 낙하하리라.

그러나 그때, 그는 최한의 표정이 사라지는 것을 볼 수 있었다.

덥석.

검이 박힌 어깨의 손이 투구 기사의 손을 잡았다. 그리고 최한의 다른 손이 제 어깨에 박힌 검을 움켜쥐었다.

그 모든 행동은 순식간이었다.

취이이익.

최한의 손바닥이 용암에 닿은 듯 타들어 갔다. 몇 초도 아닌 짧은 순간, 최한은 투구의 기사를 표정 없이 응시했다.

이게 최한의 진짜 얼굴이었다.

일부러 멈칫거리는 척을 했던 최한은 본인의 모습을 그대로 드러냈다. 아무것도 없는 표정. 오래 살아오며 굳어진 그의 표정이었다.

퍽!

최한의 발이 와이번의 목덜미를 찼다. 그러고는 두 손에 투구의 기사와 검을 움켜쥔 채 허공으로 뛰어내렸다.

해골들이 멈칫하다가 빠르게 자리를 비웠다. 기사가 떠난 와이번에게는 곧바로 벼락이 내리쳤다.

끼이이이-!

쿵!

마지막 와이번이 하늘에서 땅으로 추락했다.

어린 검은 용은 마지막 와이번을 죽였다. 그리고 자신이 만든 은빛 실드 밖으로 나갔다. 하늘에는 이제 용뿐이었다.

최한은 투구의 기사와 함께 추락했다.

"미쳤어?"

투구의 기사는 발로 최한을 차며 그를 떨쳐내려 했다. 그리고 고대의 힘을 더 강하게 일으켰다.

최한은 검은 오러를 휘감은 손으로 검을 잡은 채 절대 놓지 않았다.

투구의 기사는 추락이 두렵지 않았다. 그건 문제가 아니었다.

그러나 등 뒤.

죽은 마나. 자연과 상극인 그것이 똘똘 뭉치며 하나의 점을 이루어갔다. 그 중심에는 작은 소형 몬스터 해골이 있었다.

투구 기사는 자신에 비하면 비루하지만, 점점 모이고 있는 힘에 미간을 찌푸렸다.

등 뒤로 작은 화살촉이 자신을 노리는 것이 그는 느껴졌다.

네크로맨서는 힘을 모았다. 소형 몬스터를 감싼 죽은 마나가 마치 검처럼 날카롭게 변해갔다.

거기에다 뭉친 죽은 마나를 받치는 힘이 생기고 있었다. 가짜지만, 해일과 폭풍우, 그리고 화산을 닮은 마법.

어린 용은 투명화한 채 그 힘을 죽은 마나에 보탰다. 짧은 검처럼 뭉쳤던 죽은 마나는 화살촉이 되었고, 라온의 힘이 그것을 기다란 화살로 빚어냈다.

투구의 기사는 제 손을 붙잡고 있는 최한의 손에 불거진 핏줄을 볼 수 있었다. 절대 놓지 않으려는 의지가 보였다.

'이러다가 다치겠는데.'

기사는 인상을 찡그린 채 외쳤다.

"미쳤나? 저걸 맞아도 난 죽지 않아. 네놈만 죽어!"

화살은 정확히 투구 기사의 등을 향해 있었다. 점점 완전한 모습으로 변해가는 화살. 저 화살은 투구의 기사도, 최한도 쉬이 관통해버릴 것 같았다.

그 화살을 마주 쳐다보던 최한은 투구의 기사를 쳐다봤다.

"난 이미 미쳤어."

이미 미쳤다.

예전에, 아주 오래전에.

어둠의 숲에서 자신은 미쳤다. 수십 년 이상을 홀로 살아오려면 어딘가 미칠 수밖에.

최한은 이 기사 놈이 여유로운 게 싫었다. 다치기라도 해야 분노가 가라앉을 것 같았다.

표정 하나 없는 얼굴에 웃음이 그려졌다. 제 뜻을 알아차린 메리와 라온이 고마워서였다. 역시 혼자보다는 여럿이 더 강했다.

최한의 머릿속으로 라온의 목소리가 들려왔다.

―절대로 넌 죽지 않는다. 바보 최한아.

그리고 화살이 내리꽂혔다.

"……미친!"

투구 기사의 욕과 함께, 다시 한번 거대한 소리가, 이번엔 헤니투스 영주성 밖 땅을 내리쳤다.

콰아아앙!

케일은 또 한 번 시야를 가리는 폭발을 보며 헛웃음을 흘렸다.

"대책 없는 놈들."

심장의 활력. 질긴 재생력은 케일의 몸에 깃든 죽은 피를 모두 지워냈다. 케일은 천천히 자리에서 일어섰다. 아직 그는 쓰러지지 않았다.

"성벽을 붙잡아라!"

백작의 외침에 병사들은 곧바로 성벽을 붙잡거나 바짝 엎드렸다.

땅을 뒤흔드는 폭발은 하늘에서의 폭발과 달리 성벽에서 그 여파가 직접적으로 느껴졌다. 백작은 저도 모르게 한마디를 내뱉었다.

"……인간의 싸움이 아니야."

인간만의 전쟁이 아니었다. 이미 그 수준을 벗어났다.

그는 저도 모르게 아들과 백작 부인에게로 황급히 고개를 돌렸다. 그리고 탄성을 흘렸다.

"……하-"

웃음과도 비슷한 탄성이었다.

어느새 일어선 아들이 다시 작은 방패를 펼치며 백작 부인과 치료사, 신관들을 보호하고 있었다. 백작은 그제야 느꼈다.

'인간의 수준을 벗어난 싸움. 이제 시작인 저 싸움의 중심에 내 아들이 있구나.'

굳건하게 서 있는 아들의 모습이 걱정과 함께 백작의 마음을 뒤흔들었다. 백작은 성벽을 짚고서 천천히 일어섰다.

한편 케일은 백작의 마음을 모른 채, 폭발하는 빛 사이로 번쩍하고 한순간 불타오른 어둠을 보았다.

"……저건 또 뭐야?"

무술 실력이 떨어지는 케일에게 동체 시력 따위는 당연히 없었으므로, 뭐 하나 제대로 보이는 게 없었다.

타오르는 어둠. 그것은 최한의 힘이었다.

아주 찰나. 미완성의 어둠이 죽은 마나를 잡아먹고 폭발했다.

빛과 어둠이 뒤섞인 폭발. 그 폭발이 끝나고 난 자리.

투둑, 투둑.

여전히 빗방울은 떨어졌다. 그 빗방울은 땅이 아닌 죽은 와이번과 죽은 곰족들 위로 떨어졌고, 피와 함께 땅을 적셨다.

툭.

폭발이 지나가고 떠오른 수많은 먼지들을 바람과 비가 순식간에 지워냈다. 그러자 모든 것이 그 모습을 드러냈다.

투욱, 툭.

갑옷이 메마른 땅처럼 금이 가며 하나씩 떨어지고 있었다.

용을 잡으려는 드워프가 만든 갑옷. 그 갑옷에 실금이 생기고, 속절없이 떨어져 나가 진흙 속에 박혔다.

"……이 새끼들이……!"

투구의 기사는 이를 깨물며 욕설을 내뱉었다.

"……커헉!"

그는 피를 한 움큼 토하며 자리에서 일어섰다. 벌겋게 충혈된 눈동자가 정면을 향했다.

백호 가샨이 일으킨 주술로 보호된 한 남자, 최한. 그가 고대의 힘이 만든 검으로 꿰뚫린 어깨를 부여잡은 채 투구의 기사, 드래곤 슬레이어를 응시하고 있었다. 그러나 드래곤 슬레이어는 시선과 달리 그를 보고 있지 않았다.

"하, 하하-"

최한은 투구의 기사가 피를 토했지만 몸에 상처 하나 없는 것을 확인했다.

저 기사의 갑옷은 대단했다. 그러나 그 갑옷을 파괴한 이는 라온이었다.

기사의 눈빛이 소름 끼치게 변했다. 그의 몸에서 온갖 재해들이 소용돌이치고 있었다. 마치 그의 몸이 검인 것처럼, 검 형상의 기운이 기사를 감쌌다.

기사는 웃으며 말했다.

"……용이 있구나. 여기 용이 있었어."

화염의 드워프족 물건을 부술 존재는 용뿐이다. 투구의 기사는 그저 그의 흉내를 낸 뛰어난 마법사의 마법 정도인 줄 알았다. 그런데 용일 줄이야.

분명 용은 어딘가에서 그 고고한 고개를 치켜든 채 구경하고 있을 터. 그러다가 힘 한 번 보태는 걸로 그를 죽이려고 했을 것이다. 드워프는 투구 기사에게 갑옷을 만들어주며 말했다.

'이건 브레스는 막을 수 없지만, 평범한 성룡의 마법 정도까지는 막을 겁니다.'

'드래곤 로드도?'

'없는 존재 이야기를 왜 합니까? 드래곤 로드는 마법의 제왕. 그 마법을 막을 수는 없습니다. '진짜' 드래곤 로드가 있다면 우리가 이러고 있겠습니까? 이 갑옷은 고룡의 마법도 한 번은 막아줄 겁니다. 그게 저희 한계입니다.'

드래곤 슬레이어는 갑옷이 부서진 순간 직감적으로 깨달았다.

고룡, 혹은 그 이상의 용. 그 정도 마법 실력을 지닌 용이 여기에 있다.

'고룡은 한 마리뿐일 텐데?'

그는 다 죽어가는 고룡만을 알고 있었다. 그런데 고룡이 또 있다고?

"흐, 흐흐."

그의 입에서 웃음이 흘러나왔다.

'쓰레기 같은 드래곤 새끼들.'

분명 고룡은 도도한 표정으로 그를 포함한 자연의 존재들이 싸우는 걸 유희처럼 지켜보았을 것이다. 그렇지 않다면 지금에서야 나설 이유가 없었다.

진작 나섰다면, 이미 성룡의 힘인 드래곤 피어와 브레스를 뿌려 그를 죽였을 터.

아직 그는 완전하지 않았으니까.

"……커헉."

기사는 또다시 피를 한 움큼 토해냈다.

갑옷이 부서지는 순간 고대의 힘을 최한에게서 거둬들여 몸을 보호했지만, 그럼에도 내부는 죽은 마나와 최한의 오러로 충격을 받았다.

내장이 뒤틀리는 느낌이었다. 이런 느낌도 오랜만이었다.

'……왕관만 있었다면!'

그것 때문에 그 미친놈한테 머리를 숙였건만!

기사는 완전해지지 못했던 이유를 떠올리며 이를 갈았다. 아쉬움이 밀려왔다. 어떤 빌어먹을 놈들이 왕관을 훔쳐가는 바람에 완전해지지 못했다.

재해의 검도 몇 번 부서지며 몸에 한계가 다가왔다. 이 전투에서는 이제 재해의 검을 한 번만 더 사용할 수 있었다.

그 이상은 몸이, 그릇이 버티지 못한다. 물론 용잡이의 힘이 하나 더 있었으나, 그것은 어차피 우스운 힘이라 필요하지도 않았다.

지배하는 아우라. 사기꾼이나 가질 법한 그 우스운 힘은 드래곤 슬레이어, 그 이름의 품격에 맞지 않았다. 아우라는 순수한 힘이 없는 허상이었으니까.

투구의 기사는 왕관을 훔쳐간 놈들을 반드시 잡겠다 다짐하며 주위를 둘러보았다.

"지독한 것들."

하늘 위로 또다시 자신의 힘을 흉내 낸 화살이 만들어져 있었다. 그리고 다시 모습을 드러내는 검은 오러.

마지막으로.

철퍽, 철퍽.

하나둘 진흙을 밟고 일어서는 죽은 와이번과 곰족의 시체들. 거기에 백호를 중심으로 한 호족과, 성벽에서 화살과 투석기를 겨누는 인간들.

기사는 눈을 감았다.

"……졌네."

이건 누가 보아도 진 싸움이었다.

최한은 기사의 입가에 허무한 웃음이 내걸렸음에도 오른손에 힘을 주었다. 어깨가 뚫린 왼쪽. 막판에 상대가 힘을 거두지 않았다면 최한의 왼쪽 어깨는 불구가 되었을 것이다.

그렇기에 최한은 긴장을 놓지 않았다.

투욱.

적의 마지막 갑옷이 떨어져 나갔다.

투구가 벗겨졌다.

그의 얼굴이 세상에 드러났고, 동시에 기사는 움직였다. 그의 몸 전체를 감싼 기운이 뾰족한 검의 모양으로 변했다. 그리고 그 검이 한 곳으로 쇄도했다.

"막아!"

가샨이 외치자 호족들이 기사에게로 달려들었다. 이미 최한은 앞으로 쏘아져 나갔다.

끼이이-!

죽은 와이번들이 느릿하게나마 움직이며 기사의 앞길을 막고서, 어떻게든 기사의 발목을 잡으려고 했다. 죽은 곰족들도 진흙을 밟으며 기사에게 달려들었다.

언제 아군이었냐는 듯 죽은 자들이 기사의 숨통을 조였다. 죽어버린 와이번과 곰족은 기사의 뒤를 미친 듯이 쫓아갔다. 그러나 죽은 자들은 투구의 기사를 감싼 고대의 힘에 닿자마자 사라졌다.

기사는 거침이 없었다.

그는 달리고 달렸다.

그렇게 성벽으로 향했다.

정확히는 케일, 그를 향해 달려들었다. 그리고 웃었다.

"푸하, 하하하! 이럴 줄 알았다니까!"

하늘에 자리한 화살이 움직이지 않았다. 재해의 힘을 흉내 낸 화살은 성벽으로 날아오지 못했다.

케일과 투구 기사의 눈이 마주쳤다. 투구 기사는 외쳤다.

"넌 용의 비호를 받는구나!"

고대의 힘을 쓰는 것도 마음에 안 들었건만, 인간이 용의 비호를 받는다니!

죽어 마땅한 놈이었다. 투구 기사의 눈동자에 악독한 빛이, 깊은 증오가 박혀들었다. 어느 때보다도 강렬한 기운이 기사의 몸을 휘감았다.

"네놈은, 이 성은 내가 무너뜨린다!"

하늘에서 빛나고 있던 화살이 사라졌다. 화살 대신 케일은 제 몸을 감싸는 작은 몸통을 느꼈다.

덥석.

투명화한 라온이 케일의 앞에 방패처럼 찰싹 붙어버렸다. 마치 재해의 힘을 저가 받겠다는 듯 날개를 펼치며 케일을 껴안았다.

-난 안 떨어질 거다.

케일은 그 온기를 느끼며 주위를 둘러보았다. 그러고는 손을 들어 툭툭 라온의 몸을 두드렸다.

그 모습에 달려들던 최한이 멈칫했다.

이상하다.

'저렇게 케일 님이 느긋하다는 건, 별로 위험하지 않단 얘긴데?'

그때였다. 투구의 기사가 날아오른 순간이었다. 재해의 검이 당장에라도 성벽을 꿰뚫을 듯한 그 순간. 기사도, 라온도, 다가오던 다른 이들도 웃음소리를 들을 수 있었다.

케일이 실소를 터뜨렸다. 그의 입에서 담담한 목소리가 흘러나왔다.

"역시 곰족 새끼들은 영악하다니까."

기사의 눈동자가 살짝 흔들렸다.

조금 전, 케일의 귓가로 메리의 목소리가 들려왔다. 지금껏 투명화한 채로 조용하던 메리가 처음으로 다급히 말했다.

"제가 조종하지 않는 곰족들이 움직여요!"

케일은 웃음이 나왔다.

지금 성벽으로, 마치 기사를 막을 듯이 달려오는 곰족 시체들. 저것들 중에 살아 있는 놈들이 있다니. 곰이 죽은 척했다는 소리 아닌가?

케일은 저를 향해 달려드는 척하는 기사를 노려보았다.

"저 새끼도 영악하고."

다 포기하고 달려드는 척. 그래, '척'이었다.

"……다 알고 있었네?"

기사의 입가에 미소가 맺혔다.

모든 게 연기였다는 듯 증오가 사라진 눈동자로, 그는 품에서 마법 스크롤을 하나 빼 들었다. 곰족들도 공중으로 뛰어오르며 마법 스크롤을 꺼냈다.

분명 텔레포트 스크롤일 터.

호족 가샨이 외쳤다.

"잡아!"

곰족을 잡아라.

데르트 백작이 외쳤다.

"쏴라!"

투석기와 화살이 곰족을 향해 쏘아지기 시작했다.

"졌지만 살아야 하지 않겠어?"

뱀을 닮은 얼굴이 미소를 그렸다. 투구가 벗겨지고 드러난 얼굴은 마치 뱀과 같았다. 용이 되지 못한 이무기처럼.

케일은 여전히 웃으면서, 자신의 행동을 유일하게 알아챈 놈을 쳐다봤다.

최한. 모두가 케일에게 다급히 달려갈 때, 이상함을 느꼈던 단 한 사람. 그는 어느새 죽은 와이번을 밟으며 위로 향하고 있었다. 투구 기사의 움직임과 거의 대등했다.

이제 최한이 저기 일어서 있는 죽은 와이번의 머리를 밟고 날아오르면 투구의 기사와 닿으리라.

케일은 제 몸에서 떨어지는 라온을 느꼈다. 라온의 앞발이 다시 마법을 만들어내기 시작했다.

최한의 발끝이 와이번 시체의 머리를 박차고 날아올랐다. 동시에 투구의 기사는 케일을 응시했다. 그는 몇 초의 틈을 놓치지 않았다.

"용의 비호를 받는 네놈은."

찌이익.

텔레포트 스크롤이 찢기고, 기사의 몸이 흐릿해졌다. 흐릿해지는 웃음 속에 진실한 분노가 나타났다.

용의 비호를 받는 자. 실로 죽어 마땅한 자였다.

기사는 여전히 달려드는 최한에게 재해의 검을 한 번 휘둘러 쳐내곤, 케일을 향해 입을 열었다. 이미 그의 몸은 흐릿해져, 사라지기 직전이었다.

"곧 내가 다시 죽이러 오마, 커헉!"

그러나 그는 사라지기 직전, 발목을 잡혔다. 기사의 입에서 신음이 터져 나왔다. 천천히 고개를 숙였다.

"……내 검?"

아니다. 이것은 그의 검이 아니다.

그러나 재해의 검과 비슷한, 폭풍우, 해일, 화산의 힘이 느껴지는 검. 가짜였지만, 아주 비슷한 마법 검.

기사의 귓가로 어린 목소리가 들려왔다.

"네가 먼저 죽는다."

허공.

아무것도 없는 공간에 두 개의 눈동자만이 나타났다.

검푸른 눈동자. 용 특유의 세로로 길게 찢어지고 빛나는 눈동자. 오로지 눈동자만이 나타나 기사를 마주했다.

파지지직.

스파크 소리와 함께 기사의 몸은 이동을 시작했다. 하지만 그의 몸에 박힌 검은 여전히 회전하고 있었다. 검푸른 동공은 눈을 크게 뜨며 적을 놓치지 않았다.

"커헉! 컥!"

기사가 피를 토해냈다. 최한은 그 틈을 놓치지 않았다. 재해의 검이 약해진 틈을 타 흐려진 검사의 팔을 최한의 검은 오러가 그어버렸다.

좌악!

흐려지던 팔은 잘려 나감과 동시에 제 색을 찾으며 마법의 영향에서 벗어났다. 그러나 기사는 이를 신경 쓸 틈이 없었다. 재해의 검이 다시 기사의 몸을 감싸기 시작했다. 마법으로 만든 가짜 자연을 지우는 파괴적인 힘이었다.

그러나 라온의 마법은 그의 심장에 닿았다. 흉내 낸 마법검이 용의 발톱 모양으로 변해 심장을 움켜쥐었다.

콰직.

기사는 심장 위를 움켜쥐었다. 그 순간, 용과 가장 닮았으면서도 상극인 힘, 오로지 용의 브레스와 용의 몸만이 버틸 수 있는 재해의 힘이 라온의 마법검을 파괴했다.

채애앵-

마법이 깨지고 기사의 배, 단전이 위치할 법한 장소에서 꿈틀꿈틀 뱀과 같은 힘이 치솟아 올랐다. 기사가 가진 또 다른 고대의 힘. 그것이 움직였다.

케일은 순간 서늘함이 몸을 덮쳤다.

"아?"

그때, 메리의 놀란 목소리가 들려왔다. 케일은 투구의 기사가 소리 없이 휘파람을 부는 것을 볼 수 있었다.

'설마?'

메리의 외침이 들려왔다.

"조, 조종이 안 돼요!"

케일은 저를 내려다보는 투구의 기사가 속삭이듯이 하는 입모양을 읽었다.

'아직 안 된다니까?'

최한이 고개를 숙이고 제 발목을 잡는 존재를 내려다봤다.

와이번 시체였다.

와이번은 죽어도 드래곤 슬레이어의 노예였다. 결코 벗어날 수 없었다. 와이번의 겉가죽이 부글거리며 끓는 물처럼 기이하게 변하기 시작했다. 케일은 곧바로 입을 열었다.

"피해라!"

터진다.

저건 누가 봐도 터지기 전의 모습이었다. 투구의 기사를 좇아 성벽 가까이로 온 와이번들. 그 시체들이 터지면 성벽이, 호족이 위험했다.

투석기와 화살이 있는 곳엔 실드를 펼치지 못했다. 곰족을 향해 공격을 펼쳐야 했으니까. 그리고 지금 그곳엔 병사들이 있었다.

케일의 얼굴이 일그러졌다. 그는 이래서 전쟁이 싫었다.

"하하하!"

투구의 기사는 웃음을 참지 못했다. 케일의 일그러진 꼴이 재밌었기 때문이다.

파지지직.

그의 몸이 흐려졌다.

최한이 와이번 시체에 발목을 잡힌 순간, 메리가 와이번 조종을 할 수 없는 순간, 케일이 더 이상 힘을 쓸 여력이 없는 순간. 덧붙여 여전히 마법만 쓰는 용의 존재.

투구의 기사는 이를 모두 노렸다.

콰아앙!

와이번 시체 하나가 터졌다.

그게 시작이었다. 가장 가까이서 투구 기사와 함께 달아나려던 이들이 터져 나갔다.

"으아악! 우릴 왜!"

와이번들은 적아의 구분이 없었다.

곰족도 함께 죽였다.

"으아아악! 어떻게 이런!"

"아, 안 돼! 크아악!"

호족들은 도망치며 그 광경을 허망한 얼굴로 쳐다봤다.

'아군을 죽이다니?'

기사는 곰족과 와이번을 죽이며 자신이 피할 틈을 만들었다. 수십 마리의 와이번들이 동시다발적으로 터졌다. 케일은 다급하게 병사들을 향해 방패를 펼쳤다.

투구의 기사는 그 모습을 보며 웃었다.

왜 자연이 저 그릇도 안 되는 놈에게 고대의 힘을 허락했는지 몰라도, 고대의 힘은 자신과 비슷한 성향의 이를 주인으로 모셨다. 그래서 보통의 인간은 한 가지의 고대의 힘도 겨우 받아내는 법이었다.

'나약한 놈.'

검보다 방패 같은 것이 저 자식을 주인으로 택한 이유가 있을 터. 세상에 이유 없는 것은 없었다.

기사는 저를 잡는 것보다 병사들을 살리려고 무리하게 방패를 펼치는 놈을 비웃었다. 그리고 마지막으로 고개를 들어 올렸다.

끼이이이—!

일순간 성벽 근처에 그림자가 졌다.

모두가 잊고 있던 존재. 15m의 하얀 와이번.

그것은 결코 주인의 명령을 이겨낼 수 없었고, 결국 이곳까지 다친 몸뚱이를 이끌고 날아와야 했다.

주인은 와이번에게 명령했다.

"죽어라."

"끼이이이-"

와이번은 울었다. 그러나 자유를 잃은 존재는 결국 명을 따라야 했다.

15m의 거대한 몬스터가 성벽을, 무엇보다도 최한을 덮쳤다.

콰아아아앙!

용에 버금가는 몸집의 존재. 그것은 가장 주인의 앞길을 막을 존재인 최한을 덮쳤다.

케일은 결국 입을 열었다. 최한은 이미 어깨가 뚫린 상처를 입은 상태였으며 라온도 더는 드래곤 슬레이어와 싸울 방도가 없는 상황이었다.

이미 도망가는 드래곤 슬레이어라면.

"라온, 최한을 도와라."

케일의 귓가로 주술사 가샨의 외침이 들려왔다.

"숙여라!"

케일은 눈을 감았다. 거센 바람이 그를 지나쳐 갔다. 폭발의 여파이리라.

케일은 한차례 바람이 지나가고 난 후 눈을 떴다.

성벽 밖은 초토화가 되어 있었다. 나무도 돌도, 모든 것들이 망가진 땅. 모든 것들이 진흙으로 뒤덮인 곳에는 죽어간 곰족과 잘게 흩어진 와이번들의 뼛조각만이 보였다.

드래곤 슬레이어는 없었다. 보이지 않았다.

땅 위로 호족들이 하나둘 일어섰다. 최한을 감싼 투명한 구가 천천히 성벽으로 다가왔다.

케일은 고개를 들었다. 흐린 구름이 걷히며 맑게 갠 하늘이 눈동자에 담겼다. 그 하늘 사이로 빛이 한 줄기 쏟아지기 시작했다.

"케일 님."

케일은 어느새 다가오는 최한을 보며 입을 열었다.

"흔적은 남겼나?"

질문에 대답한 이는 최한이 아닌, 그의 곁에서 투명화한 용이었다.

–남겼다.

케일은 걸음을 옮겼다. 무리한 그는 걸음이 비틀거리고 있었다. 그러나 먼저 할 일이 있었다. 케일은 백작 앞에 섰다.

"아버지."

케일은 영주 데르트 백작을 일으켜 세웠다. 그 행동에 병사들도 제자리에서 일어섰다. 그리고 하늘을 쳐다봤다.

맑게 갠 하늘.

아직 병사들을 지켜주던 은빛 방패는 여전했다.

살았다.

병사들은 깨달았고.

달칵, 달칵.

영지민들 집의 문이 열렸다. 그들 눈에 더 이상 적은 보이지 않았다.

막았다.

영지민들이 깨달았으며.

"아버지."

영주는 이제 시작임을 깨달았다. 그는 아들의 얼굴에 깃든 피로를 보았다.

삐이이이-

저 멀리 차남 바센이 뛰어오고 있었다. 그의 품에는 영상통신구가 안겨 있었다. 바센이 외쳤다.

"동북부 바다 1차 경계선에 적의 함대가 나타났다고 합니다!"

백작의 표정이 굳어졌다.

불굴 연합은 아직 얼어붙어 있는 해안가를 뚫고 남쪽으로 내려왔다. 그들은 로운 왕국의 하늘과 바다를 동시에 노렸다. 또한 함대면, 와이번보다 적의 수가 더 많을 터.

백작은 저도 모르게 케일을 쳐다봤다. 그러고는 멈칫했다.

백작은 웃는 아들의 얼굴을 볼 수 있었다. 케일은 라온의 목소리를 머릿속으로 듣고 있었다.

-내 마법의 흔적이 동북부 바다로 향했다.

라온이 드래곤 슬레이어의 심장에 남겨둔 마법의 흔적. 그 방향은 동북부 바다였다.

케일은 최한에게 말했다.

"사냥을 가야겠어."

바다면 지켜야 할 병사도, 영지민도 없다.

그러니 용잡이든 뭐든. 패 죽이면 그만 아니겠는가?

케일은 백작에게 비로소 편히 말했다.

"방패는 부서지지 않았군요."

걱정으로 가득 찼던 백작의 표정이 묘하게 변해갔다. 아들의 손을 잡은 그의 손이 떨렸다. 그는 대답 대신 조금 더 힘주어 아들의 손을 꼭 잡았다.

그리고 케일의 그 한마디는 뜻하지 않게, 바센이 들고 온 영상통신구를 통해 모두에게 전해졌다.

6권에 계속

“방패는 부서지지 않는다.”